Des nouvelles

d'une p'tite ville

Catalogage avant publication de Bibliothèque et Archives nationales du Québec et Bibliothèque et Archives Canada

Hade, Mario, 1952-

Des nouvelles d'une p'tite ville

Sommaire : t. 4. 1970, Jacques.

ISBN 978-2-89585-612-2 (vol. 4)

I. Hade, Mario, 1952- . 1970, Jacques. II. Titre.
III. Titre : Des nouvelles d'une p'tite ville.

PS8615. A352D47 2015 C843'.6 C2014-942500-7
PS9615.A352D47 2015

Les Éditeurs réunis bénéficient du soutien financier de la SODEC et du Programme de crédits d'impôt du gouvernement du Québec.

Nous remercions le Conseil des Arts du Canada de l'aide accordée à notre programme de publication.

Financé par le gouvernement du Canada
Funded by the Government of Canada |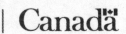

Édition :
LES ÉDITEURS RÉUNIS
www.leslediteursreunis.com

Distribution au Canada :
PROLOGUE
www.prologue.ca

Distribution en Europe :
DNM
www.librairieduquebec.fr

 Suivez Les Éditeurs réunis sur Facebook.

Visitez le site Internet de l'auteur : www.mariohade.com

Imprimé au Canada
Dépôt légal : 2016
Bibliothèque et Archives nationales du Québec
Bibliothèque nationale du Canada
Bibliothèque nationale de France

Mario Hade

Des nouvelles
d'une p'tite ville

1970. Jacques

LES ÉDITEURS RÉUNIS

Du même auteur
chez Les Éditeurs réunis

Le secret Nelligan, roman, Les Éditeurs réunis, 2011.

L'énigme Borduas, roman, Les Éditeurs réunis, 2012.

Chroniques d'une p'tite ville, tome 1 : 1946 – L'arrivée en ville, roman, Les Éditeurs réunis, 2013.

Chroniques d'une p'tite ville, tome 2 : 1951 – Les noces de Monique, roman, Les Éditeurs réunis, 2013.

Chroniques d'une p'tite ville, tome 3 : 1956 – Les misères de Lauretta, roman, Les Éditeurs réunis, 2014.

Chroniques d'une p'tite ville, tome 4 : 1962 – La vérité éclate, roman, Les Éditeurs réunis, 2014.

Des nouvelles d'une p'tite ville, tome 1 : 1967 – Violette, roman, Les Éditeurs réunis, 2015.

Des nouvelles d'une p'tite ville, tome 2 : 1968 – Juliette, roman, Les Éditeurs réunis, 2015.

Des nouvelles d'une p'tite ville, tome 3 : 1969 – Monique, roman, Les Éditeurs réunis, 2015.

La qualité d'un homme se calcule à sa démesure ;
tentez, essayez, échouez même, ce sera votre réussite.

Jacques Brel

Chapitre 1

Née en 1940, Françoise Poulin était la deuxième enfant d'une famille de huit. Son père, Marcel, homme débrouillard et infatigable, possédait de grandes habiletés manuelles pour réussir dans la vie, mais il n'avait pas du tout le sens des affaires. Lucienne Tourigny, sa femme, était tout le contraire de lui, et se révéla rapidement très intéressée par les affaires après leur mariage. Ils se complétaient donc bien. Autant il avait de l'ardeur au travail, autant il était négligent quand venait le temps de se faire rétribuer. Heureusement, sa femme veillait au grain, ce qui leur permit d'acquérir une grande maison, qu'il transforma en trois logements. Son épouse ouvrit un petit commerce à même la maison, sacrifiant ainsi le salon.

Françoise avait hérité de la vaillance de son père et de l'intelligence de sa mère. Elle brillait en classe et obtenait des notes nettement au-dessus de la moyenne. Lucienne, sa dévote de mère, rêvait de voir tous ses enfants accéder à des études supérieures, et c'est ainsi qu'elle poussa ses deux aînés à fréquenter les hautes écoles. Françoise avait obtenu un brevet d'enseignement dans une école normale. Suivant les travaux de la commission Parent qui allait révolutionner l'éducation au Québec, elle travaillait d'arrache-pied pour terminer sa formation et obtenir un baccalauréat, parce qu'elle savait que son brevet d'enseignement, à plus ou moins court terme, n'aurait plus de valeur.

Françoise avait connu Jacques Robichaud à *L'escale*, une boîte à chanson située aux coins des rues Drummond et Mountain, dans une tannerie datant du siècle dernier. *L'escale* avait fière allure avec ses vieilles briques rouges, même si elle craquait de partout. Les jeunes gens s'y retrouvaient durant la journée, les fins de semaine. Malgré le fait que Jacques soit un peu plus jeune que Françoise, il avait commencé à travailler à la Banque CIBC. Ils fréquentaient le même milieu, avaient des amis communs et se connaissaient de vue. À ce moment-là, elle enseignait déjà dans une école primaire de Granby. Militante engagée dans la JOC (Jeunesse ouvrière chrétienne), Françoise était gauchiste. Jacques, pour sa part, était issu du mouvement scout. Une expérience vécue lors de son voyage en Gaspésie et dans les Provinces maritimes l'avait radicalisé.

En 1962 s'était formé un petit cercle d'intellectuels plutôt bigarré composé de fils et de filles de la petite bourgeoisie, mais aussi de la classe ouvrière. Une révolution se préparait depuis la mort de Maurice Duplessis, laquelle remontait à quelques années déjà. La jeunesse d'alors sentait le besoin de s'émanciper du clergé, qui dominait la société québécoise depuis trop longtemps.

— Il faut qu'on prenne notre place au Québec! lança Serge Dubois, qui militait lui aussi au sein de la JOC.

— Moi, je travaille dans une banque et je suis entouré d'Anglais. Le directeur est anglais, les caissières sont anglaises, et la population est en majorité anglaise. Au fond, je suis le seul Québécois du groupe, répliqua Jacques.

— Ce n'est pas tout à fait vrai, Jacques! Les Anglais, comme tu les appelles, sont aussi québécois que nous, à moins qu'ils soient nés à l'étranger, intervint Françoise, qui n'aimait pas la tournure de la conversation.

— Mon frère, qui est devenu directeur de la succursale de Granby, y travaille aussi. Mais, pour se faire engager, il a dû utiliser ses contacts et prouver qu'il était parfaitement bilingue, reprit Jacques.

— C'est comme ça qu'on va prendre notre place, en les battant sur leur propre terrain! Et aussi par l'éducation! dit Françoise.

— Oublies-tu que ce sont eux qui détiennent le capital? fit remarquer Serge. Qu'est-ce que tu veux faire sans une maudite cenne dans tes poches? Il n'est pas dit que c'est comme ça que je vais finir…

— Qu'est-ce que tu veux dire par là? As-tu l'intention de braquer des banques, et si c'est le cas, ne viens pas dévaliser celle où je travaille…, dit Jacques à la blague.

— Je vais la gagner ma place parce que je n'ai pas peur de travailler, moi ! rétorqua Serge.

Par cette pique, il voulait éloigner un concurrent un peu trop près de Françoise à son goût.

— Je n'ai pas peur moi non plus, mais il n'est pas nécessaire de travailler au pic puis à la pelle pour gagner sa vie. Le calcul vaut souvent le travail ! Réfléchis à ça, Serge.

Offusqué, ce dernier se leva pour aller se chercher une bouteille de champagnette au bar, qui était en réalité du cidre. Jacques, lui, en profita pour proposer à Françoise une aventure hors du commun.

— Aurais-tu le goût d'aller à la *Butte à Mathieu* à Val-David ? Il y a toujours de bons spectacles des plus grands chansonniers de l'heure.

— C'est loin ! Si y on va, il va pratiquement falloir coucher dans le coin…

— Est-ce une proposition ?

— Tu crois que j'ai peur ? Un petit coup de fil à ma mère pour ne pas qu'elle s'inquiète et un petit mensonge, et je suis prête. Ça fait longtemps que j'ai envie de me promener dans ta MGA. Vas-tu baisser le toit ?

— C'est déjà fait ! Que va dire Serge en nous voyant disparaître ?

— Je ne dois rien à personne. En plus, il veut rester chaste jusqu'au mariage… c'est complètement ridicule !

Ils sortirent de l'endroit et filèrent en riant aux éclats. Jacques s'immobilisa près d'une cabine téléphonique et Françoise put conter son boniment à sa mère. Quand elle raccrocha, elle avait un sourire sans équivoque aux lèvres et se promettait une journée inoubliable.

— Je t'avais dit qu'il n'y aurait pas de problème avec ma mère, elle est tellement naïve !

— Que dirais-tu si on arrêtait à Montréal pour aller écouter Marcel Chaput à la nouvelle aréna Maurice-Richard, sur la rue Viau ? On a amplement le temps de s'y rendre et d'aller à Val-David par la suite. J'aime beaucoup Chaput, et il a besoin d'encouragement !

— C'est comme tu veux, Jacques ! Moi, je pense surtout à la nuit…

— Tu ne seras pas déçue, Françoise, je te le promets, dit-il en lui serrant la cuisse de la main.

Les élections provinciales du 14 novembre 1962 étaient sur toutes les lèvres. Même la météo était reléguée au second plan dans les conversations. La vieille garde était optimiste pour la circonscription de Shefford, mais pessimiste à l'échelle de la province. En général, toute la population du Québec sentait que les élections provoquées par le premier ministre Lesage amèneraient un changement positif. Le point de vue de Jacques à ce sujet était ambigu. Il acceptait les libéraux comme un moindre mal. En contrepartie, il suivait avec beaucoup d'intérêt la carrière de Marcel Chaput, qui s'était présenté comme candidat indépendant et indépendantiste. Le RIN l'avait appuyé, mais sans le faire ouvertement, il était livré à lui-même. Jacques était furieux de ce manque de transparence. Françoise mit fin à ses réflexions.

— C'est grisant de se promener dans une auto sport avec le vent qui nous joue dans les cheveux, fit-elle remarquer.

— Je m'excuse, mais je pensais au rassemblement et je me disais que c'était toutes des couilles molles, à l'exception de Bourgault et de Grenier ! Je te dis que ce n'est pas demain qu'on va connaître les vrais changements au Québec…

— J'aime bien ton discours, car il est très différent de celui de Serge qui, lui, n'a pas vraiment d'opinion politique. Quand il en a une, elle est très conservatrice.

— Quand tu entendras Chaput, tu verras que c'est un excellent orateur. Si Bourgault y est cet après-midi, tu vas tomber sur le dos ! Ils sont époustouflants, ces deux-là…

— Est-ce qu'on va y être à temps pour écouter leur discours ?

— Je vais te montrer la puissance de mon cheval si tu n'es pas peureuse ! Hi ho, Silver !

Ils filèrent à vive allure, jusqu'à l'approche du pont Jacques-Cartier. Jacques décéléra et regarda Françoise tout en lui caressant la cuisse. Elle avait le teint d'une femme grisée par l'émotion. Il avait conduit comme un professionnel de course automobile et, par chance, il n'avait pas croisé de voiture de police.

— Est-ce mes caresses ou ma conduite qui te donnent ce teint magnifique ?

— Disons que ta conduite m'impressionne et, dans les deux cas, j'aime bien ça !

— Sais-tu que tu es une vraie coquine ? J'ai l'impression qu'il vaut mieux que je sois à la hauteur aux deux niveaux, sinon, gare à moi !

— Ne t'inquiète pas trop de ta performance, Jacques, car en cas de défaillance, je saurai bien ranimer ta fougue ! lui lança-t-elle d'un regard fripon.

— Je ne suis pas du tout inquiet, car ça fait trop longtemps que j'attends ce moment pour m'écrouler à la ligne d'arrivée.

— Vu sous cet angle, je t'avoue que j'ai très hâte que tu la franchisses, cette ligne…

— Et moi donc ! dit-il en remontant sa main jusqu'à son entrecuisse puis jusqu'à sa petite culotte.

Françoise, qui laissa cette main la toucher, émit un léger soupir de satisfaction, sachant que ce n'était là qu'un avant-goût. Jacques ne put s'empêcher de sourire de contentement.

Décidément, la journée s'annonçait prometteuse. Si, de surcroît, elle aimait la politique autant que lui, cela signifiait qu'ils étaient faits pour être ensemble.

À l'assemblée, il y avait foule, et Marcel Chaput était en verve pour expliquer sa vision de l'avenir du Québec. Il soulevait l'assistance, qui avait été réchauffée par Pierre Bourgault. Ce dernier l'avait présenté comme étant un homme authentique qui croyait à son programme. À l'évidence, Bourgault partageait aussi les idées de Chaput. Ce dernier enflamma Françoise par sa harangue et aussi Jacques, qui avait poussé des cris partisans. À la fin, ils sortirent de l'aréna en chantant des chants patriotiques avec la foule. Ils retrouvèrent la MGA et prirent la direction des Laurentides.

— Comment tu te sens, Françoise ?

— Je me sens tellement bien, tu ne peux pas t'imaginer ! Wow !

— J'ai eu très chaud à l'aréna ! Rouler nous fera du bien ! Que dirais-tu d'une baignade ?

— Dis donc, tu veux en faire des choses aujourd'hui ! Je voudrais bien, mais je n'ai pas de maillot !

— Je connais une rivière où tu n'as besoin de rien pour te baigner. C'est en plein bois !

— J'ai plus envie de m'étendre un peu et peut-être aussi d'une crème glacée ?

— Si tels sont tes désirs, ils seront exaucés! Au premier Dairy Queen que je vois, j'arrête!

— Tu seras bien récompensé avant le souper si tu veux…

— J'ai une idée de l'endroit où nous pourrons nous allonger confortablement sans être dérangés par les moustiques.

— Ce sera long? demanda-t-elle.

— Mais non! L'hôtel s'appelle La Sapinière, et je filerai comme le vent pour te satisfaire dans les plus brefs délais…

Sans mettre leur vie en péril, Jacques roulait à toute vitesse sur ce chemin sinueux qui donnait fière allure à son automobile britannique conçue pour ce genre de route. Il savait que sa conduite irréprochable excitait Françoise et stimulait sa libido. Quand ils arrivèrent à Val-David, Françoise ne s'attendait pas à découvrir un hôtel aussi majestueux dans ce petit village éloigné. Ce qu'elle ignorait, c'était qu'il y avait une foison de ce genre d'hôtels dans les Laurentides, comme l'auberge Alpine Inn ou Le Chantecler à Sainte-Adèle. Ils se présentèrent à la réception et se firent passer pour M. et Mme Robichaud. Jacques signa le registre et prit la clé qu'on lui tendit. Une fois dans la chambre, Françoise oublia la crème glacée qu'elle se promettait de déguster et se réfugia dans la salle de bain. En entendant le jet de la douche, Jacques esquissa un large sourire. Il retira son veston et ses chaussures en murmurant qu'il serait le prochain à se rafraîchir.

Puis Françoise apparut enroulée dans une grande serviette et donna un baiser à Jacques en passant à ses côtés. Ce dernier s'empressa de répondre à son avance en lui coulant un regard qui en disait long sur ses intentions. Il se précipita sous la douche et se savonna rapidement, tout en essayant de réduire son érection. L'eau froide fit rétracter les muscles de son membre. Françoise s'était glissée sous les draps et l'attendait patiemment. Une fois Jacques près du lit, il se pencha au-dessus d'elle et l'embrassa tout en soulevant les draps. S'allongeant près d'elle, il admira ses seins volumineux, mais fermes. Il ne put résister à l'envie de les caresser avec sa bouche. Il apprécia son initiative au lit, car elle était curieuse et entreprenante. Elle était belle et avait une peau satinée. Leur première expérience fut concluante, puisqu'elle avait beaucoup joui, pour le plus grand plaisir de Jacques.

— Si on allait souper avant le spectacle ? demanda Jacques.

— Pourquoi pas ! J'ai très faim, mais je veux me rafraîchir un peu pour éviter de traîner dans la salle à manger une odeur de sexe qui me tiendrait prisonnière toute la soirée.

— Tu n'aimes pas cette odeur si particulière ?

— C'est tout le contraire, mais ça peut nuire à ma concentration. Je me crois capable de récidiver en fin de soirée, si tu te sens suffisamment en forme à ce moment-là.

— Ne t'inquiète pas de ma capacité de performer plus tard en soirée. Je pourrais t'honorer sur-le-champ si tel était ton désir. N'oublie pas que j'ai juste vingt et un ans, que je pète le feu et que je suis fou de ton corps.

— C'est vrai! J'oubliais que tu n'étais qu'un jeunot et moi, une femme d'expérience… Montre-moi tes papiers qui prouvent que je ne risque rien, car un détournement de mineur, ce n'est pas une mince affaire, dit-elle pince-sans-rire.

— Si je sors mon portefeuille pour te prouver que je suis majeur, je te préviens que le coût sera élevé, dit-il en fouillant dans ses poches.

— Ce ne sera pas nécessaire, j'aime bien l'idée que tu sois plus jeune que tu le prétends. J'adore la chair fraîche…

— Perverse!

— Un peu, tu as raison! Allons souper si tu tiens à aller voir le spectacle. Sais-tu qui se produit ce soir?

— Il me semble que j'ai vu une affiche de Raymond Lévesque en entrant dans le hall de l'hôtel! Je vais vérifier en descendant! Allons manger!

Ils se rendirent à la salle à manger. Jacques avait pris soin d'annoncer à Françoise que c'est lui qui régalait. Elle avait la réputation d'accepter difficilement le fait que c'était l'homme qui payait tout. Pour elle, cette mentalité était machiste. Femme moderne, elle était fière de son indépendance financière et ne voulait en aucun cas être redevable à qui que ce soit. Selon elle, souvent les hommes croyaient pouvoir tout s'offrir avec leur argent, y compris les faveurs sexuelles d'une femme, et ça la dégoûtait au plus haut point. Si elle acceptait de faire l'amour avec un homme en tant que femme libérée, c'était qu'elle le désirait tout simplement. Elle voulait Jacques Robichaud comme elle avait voulu les quelques autres hommes avec qui elle avait eu des rapports sexuels. Pour l'instant, elle avait jeté son dévolu sur Jacques et se promettait d'aller au bout de la question, à savoir s'il était digne d'intérêt. Peut-être s'apercevrait-elle qu'il n'était qu'une relation d'un jour et un type sans cervelle, mais ce n'était pas son impression.

Le souper et le spectacle furent excellents, comme elle s'y attendait. Et elle fut éblouie par la fin de la soirée, qui s'est terminée dans l'intimité de leur chambre d'hôtel. Jacques se surpassa en faisant preuve d'une imagination délirante au lit. En plus d'être repue, elle avait atteint son but premier : le séduire totalement. Très philosophe, elle se promit de le séduire par une autre approche, ou peut-être par une combinaison d'approches. Si, par exemple, il l'invitait une autre fois chez lui à Ormstown, elle vérifierait le vieil adage selon lequel c'est par l'estomac qu'on retient le mieux un homme. Malgré ses doutes sur la véracité de cette maxime, elle était assez habile en cuisine pour épater Jacques. En rajoutant quelques éléments de nature sexuelle au menu, elle était presque certaine d'avoir une formule gagnante. Elle pouvait l'époustoufler en faisant étalage de sa culture générale sans crainte de l'effaroucher, car elle avait l'impression qu'il préférait une femme cultivée à tout autre type de femme.

Le lendemain, sur le chemin du retour vers Granby, elle aborda le sujet de sa vie à titre d'employé de banque et de son exil à Ormstown. Jacques semblait emballé par sa vie loin de Granby.

— Le travail, ça va parce que, primo, j'ai le logement inclus, tout comme mon frère Yvan à l'époque où il a commencé à la banque. Deuxio, je suis le seul bilingue, à part le directeur. Tertio, je me fais une petite fortune au poker en les écrémant tous les mardis soir. Quatro, le travail est tellement facile que c'est à se demander si quelqu'un d'autre que moi sait compter parmi les employés.

— C'est la preuve que tu n'as pas encore atteint ton niveau d'incompétence !

— Quel est l'intérêt d'atteindre ce niveau d'incompétence, comme tu l'appelles ?

— L'intérêt est que tu es sous-utilisé par rapport à tes capacités et qu'à plus ou moins court terme, tu vas devenir blasé et insatisfait de ton travail. Tu seras malheureux si tu ne peux plus avancer dans l'échelle organisationnelle.

— Je croirais entendre mon frère Yvan. Mais tu n'as pas tout à fait tort, parce que je me sens déjà comme ça avec mon directeur, qui est con comme un balai.

— Tu n'as pas envisagé de faire autre chose ?

— C'est vrai que j'ai choisi la facilité, mais en attendant, je m'amuse bien et j'ai pu m'offrir cette bagnole que tu aimes tant. Je n'ai pas l'intention de faire carrière dans le milieu bancaire, mais je ne sais pas vraiment ce que j'aimerais faire…

— J'aime ta franchise, Jacques ! Ce n'est pas tout le monde qui peut en dire autant. C'est sûrement pour cette raison que je t'apprécie tant.

— Juste m'apprécier ?

— Pour l'instant, ça ne te suffit pas ?

— Tu as raison de dire que j'en veux toujours plus ! Je suis un éternel insatisfait…

— Pourquoi ne retournerais-tu pas aux études ?

— Depuis que je travaille, je me suis gâté un peu et j'aurais de la difficulté à vivre plus simplement. Il faut penser à l'appartement à Montréal et tout le tralala… je n'ai personne pour me soutenir, mes parents ne sont pas riches. Ce serait vivre dans la misère, et je ne veux pas y penser pour l'instant.

— On aura l'occasion d'en reparler, mais pour le moment, j'attends toujours ton invitation à passer une fin de semaine dans ta ville d'adoption, à moins que je ne t'intéresse pas plus que ça ? Je comprendrais…

— Je ne demande pas mieux que de passer une fin de semaine complète avec toi. Je pourrais même payer ton billet d'autobus.

— Je peux régler mon transport, l'épicerie et l'alcool que nous boirons. Je ne suis pas à l'aise avec le fait que tu paies pour moi. Hier, c'était différent parce que tu m'as prise au dépourvu. Aujourd'hui, il est temps de remettre les pendules à zéro.

— C'est comme tu veux, Françoise, mais si tu souhaites venir la fin de semaine prochaine, je serais l'homme le plus heureux du monde. Je n'ai pas terminé l'exploration de ce corps excitant…

— Ne joue pas aux machos, ça ne te va pas bien! Par contre, j'aime bien que tu me désires autant. Je te dirais que c'est partagé en ce qui me concerne.

— D'accord! Je t'attends donc vendredi soir prochain. Je t'avertis : je ne suis pas le mieux équipé pour faire à manger. Il y a un restaurant près de la banque.

— Ne te préoccupe pas de ce genre de détail. Par contre, j'aimerais que ce soit moins effréné qu'hier parce qu'à ce rythme, je serai brûlée en rentrant au travail le lundi suivant.

— Je suis désolé !

— Ça va et comme on dit souvent, un homme averti en vaut deux ! Pas vrai ?

Jacques ne répondit pas à cette dernière remarque. Il acquiesça tout de même d'un mouvement de tête contrit. Ils approchaient de Granby par la route 1. Le voyage de retour se fit à une vitesse moins rapide. Ils eurent le temps de contempler le panorama, soit le mont Rougemont et, plus loin, le mont Yamaska à Saint-Paul-d'Abbotsford, avec des vergers à perte de vue, et les jolis petits kiosques qui bordaient la route. La plupart des gens de la région ne voyaient plus le majestueux décor qui les entourait. À l'approche de Granby, on pouvait aussi admirer les monts Brome et Shefford, qui faisaient de la ville une charmante vallée. En tant qu'ancien scout, il avait eu le temps d'explorer ces magnifiques collines montérégiennes. Il se promettait de lui faire découvrir ses secrets avec ses petits lacs ignorés de la population en général, si leur aventure se poursuivait au-delà d'une semaine ou deux.

Françoise l'embrassa avant de le quitter devant l'église Notre-Dame, qui était tout près de chez elle. Ils se donnèrent rendez-vous le vendredi suivant, à Ormstown. En la regardant s'éloigner, Jacques constata qu'il avait faim. La cantine Trudeau était immobilisée à côté de l'église, rue Saint-Antoine, et l'odeur de friture avait stimulé son appétit. Il se gara et commanda deux hot-dogs, une frite et un cola. Tout en dégustant son repas, il se rappelait son adolescence lorsqu'il faisait partie de la troupe septième Notre-Dame et qu'il était le chef de la patrouille des aigles. Que de bons souvenirs! Des années de bonheur qu'il n'hésiterait pas à recommencer... La vie était tellement plus simple et plus formatrice à ce moment-là. Il se rappelait son indépendance et à quel point cela horripilait sa mère. Le sentiment de liberté qu'il avait ressenti en faisant le tour de la Gaspésie et des Provinces maritimes avait été un point décisif de sa vie, entre l'adolescence et l'âge adulte.

En se rendant chez elle à pied, Françoise pensait à sa folle équipée de la veille où, sur une impulsion du moment, elle avait dit oui à la proposition de Jacques Robichaud. Elle avait perdu la tête, mais aussi un prétendant. Serge n'accepterait certainement pas sa soudaine disparition avec un rival. Et après tout, c'est ce qu'elle souhaitait, elle n'avait pas à avoir de regrets. Jacques lui plaisait, même s'il faisait dans la démesure. En son for intérieur, elle se disait qu'elle aimerait être un peu comme lui. Elle en avait assez de jouer constamment à la fille sage. Son travail d'enseignante l'obligeait à faire preuve de plus de retenue en public, mais cette contrainte se limitait uniquement à la p'tite ville de Granby. Elle avait déjà hâte à vendredi prochain pour retrouver son nouvel amant.

Après s'être légèrement sustenté à la cantine, il prit lui aussi la direction de la maison familiale, où sa mère devait l'attendre avec son linge propre et fraîchement repassé. Elle se donnait bien du souci, il aurait pu l'apporter à la buanderie, mais elle y tenait. Elle avait l'impression de le retenir ainsi, cependant il ne faisait pas preuve de beaucoup de reconnaissance à son égard. Elle avait perdu le contrôle sur lui dès l'adolescence. Elle avait beau l'admonester, il n'en faisait toujours qu'à sa tête. Elle pensait à la visite d'Yvan quelques jours plus tôt et se demandait si elle devait en parler à Jacques. Finalement, elle était bien contente qu'il fût absent à ce moment-là. Elle se remémorait parfaitement la conversation qu'ils avaient eue ensemble.

— C'est vraiment une tête brûlée, cet imbécile! Je vais l'étriper, ce misérable!

— Qu'a-t-il donc fait pour te mettre dans un tel état?

— C'est un crétin, maman! Il n'a jamais saisi qu'il travaillait pour une banque canadienne, et de surcroît majoritairement anglophone. Il se permet d'écrire dans un journal indépendantiste. Il mériterait de se faire renvoyer, et c'est ce qui va arriver si jamais la direction tombe sur ce torchon. Il est fou ou quoi?

— Voyons, Yvan! C'est quand même ton frère!

— C'est un innocent! Qu'est-ce que tu veux que je te dise?

— Je te défends de parler comme ça de ton frère. Il a droit à ses idées comme toi aux tiennes.

— Oui, mais maman, il faut être cohérent dans la vie! On ne peut pas faire ce qu'on veut sans penser qu'un jour on pourrait nous affronter avec nos idées.

— Il faut être indulgent, Yvan! Il est jeune à une époque qui est plus permissive que dans mon temps et même que dans le tien.

— N'essaie pas de le défendre à tout prix ! Nous n'avons que sept ans de différence. La vie n'a pas tant changé en si peu de temps. C'est juste qu'il se fout de tout depuis son voyage en Gaspésie. Il a trop fréquenté d'anarchistes à Percé !

— Je ne pourrais pas te le dire, mais on ne peut pas nier le fait qu'il est très intelligent, répondit sa mère.

— L'intelligence ne sert à rien si elle n'est pas utilisée à bon escient. Jacques est l'exemple parfait d'un talent gaspillé.

— Il n'a que vingt et un ans, donne-lui une chance de faire ses preuves.

— Je n'aurais pas de problème avec ses agissements s'il ne portait pas atteinte à ma réputation à la banque. Dis-lui que je veux le voir le plus tôt possible, mais ne l'avertis pas de mes raisons, sinon il va se défiler.

— D'accord, d'accord ! Tu es tellement intransigeant que je ne te comprends plus. Je te dirais que nous avons des problèmes familiaux plus prioritaires que vos différends. Le bébé de Nicole va naître infirme, et elle est vraiment malheureuse. Est-ce que tu réalises que vos problèmes sont bénins à comparer aux siens ?

Je suis désolé pour Nicole, mais qu'est-ce que j'y peux ? Qu'en est-il de la fameuse rumeur qui circule au sujet de Monique ?

— La pauvre a fini par accepter la situation puisqu'elle ne peut rien y changer. Son mari la soutient, même si ça peut nuire à ses ambitions de devenir commissaire de la commission scolaire. Le curé lui a même demandé s'il aimerait devenir marguillier de la paroisse.

Lauretta décida de mettre Jacques en garde de la teneur des propos de son frère Yvan. Elle voulait surtout éviter la discorde entre ses deux fils. Elle l'entendit soudainement arriver. Émile était dans le jardin ou dans le garage avec une bière à la main, vu l'heure avancée de l'après-midi.

— Bonjour m'man! Quoi de neuf dans notre belle et grande famille?

— Pour une fois, rien de neuf, à l'exception de Gérard qui veut arrêter de faire du taxi. Sa femme dit qu'elle ne le voit pas assez souvent! Essaie de comprendre ça : il y a des femmes qui se plaignent que leur mari ne travaille pas assez, alors que d'autres se plaignent du contraire… Veux-tu bien me dire où tu étais passé? J'étais inquiète sans bon sens! T'aurais pu m'appeler si tu savais que tu étais pour découcher? Je trouve que tu n'es pas très gentil avec moi!

— Je m'excuse, m'man, mais je suis monté dans les Laurentides pour aller voir le spectacle de Raymond Lévesque, et on a couché à Val-David…

— Prends donc l'habitude de m'avertir, tu le sais que j'ai le cœur malade. Fais donc pas exprès, Jacquot!

— Oui maman! Je ne descendrai pas la fin de semaine prochaine parce que c'est ma fin de mois à la banque.

— Ton linge est prêt et repassé. Est-ce que tu soupes avec nous? Avant que j'oublie, Yvan est passé à la maison et il a lu ton article dans le journal: il n'était pas content du tout.

— Je n'ai pas faim, m'man! Je vais redescendre à Ormstown pour être en forme demain. Merci pour mon linge, t'es un amour. Tu diras à Yvan que, s'il a quelque chose à me dire, il sait où me rejoindre. Il ne recommencera pas à faire son p'tit *boss* de bécosse avec moi!

— Ne t'inquiète pas, mon garçon! Je lui ai dit que tu avais droit à tes opinions, et moi je l'ai trouvé très bien écrit ton article. Tu as un réel talent!

Jacques empoigna son sac et sortit de la maison après avoir embrassé sa mère. Il avait hâte d'être chez lui, en haut de la banque. Il prit la route avec soulagement. Il eut tout le temps de réfléchir à sa fin de semaine et trouva le bilan très positif. Françoise s'était avérée être une compagne agréable et une excellente maîtresse. Il repensait à son frère Yvan qui n'avait pas aimé l'article qu'il avait écrit dans le journal du RIN, *L'indépendantiste*, et dans lequel il dénonçait la léthargie de ses membres. Avec Henry Somerville comme député dans Huntingdon et sa circonscription de résidence étant majoritairement anglophone, il ne pouvait pas espérer grand changement de ce côté-là. Il apprendrait à son frère à ne pas s'ingérer dans sa vie privée. Et si la haute direction de la CIBC était informée de son article et qu'elle le remerciait pour l'avoir rédigé, il intenterait un procès contre elle pour atteinte à sa liberté. À bien y penser, si jamais il décidait de retourner aux études, c'est en droit qu'il s'inscrirait, mais il n'était pas prêt. Sa situation et sa vie étaient trop agréables pour délaisser son confort. Il chassa ces pensées pour organiser sa fin de semaine prochaine. Un gros ménage de l'appartement s'imposait avant d'y accueillir Françoise, s'il voulait faire bonne impression.

Le mardi, comme d'habitude, il joua au poker et, comme toujours, il gagna, mais la somme était un peu moins élevée que la semaine précédente et c'était préférable ainsi s'il voulait continuer à être invité à ce rituel hebdomadaire. Fréquemment, il songeait à Françoise, au point qu'il se demandait pourquoi elle était aussi présente dans ses pensées. Le sexe n'était pas ce qui venait le troubler le plus souvent. C'était son intelligence et surtout son ouverture d'esprit qui le touchaient. Il avait hâte de vivre l'expérience d'une fin de semaine relaxante, comme cela arrive à la plupart des couples normaux.

Chapitre 2

Sa relation avec Françoise devint plus sérieuse. Elle l'avait séduit durant la fin de semaine qu'elle avait passée avec lui. Ils ne firent rien d'autre que l'amour, entrecoupé de brefs moments de lecture pour lui, pendant qu'elle préparait les repas. Ils étaient sortis pour humer l'air de cette fin d'été. C'est à pied qu'ils se déplaçaient entre l'appartement et l'épicerie. Ils retournaient rapidement au logis réintégrer leur nid comme pour couver les œufs qui devaient éclore avant la fin du week-end. Elle avait réussi à l'étourdir en imaginant ce que la vie pourrait être avec elle si jamais ils décidaient de former un couple. Il avait voulu lui faire découvrir quelques endroits de la région, mais elle avait mentionné qu'ils auraient tout le temps voulu une prochaine fois, si leur aventure se poursuivait...

— C'est incroyable comme le temps a passé vite ! Il me semble que je viens juste de descendre de l'autobus que, déjà, il me faut repartir pour reprendre le travail. Je t'avoue que j'ai adoré mon séjour dans ton petit nid, qui n'est pas si petit que ça à bien y penser. Il y avait suffisamment d'espace pour ne pas se marcher sur les pieds et pour qu'on puisse se réfugier dans nos bulles respectives, déclara Françoise, d'un ton un peu triste.

— J'ai le même sentiment ! Je te garderais bien toute la semaine avec moi, mais le devoir t'appelle… Pendant que je préparais un nouvel article pour *L'indépendantiste*, je te regardais cuisiner des repas délicieux, alors qu'un sandwich m'aurait amplement suffi. Je n'ai jamais manqué d'air ou d'espace en ta présence et ça, c'est une condition essentielle pour envisager un futur dans notre relation.

— J'ai la même vision que toi sur ce point ! Tu sais que, dans la vie courante, j'ai beaucoup de travaux d'élèves à corriger le soir et c'est du temps que je ne peux partager avec personne. J'ai besoin d'une certaine quiétude comme toi quand tu dois écrire et réfléchir.

— C'est tout à fait ça, Françoise ! Tu as bien résumé ce que je pense. Ce serait éventuellement possible de cohabiter si la vie nous rapprochait, mais tant que je travaille pour la banque et que tu enseignes à Granby, ça m'apparaît impossible.

— Tu pourrais obtenir une mutation, mais je persiste à penser que tu n'es pas à ta place dans une banque, et tu le sais même si tu ne veux pas l'avouer.

— Tu as sûrement raison, mais je ne suis pas prêt pour l'instant ! Ça demande une réflexion profonde, et il y a beaucoup de contradictions qui m'habitent. Par exemple, j'ai une très grande admiration pour Fidel Castro et Ernesto Guevara ; et c'est totalement incompatible avec mon travail.

— Tu as l'âme d'un révolutionnaire dans le corps d'un représentant de l'*establishment*! J'avais remarqué au rassemblement de Marcel Chaput que tu vivais une dichotomie profonde entre ta raison et ta passion. Tu sais que tu devras choisir un jour ou l'autre. Sinon, tu vas beaucoup souffrir dans ta vie…

— Je sais, mais il me manque beaucoup trop de connaissances pour vraiment faire un choix éclairé. Je me dis que je suis encore bien jeune pour décider de mon avenir.

— C'est peut-être vrai aujourd'hui, mais ça ne l'était pas il n'y a pas si longtemps. La majorité des gens étaient mariés et parents à ton âge, il y a à peine vingt ans.

— Mon père s'est marié à trente ans alors que ma mère en avait vingt, répliqua Jacques pour infirmer les propos de Françoise.

— Ton père était une exception chez les francophones alors que chez les anglophones, c'était plus fréquent. Je crois que c'est une question d'éducation.

— Peut-être. Mon père est illettré! Il ne signe même pas son nom… peux-tu t'imaginer que ça existe encore en 1962? C'est incroyable, quand même!

— Jacques! Tu n'as pas idée du nombre d'illettrés qu'il y a au Québec au moment où on se parle. C'est aussi incroyable que l'histoire de ton père… Dis un chiffre.

— Je ne sais pas. Trente pour cent ?

— Je te dis que c'est au moins le double, si tu fais la différence entre l'analphabète et l'illettré.

— Je t'avoue que je ne connais pas la nuance, s'il y en a une !

— L'illettré a appris les bases de l'écriture et de la lecture qu'il a perdues au fil des années parce qu'il a quitté l'école avant la fin du primaire et qu'il n'avait pas d'intérêt pour cet apprentissage pourtant essentiel, alors que l'analphabète n'a jamais appris cette forme de communication, qui est surtout absente chez les peuples primitifs.

— Es-tu en train de prétendre que nous sommes primitifs ?

— Ce n'est pas moi qui dis ça, mais les statistiques qui parlent de la réalité québécoise…

— Je suis estomaqué ! Peux-tu imaginer le travail qu'il y aura à faire pour réduire ce pourcentage ?

— Si je t'en parle, c'est que je suis sur la ligne de feu avec ma classe de septième année. Ce n'est pas facile de développer l'intérêt des jeunes pour le français. Ils partent du précepte que, s'ils se dirigent vers les métiers de la construction ou le travail en usine, ils n'auront pas besoin de perfectionner cette matière et que le joual fera très bien l'affaire. Parmi ceux-là, un bon nombre risque de grossir les rangs des illettrés à plus ou moins court terme.

— Il me semblait que la commission Parent avait pour objectif de rendre l'école obligatoire jusqu'à l'âge de seize ans.

— La commission Parent n'a pas force de loi, Jacques ! Je te dirais que c'est un vœu pieux des libéraux de Lesage, mais ce n'est pas encore la réalité tout comme le ministère de l'Éducation.

— Le mari de ma sœur, Paul Tremblay, suit ça de très près. Je vais lui en parler à la première occasion quand je descendrai à Granby.

— Quand prévois-tu y aller ? Le sujet m'intéresse…

— À Granby, on n'aura pas la même liberté d'action qu'ici, mais j'imagine que tu n'as pas beaucoup le choix, n'est-ce pas ?

— Tout peut s'arranger si on le désire vraiment…

— Je crois que tu as raison et que c'est beaucoup plus facile pour moi qui ai déjà quitté le nid familial ! Qu'en penses-tu ?

— J'attendrai ton appel si jamais tu te décides ! En attendant, il ne faudrait pas que je manque l'autobus, dit-elle.

— Je te raccompagne au terminus !

Françoise ramassa son sac, mais Jacques l'en délesta rapidement. Il lui donna un long baiser, puis se saisit du sac en se dirigeant vers la porte. Françoise jeta un dernier regard sur le logis comme pour s'imprégner de l'endroit, ne sachant pas encore si elle le reverrait un jour. Il lui prit la main dès qu'ils eurent descendu l'escalier menant à la rue. L'attente fut brève avant l'arrivée de l'autobus. Il lui donna un dernier baiser et la salua de la main dès qu'elle eut choisi un siège. Jacques regarda l'autobus s'éloigner à regret. Il prit sur-le-champ la décision d'être à Granby la fin de semaine suivante. Il fut tenté de prendre une bière à l'hôtel du village, mais se ravisa en se disant qu'il se contenterait d'un verre de vin tout en terminant son article pour *L'indépendantiste*. Il esquissa un sourire de satisfaction en pensant à sa fin de semaine remplie d'amour et de délices.

La fin de semaine suivante, comme prévu, Jacques roula en direction de Granby, en ayant pris soin d'appeler Françoise pour l'avertir de l'heure de son arrivée. Elle était heureuse qu'il montre autant d'intérêt pour elle et qu'il la prévienne ; elle le trouva délicat. Ses doutes s'effacèrent comme par magie quant aux intentions de Jacques à son égard. Françoise était prête à s'engager plus à fond dans une relation et à se limiter à un seul amant, mais elle se demandait si c'était le bon choix qu'elle faisait en se concentrant sur Jacques et en reléguant Serge aux oubliettes. L'avenir le lui dirait, mais pour l'instant, elle était envoûtée par ce jeune employé de banque qui ne manquait pas de panache et de bagout. Elle aimait sa démesure et ses contradictions. À cette époque, Françoise se laissait encore bernée par l'illusion qu'il était possible de changer quelqu'un et de le façonner à sa guise. Quelle erreur !

— Bonsoir Françoise, je suis à Granby depuis quelques minutes ! Je vais laisser mon sac de linge sale chez ma mère, mais aussi ma petite valise. As-tu envie d'aller faire un tour au *Baratin* ? J'aimerais bien y rencontrer Laurent et peut-être Germain s'ils sont en ville.

— Il n'y a pas de spectacle le vendredi soir, mais c'est presque mieux si on veut discuter ! La musique y est toujours agréable. Est-ce que tu me prends en passant ou on se retrouve là-bas ?

— Je suis prêt à briser la glace avec tes parents en souhaitant qu'ils aiment ma bouille…

— Tu n'as pas à t'inquiéter avec ta gueule d'employé modèle. Ils vont t'adorer, j'en suis certaine !

— Autant que leur fille ?

— Presque autant !

— Je n'ai donc rien à craindre ! Dans quinze minutes, ça te va ?

— Pas de problème ! Je serai prête !

— À tantôt !

Jacques n'aimait pas vraiment l'idée de rencontrer les parents de Françoise parce que leur relation prenait une tournure officielle, mais il fallait bien qu'il concède quelque chose à Françoise puisqu'elle avait la volonté d'officialiser leurs fréquentations. Il n'avait aucune difficulté à faire la connaissance de son père, mais avait des réticences à connaître sa mère et à affronter son œil inquisiteur. Quand il arriva devant la maison, il se gara dans la rue et descendit de voiture, cherchant du regard Françoise à une fenêtre. Il avait gardé son complet, mais enlevé sa cravate. Il avait l'air d'un jeune professionnel et se trouvait acceptable pour n'importe quelle belle-mère, même les plus coriaces. Gonflé à bloc, il sonna à la porte et Françoise vint lui répondre.

— Bonsoir Jacques! dit-elle en l'embrassant discrètement. Veux-tu saluer ma mère? Elle est dans sa boutique. Juste un petit bonjour afin qu'elle mette un visage sur un nom.

— Tu as déjà parlé de moi à tes parents?

— Bien sûr, mais ne t'inquiète pas trop!

Françoise le prit par la main et l'entraîna à travers la maison jusqu'à la porte qui communiquait avec la boutique. Il se sentit drôle quand il aperçut qu'elle était occupée à servir une cliente. Jacques connaissait le processus, sa mère recevait elle aussi clients et clientes dans le salon qui servait d'atelier de couture. Les présentations furent brèves, ils se sont donné à peine une poignée de main. Tout de suite, Françoise l'amena vers le garage où travaillait son père.

— Papa! Je veux te présenter Jacques Robichaud, mon nouvel ami.

— Enchanté, jeune homme ! Je ne te serrerai pas la main, car les miennes sont pleines de cambouis. J'essaie de réparer ce moteur électrique et il me résiste le p'tit batinse, mais je vais réussir même s'il faut que j'y passe la nuit !

— Vous êtes un homme déterminé, monsieur Poulin !

— C'est une marotte pour moi ! Je ne peux pas accepter qu'un mécanisme me résiste même si je ne le connais pas. Tout est question de logique…

— Vous gagnez tout le temps ?

— Pas nécessairement, mais je m'acharne, et certains trucs me prennent parfois plusieurs mois avant qu'il y ait un déclic dans ma cervelle qui ramollit en vieillissant. Je suis très content quand je réussis sans que j'aie eu à lire ou étudier l'objet.

— Vous êtes un génie, en quelque sorte ?

— Je n'ai pas d'aussi grandes prétentions, mais je suis tellement content quand je réussis que ça vaut mille piastres pour moi…

— Je suis rempli d'admiration pour vous et, à ma façon, je suis moi aussi un entêté. Mais j'avoue que, contrairement à vous, j'ai recours à la lecture de tout ce qui touche de près ou de loin au sujet qui me hante !

— À chacun ses obsessions, pas vrai ?

— Vous avez raison !

— Écoute Jacques, si tu continues à discuter avec mon père, je crois qu'on ne sortira pas ce soir !

— Excusez-moi, monsieur Poulin, mais vous avez entendu votre fille ? Si je ne l'écoute pas, j'ai l'impression que nos fréquentations vont être très brèves, et il y a un vieil adage qui dit que ce que femme veut, Dieu le veut ! Au plaisir de vous revoir.

Jacques avait senti qu'il avait beaucoup d'affinités avec le père de Françoise, malgré sa tenue débraillée et son air absent, concentré sur une énigme à résoudre… Par contre, il n'avait pas perçu la même attirance naturelle chez la mère. Un frisson lui parcourut la colonne vertébrale et s'arrêta à sa nuque. Soudain, il sentit ses cheveux se hérisser. Il avait hâte tout à coup de quitter l'endroit, de peur que Mme Poulin ne se libère pour l'interroger sur ses intentions concernant sa fille.

— Est-ce que tu es prête ? demanda-t-il à Françoise.

— Oui, allons-y ! répondit-elle.

Quand ils furent dehors, Jacques lui demanda si elle souhaitait toujours aller à la boîte à chanson. Françoise lui répondit qu'ils pourraient s'y arrêter pour voir si l'ambiance était adéquate, mais précisa qu'elle avait d'autres lieux de prédilection, comme un endroit plus intime, par exemple. Jacques avait tout lu dans son regard. Ils s'arrêtèrent au *Baratin*. La salle était bondée d'une jeunesse grouillante et exaltée. Jacques croisa le regard de Serge, l'ancien prétendant de Françoise. Il n'y vit aucune animosité, simplement une certaine résignation qui semblait dire que les jolies filles foisonnaient et que Françoise serait vite remplacée. Ils trouvèrent des places libres et commandèrent une champagnette. Ils écoutèrent les chansons de Pierre Calvé, de Claude Gauthier, de Claude Léveillée et de Gilles Vigneault qui éveillaient la fibre nationaliste de cette jeunesse en pleine transformation. Jacques s'était radicalisé quelques années plus tôt, période où Françoise, elle, se laissait bercer par ces nouvelles chansons patriotiques. Il chercha ses amis Laurent et Germain dans la salle, et ne les vit pas.

— Que dirais-tu si on allait dans un endroit plus tranquille ? Je ne vois pas mes chums ! Il est probablement trop tôt pour eux…, mentionna Jacques.

— Un endroit plus tranquille comme un motel ?

— C'est une excellente idée, Françoise ! Est-ce que tu lis dans mes pensées ? Je suis toujours ouvert à ce genre d'activité moins intellectuelle et plus près de la nature…

— Tu as cette façon de dire les choses…, dit-elle en pouffant de rire.

— Quoi ? Ce n'est pas la bonne façon.

— Ces choses-là, on ne les dit pas, on les fait tout simplement quand on se sent inspiré, répondit-elle.

— Comme je t'ai bien fait rigoler, que dirais-tu du Motel du Lac ? C'est à deux pas d'ici…

— Allons-y !

Ils se retrouvèrent dans ce motel avec une envie folle de faire l'amour. L'étreinte était passionnée, et les vêtements gisant çà et là sur le tapis prouvaient l'urgence qu'ils ressentaient de sceller leur union. En sueur, Jacques reprenait son souffle après avoir joui, entraîné par les cris de passion de Françoise.

— Il faut remettre ça avant de partir parce que j'étais si excitée que je t'aurais dévoré, dit-elle.

— Je croyais que c'étaient les hommes qui se contrôlaient difficilement ! Tu serais donc une exception à la règle ?

— Qui soutient cette thèse ? Peut-être que c'était vrai à l'époque de ma mère ou de la tienne, mais nous avons obtenu le droit à l'orgasme depuis ce temps-là. Les femmes se libèrent…

— Je n'ai rien contre, loin de là ! Je dirais même que c'est rassurant pour les hommes de constater qu'ils ne sont pas les seuls à aimer le sexe. Je pense que c'est la plus belle façon de prouver l'égalité des sexes. Pourquoi devrions-nous toujours être l'initiateur de l'acte si vous en avez le goût autant que nous ? fit remarquer Jacques.

— Tu as tout à fait raison ! C'est fini le temps où les femmes qui s'exprimaient librement étaient des salopes. Pourquoi serions-nous considérées différemment de vous ? Les imbéciles qui pensent autrement sont des machos.

— Malheureusement, je crois que tu représentes une minorité de femmes qui sont prêtes à s'assumer pleinement. Je ne crois pas qu'il y ait tant d'hommes qui soient prêts à l'accepter ouvertement.

— C'est vrai ! Il n'y a que Claire Kirkland-Casgrain qui a été élue députée et c'est probablement parce qu'elle remplaçait son père décédé en cours de mandat qu'elle a eu la faveur populaire. Il n'y avait même pas une seule candidate aux élections de 1960. Tu t'imagines ?

— Es-tu sûre de ce que tu avances ? Il y a plus de femmes que d'hommes sur la planète… j'ai une de mes tantes qui porte le même prénom que toi et qui est avocate, mais elle ne pratique pas. Elle est une haute fonctionnaire d'Hydro-Québec depuis l'époque de Godbout. Elle travaille étroitement avec René Lévesque, qui est le ministre des Richesses naturelles. Si les libéraux gagnent leurs élections cet automne, c'est certain qu'ils vont nationaliser l'électricité. Tout ça pour te dire qu'il y a des femmes qui travaillent dans l'ombre, mais qui font quand même de grandes choses.

— Le problème, c'est justement qu'elle travaille dans l'ombre sans aucune reconnaissance, répliqua Françoise.

— Ça va changer, parce qu'il faut que ça change ! Avec l'accès à l'éducation, le nombre de femmes diplômées va augmenter et elles ne seront plus restreintes à des rôles de second plan. On en verra qui deviendront médecins, ingénieures, avocates, comptables, notaires, et ce sera pour le mieux, mentionna Jacques.

— J'espère que tu as raison !

— Il se prépare une révolution au Québec et les femmes vont prendre leur place dans la société, c'est inévitable.

— Dans l'enseignement, nous gagnons des salaires dérisoires à cause du clergé qui domine le milieu. Nous sommes les enfants pauvres de la société. Peux-tu imaginer qu'il y a encore de jeunes femmes qui enseignent dans les écoles de rang, de la première à la septième année ? Et de plus, elles doivent mener une vie très chaste à cause de la surveillance accrue des inspecteurs.

— Ce n'est pas un peu la même chose dans les hôpitaux dirigés par les congrégations religieuses ? demanda Jacques.

— C'est la même chose dans les métiers traditionnels réservés aux femmes : infirmière, enseignante, secrétaire, caissière, etc.

— Je sais que les femmes dans les banques ont des salaires inférieurs à ceux des hommes et qu'elles n'ont à peu près aucune chance d'avancement. C'est très injuste, mais il y a peu d'hommes qui se plaignent, car ce sont eux qui jouissent de cet avantage.

— L'argument principal est que les femmes sont appelées à enfanter et à élever leur famille, alors que les hommes n'ont pas ces tracas, dit Françoise qui commençait à se fâcher.

— Il faut se débarrasser du clergé qui domine beaucoup trop la société, surtout à la veille d'une révolution. Je dois t'avouer quelque chose, Françoise. Quand je te disais que je préparais un article pour le journal *L'indépendantiste* la fin de semaine dernière, ce n'était pas tout à fait vrai!

— Qu'est-ce que tu faisais, alors?

— J'écrivais un article pour *La Revue socialiste* dirigée par Raoul Roy, un Dominicain.

— Tu veux dire un prêtre?

— On peut dire… mais je n'ai pas fini! J'étudie le marxisme en même temps.

— Comment peux-tu soutenir le communisme alors qu'ils sont les plus grands assassins que la Terre ait jamais portés? On attribue à Staline plus de vingt-sept millions de morts, et à Mao plus de quarante-cinq millions jusqu'à ce jour, et il est toujours vivant…

— Oui, mais moi, j'étudie la grille d'analyse des marxistes-léninistes et je te jure que c'est un outil très efficace pour mettre en perspective la lutte des classes.

— Je ne peux pas accepter ces assassins, Jacques, je m'excuse, mais ils sont pires que Hitler! Staline a tué tous les intellectuels de Pologne et par la suite des millions d'Ukrainiens. C'était un paranoïaque et un grand malade mental. Quant à Mao, il a éliminé tous ceux qui ne pensaient pas comme lui.

Ces paroles déçurent Jacques. Il avait aimé être aveuglé par le mensonge du fanatisme et de l'endoctrinement pour oublier ces millions de fantômes qui hurlaient dans les couloirs du communisme. Il savait que Françoise avait raison et qu'elle refusait de vivre ailleurs que dans la lucidité la plus crue.

— Je croyais que tu favorisais la révolution de Fidel Castro?

— C'est vrai, mais c'est un tout petit pays dont le gouvernement corrompu de Batista avait été à la solde de la mafia américaine. Ce n'est pas comparable! Les révolutionnaires n'ont pas tué des millions d'innocents…, dit-elle.

— Les Américains ont toujours une base navale sur l'île de Guantánamo, à ce que je sache? mentionna Jacques pour faire diversion.

— Ça fait tellement longtemps! Ça remonte à l'époque de Teddy Roosevelt, au début du siècle. Jamais Castro ne pourra se débarrasser d'eux. En tout cas, Jacques, je n'y crois pas beaucoup à la lutte des classes au Québec! On est beaucoup trop proche des Américains et on adore Kennedy au point d'oublier que son père a fait fortune en étant un *bootlegger*.

— Ma famille est toujours rendue aux États pour magasiner depuis qu'Yvan a un chalet au lac Selby. Même mon père a trafiqué de l'alcool dans sa jeunesse. C'est pour te dire… affirma Jacques, qui se ralliait tranquillement à sa philosophie.

— J'aurais de la lecture à te proposer pour mettre en profil tous ces grands assassins que tu sembles admirer. Tu vas sûrement changer d'avis après ça, mais il ne faudrait pas que ça nuise à notre vie amoureuse, dit-elle.

— Je voulais juste être franc avec toi et ne rien te cacher si on commence à se fréquenter plus sérieusement…

— Est-ce que j'ai l'air d'une fille pas sérieuse? Je n'ai pas arrêté de penser à toi de toute la semaine, et ça c'est un aveu qui me coûte à t'avouer.

— Assez parlé de politique! On n'a pas loué un motel pour ça, mais pour faire l'amour, et c'est justement toi qui disais que tu voulais te reprendre avant la fin de la soirée. As-tu un couvre-feu?

— Je n'ai aucun couvre-feu, mais je suis en feu! J'ai fantasmé toute la semaine en pensant à toi et à tout ce qu'on avait fait la semaine passée. Ça va prendre plus qu'une fois pour éteindre l'incendie qui me dévore…

Jacques ne demandait pas mieux que de changer de sujet et de recommencer à caresser ce joli corps qu'il pouvait explorer sans restriction. Il n'avait pas une si grande expérience sexuelle avec des femmes libérées. Il avait connu quelques femmes de petites vertus qui couchaient en échange d'une sortie ou d'un souper au restaurant, espérant mettre la main sur le gros lot quand elles admiraient la MGA décapotée et ce jeune homme bien sapé, mais c'était la norme. Il n'avait jamais été amoureux auparavant et il avait l'impression qu'avec Françoise ce serait différent. Ce qu'il ressentait pour elle était un mélange d'admiration et de désir. En réalité, il était subjugué par ses vastes connaissances qui pouvaient dépasser les siennes sous certains aspects. Elle ne s'était pas effarouchée quand il s'était mis à parler de communisme et de sa collaboration à *La Revue socialiste,* mais avait fait une mise au point sur sa vision des choses. Elle n'avait pas tenté de l'amener à penser comme elle. Elle s'était contentée de lui dire qu'elle lui suggérerait différentes lectures et qu'il pourrait juger par lui-même. Il sentait qu'il pourrait devenir de véritables complices dans la vie.

Jacques la caressa fougueusement. Françoise émettait de petits gémissements de satisfaction qui guidaient ses gestes. Elle n'était pas du genre passif, et ils atteignirent des sommets de plaisir que ni l'un ni l'autre n'avaient jamais eus. Le jeu était simple en soi, en ce sens qu'ils amenaient l'autre le plus près possible de l'orgasme et quand ils sentaient que le désir devenait insoutenable, ils se retiraient doucement. C'était une douce torture qui les faisait crier de frustration et de passion. Chacun se vengeait à sa manière et cherchait à se dépasser en amenant l'autre à provoquer l'orgasme jusque-là retenu.

Épuisés par tant de plaisirs, ils s'étendirent l'un près de l'autre, baignant dans la sueur de leurs ébats, avec le regard absent du rêveur. Ils émergèrent lentement de ce septième ciel dont on parle souvent, mais dont l'atteinte est rare. Ils s'étreignirent longuement, puis Françoise se dirigea vers la salle de bain en emportant tous ses vêtements. Elle se glissa sous la douche, et l'eau fraîche la ramena doucement dans la réalité, pendant que Jacques, toujours en extase, observait le plafond de la chambre avec un sourire béat.

Quand Françoise sortit de la salle de bain, ce fut au tour de Jacques de passer à la douche. Il se savonna vigoureusement pour chasser l'odeur de sexe qui imprégnait tout son corps. Une fois rafraîchi, il déposerait Françoise chez elle puis filerait vers la maison familiale, dans la promiscuité du deuxième étage. Il y avait souvent des invités, comme Marcel et Violette, qui descendaient pour la fin de semaine. Il aimait particulièrement les moments où toute la famille était au chalet d'Yvan et que seul s'y trouvait Jean-Pierre qui travaillait les fins de semaine à l'imprimerie Leader-Mail. Jacques pensait déjà au lendemain. Lui et Françoise n'avaient pas perdu de temps pour satisfaire leur appétit sexuel. Si jamais le samedi n'était pas propice à des ébats, ils seraient détendus malgré tout, car il se sentait repu.

Jacques se trouva une place où dormir et sombra, heureux, dans le sommeil. C'est l'activité au rez-de-chaussée, accompagnée de l'odeur du café qui montait directement par la grille d'aération, qui permettait de chauffer l'étage supérieur durant l'hiver. Quand son père Émile bourrait la fournaise de charbon, il était préférable d'éviter de se promener pieds nus si l'on devait se rendre aux toilettes, car une autre grille se trouvait à l'entrée de la salle de bain enlignée avec celle qui chauffait l'étage supérieur. Jacques se rappelait s'y être brûlé les pieds, à tel point qu'une partie des lettres «L'ISLET» s'y étaient imprimées. C'était la compagnie qui fabriquait des grilles et des poêles à bois. Seuls la grosse fournaise de la cave et le poêle à bois du rez-de-chaussée, qui servait aussi de cuisinière, chauffaient la maison. Il va sans dire que la cuisine était le lieu de prédilection de toute la famille et du chien, car elle était toujours chaude. Par contre, en été, on y suffoquait.

Une fois rendue chez elle, Françoise repensait à sa soirée. Elle se devait d'admettre qu'elle n'avait pas été banale. Elle avait apprécié la franchise de Jacques quand il lui avait confié son activité militante pour *La Revue socialiste* et son apprentissage chez les communistes. Pour sa part, elle détestait les communistes qui se disaient d'extrême gauche, alors qu'ils étaient très proches du fascisme par leurs actions. Elle ne pouvait pas supporter le mot *dictature*. Qu'est-ce que ça voulait dire, la dictature du prolétariat? La dictature du prolétariat n'est rien d'autre que la démocratie ouvrière, mais qui veut être dirigée par des ignares? pensait-elle. C'était ouvrir la porte aux pires abus en nivelant la société par le bas et c'était accepter d'être dominé par des théoriciens qui n'avaient jamais possédé de biens. L'histoire avait prouvé à répétition que le peuple était animé par l'esprit de vengeance et qu'il se livrait volontiers à des actes de pillage quand il accédait au pouvoir au moyen d'une révolution. Françoise sentait que, si elle poursuivait sa relation avec Jacques Robichaud, elle aurait des années de discussions, de confrontations avec cet homme qui se révélait être un excellent amant. C'était le meilleur candidat avec qui elle pourrait partager sa vie en toute égalité, pensait-elle. Si elle pouvait réussir à le convaincre de retourner aux études, quitte à le soutenir financièrement, elle serait comblée. Elle était même prête à aller jusque-là. Françoise appela Jacques au cours de l'après-midi.

— Bonjour, Jacques s'il vous plaît !

— Un instant ! répondit Lauretta.

— Allo !

— Jacques ! C'est moi. Qu'est-ce que tu fais cet après-midi ?

— J'essayais de terminer un article, mais je ne suis pas très inspiré. Je peux tout arrêter si tu as quelque chose de mieux à suggérer…, répondit-il.

— Je ne sais pas exactement, mais j'ai le goût de te voir !

— C'est très flatteur, et je dois t'avouer que j'ai le même sentiment ! On pourrait aller se promener, si tu veux ? C'est le temps des pommes et c'est une belle journée fraîche. Il suffit de s'habiller un peu plus chaudement et de profiter du beau temps. Qu'en dis-tu ?

— Excellente idée ! Je suis prête quand tu veux.

— Après le dîner, je passe chez toi ! On décidera du programme à ce moment-là.

— Je serai prête ! mentionna Françoise, très enthousiaste.

Jacques était enchanté que Françoise l'ait relancé pour une sortie. Cela signifiait qu'elle était tout autant intéressée que lui. Il avait cette crainte – ou cette incertitude – concernant son pouvoir d'attraction auprès des femmes. Il s'empara d'une couverture de laine… au cas où… puis il dîna avec appétit. Il avala un restant de rôti de lard et de patates jaunes que sa mère faisait avec talent.

— Est-ce que je peux prendre cette couverture et la garder dans le coffre de mon auto par sécurité au cas où j'aurais une crevaison ou un accident ? Avec l'hiver qui approche, on n'est jamais trop prudent, maman !

— Bien sûr ! Garde-la. Tu as raison quand tu dis qu'on n'est jamais trop prudent. J'espère que tu vas rabattre le toit de ton auto parce que le fond de l'air commence à être plus frais.

— Ne t'inquiète pas, je vais mettre un col roulé et traîner un foulard et une casquette. Veux-tu que je te rapporte des pommes ?

— Je pense qu'il est trop tard pour de la Melba, mais s'il n'y en a pas, tu peux me ramener un sac de McIntosh. C'est pour faire des tartes !

— Je vais voir ce que je trouve, mais je t'en rapporte, c'est certain !

Jacques avait déjà une idée derrière la tête. Il voulait acheter du cidre chez un pomiculteur de Saint-Paul-d'Abbotsford qui fabriquait un cidre très puissant appelé *Double Jack*. Une bouteille suffisait à se saouler. Il pourrait, à partir de cet endroit, lui montrer le lac sur le sommet du mont Yamaska. Son beau-frère Paul Tremblay lui avait raconté que toute une bande de déserteurs s'était cachée à cet endroit pour échapper à la conscription durant la Deuxième Guerre mondiale. Lui, il l'avait connu lors d'une excursion quand il était scout. L'endroit était charmant et retiré, parfait pour un jeune couple dont le sang se transformait en lave, comme dans un volcan en éruption. Après mûre réflexion, Jacques décida qu'il lui montrerait uniquement le lac, pour ne pas lui donner l'impression qu'il ne désirait que son corps. Il jugea qu'il était préférable de la laisser choisir le moment où elle voudrait un rapprochement physique. Bien entendu, il serait toujours d'accord.

Jacques se mit au volant de son automobile et se dirigea vers la maison des parents de Françoise. Elle l'attendait dehors depuis quelques minutes, observant les platebandes qui dépérissaient. Quand elle le vit, elle esquissa un grand sourire qui exprimait clairement sa joie. Elle nouait consciemment le nœud de leur engagement mutuel. Jacques était d'accord pour s'investir plus à fond dans cette relation qui, jusque-là, n'était que félicitée. Elle se jeta dans ses bras et l'embrassa au vu et au su de tous sans retenue. Jacques aperçut du coin de l'œil la mère de Françoise qui les regardait au travers de la baie vitrée avec un air incertain. Après avoir reçu un tendre baiser, il la repoussa gentiment, gêné d'être ainsi épié.

Françoise monta à bord de la MGA et demanda au pilote où ils allaient.

— J'ai une mission pour ma mère, et une pour moi! Elle veut des pommes Melba, mais je ne suis pas certain qu'il y en ait encore, la saison est plutôt avancée. L'autre mission est pour moi ou pour nous, si tu aimes ça. Je connais un pomiculteur à Saint-Paul qui fabrique un excellent cidre. Par contre, il est très puissant. J'aimerais en acheter quelques bouteilles que je pourrais ramener à Ormstown. Nous pourrions même en consommer une bouteille durant notre expédition.

— Et par la suite? demanda-t-elle.

— Je pourrais te montrer le lac sur la montagne, mais j'accepte de me laisser guider si tu as autre chose en tête.

— Commençons par tes deux missions et après, on verra… Peut-être que je serai inspirée durant le trajet. Il fait tellement beau, même si le fond de l'air est frais.

— Tu remarqueras qu'on ne sent pas beaucoup d'air même quand le toit est baissé. Il suffit d'un foulard pour se protéger la nuque, ou d'un collet relevé, et d'un peu de chauffage dans l'auto. Si tu as froid malgré tout, je rabattrai le toit.

— Je ne suis pas frileuse !

Françoise aimait le bruit du moteur avec ses variations de son chaque fois qu'il changeait de vitesse. Elle avait l'impression qu'ils ne faisaient qu'un avec la route sinueuse, le châssis de la MGA étant bas comparativement aux autres véhicules américains. Ils n'avaient pas besoin de rouler très vite pour se sentir grisés. Une activité touristique animait la route 1 en direction de Saint-Paul-d'Abbotsford. On voyait beaucoup de cueilleurs dans les vergers, et tous les kiosques parsemés de part et d'autre de la route étaient ouverts, offrant aux passants différentes variétés de pommes ou des produits du terroir. Être au cœur de cette effervescence était agréable, les vergers étant la principale activité de la région. Les femmes vendaient des tartes, de la compote, de la gelée, mais aussi les produits de leur potager. C'était le jardin d'Éden, avec sa surabondance de fruits et de légumes. Secrètement, quelques vieillards vendaient leur cidre et Jacques en connaissait un qui faisait le meilleur.

Ils s'arrêtèrent au centre du village. Il n'y avait aucun kiosque installé, mais Jacques savait où aller cogner. Il frappa donc à la porte d'une maison modeste. Au bout d'un moment, un vieil homme s'appuyant sur une canne vint répondre.

— Bonjour monsieur Ménard! Vous ne vous souvenez sans doute pas de moi, mais j'ai pris l'habitude depuis quelques années d'acheter votre fameux cidre. Est-ce que vous en fabriquez encore?

— Ton visage me dit quelque chose! Tu veux de mon *Double Jack,* c'est ça?

— C'est ça, et j'en prendrais six bouteilles, si vous voulez bien.

— Aucun problème, mais as-tu déjà essayé mon alcool de pomme? Certains appellent ça du calvados, mais pour moé, c'est juste de l'alcool de pomme… Si tu en prends une bouteille, fais-y ben attention parce que c'est fort pas à peu près. C'est pas fait pour les créatures, si tu comprends ce que je veux dire… Veux-tu y goûter?

— Je ne dirais pas non à un petit verre, mais je vous garantis que la créature qui est avec moi boit comme un homme.

— Dans ce cas-là, tu peux l'inviter à venir y tremper les lèvres!

Jacques sortit sur le perron et fit signe à Françoise qui patientait dans la voiture. Elle comprit l'invitation et se dirigea vers la maison. Elle serra la main du vieil homme et prit le verre qu'il lui offrait. Ils levèrent tous les trois leur verre et l'avalèrent d'une seule gorgée. Tous sentirent la puissance de l'alcool descendre dans leur gosier.

— Vous avez raison, c'est fort, mais avec un très bon goût ! Je vous en prends une bouteille, et six autres de votre *Double Jack*.

— C'est comme tu veux ! Les voilà, et ça coûte 20 piastres.

— Merci monsieur Ménard, et à la prochaine !

Jacques et Françoise reprirent la route. Ils ne leur restaient qu'à acheter des pommes pour Lauretta. Jacques se rappela que la famille Fisk en vendait et que leur verger était au début du chemin des Anglais. Ce n'était pas loin et ils furent rendus en un rien de temps. Il acheta cinq kilos de pommes pour sa mère. Cet achat fait, ils avaient tout le reste de l'après-midi pour eux. Ils gravirent la montagne, comme prévu, pour se rendre au lac, un ancien cratère. Mais avant, Jacques avait avisé Françoise qu'on ne pouvait s'y rendre qu'à pied et qu'il fallait grimper environ deux cents mètres pour atteindre le sommet. Il avait rajouté que l'exercice en valait la peine et que ce n'était en rien périlleux.

— C'est vraiment beau ce lac caché ou ignoré de tous, déclara Françoise en le voyant.

— Les gens du village le connaissent, mais il est très peu fréquenté. C'est un endroit magnifique pour camper ! Il y a aussi de beaux poissons à pêcher. Aimerais-tu y venir l'été prochain, quand la température sera plus propice ?

— Tu prévois donc que nous serons encore ensemble à ce moment-là ?

— Pourquoi pas ? Il faut être optimiste, non ?

— Je suis pour une vision à long terme d'une relation sinon on tourne en rond, même si j'ai peine à croire que c'est moi qui viens de prononcer ces paroles…, répliqua Françoise.

— J'ai le sentiment que tu regroupes en toi tous les atouts essentiels à mon bonheur ! Il reste à déterminer si moi je réponds à tes attentes…

— Je me sens très bien et à l'aise avec toi, Jacques ! Tu ne m'as jamais demandé combien j'avais eu d'amants avant toi et je t'avoue que tu es le premier à ne pas te préoccuper de ce genre de détail. Qu'est-ce que ça peut faire, à partir du moment où je suis avec toi et que je ne suis qu'avec toi ?

— Tu as tout à fait raison ! Je n'ai aucune fibre de jalousie en moi et j'en attends autant de ta part. J'ai des amies que j'ai l'intention de conserver et j'espère que tu feras de même. Je n'ai pas l'intention de faire de Serge un ennemi, dans la mesure où il accepte la défaite pour la conquête de ton cœur.

— La conquête de mon cœur, dis-tu ? Il est déjà conquis par une espèce d'énergumène qui n'en fait qu'à sa tête et qui a pour nom de famille : Robichaud. Est-ce que ce nom te dit quelque chose ?

— Vaguement, mais je peux le rechercher et le provoquer en duel, ce saligaud, si c'est un de tes prétendants ! Sancho, mon épée, mon armure et gare au manant qui voudra te ravir le cœur, ma Dulcinéa !

— Serais-tu donc ce Don Quichotte qui se bat contre des moulins à vent ?

— Sous-entends-tu que mes combats ne sont que chimères, princesse ?

— Loin de là, messire, car mon cœur vous est déjà acquis, mais je ne pourrais en dire autant de vos projets politiques…

— Sérieusement ?

— Je ne veux pas te convaincre que tes héros sont les plus grands assassins que la Terre ait jamais portés, mais par l'étude tu le découvriras. Mao et Staline ont tué plus de monde qu'Hitler, même en excluant les guerres dans lesquelles ils ont participé.

— Les études semblent être un thème récurrent chez toi, Françoise. J'ai l'impression que tu ne me trouves pas assez cultivé. Est-ce que je me trompe ?

— Tu te trompes, Jacques, mais je déplore que tu n'envisages pas de retourner sur les bancs d'école. Je pourrais t'aider si tu le voulais !

— Comment peux-tu m'aider ?

— On pourrait s'installer dans un petit logis, au-dessus du garage de mon père. Ce n'est pas très grand, mais plus que suffisant et surtout vraiment abordable financièrement.

— Je ne peux quand même pas me faire vivre par une femme ?

— Ce serait pour un temps seulement ! Il faudrait que tu vendes ta voiture, à moins qu'elle soit complètement payée. Tu pourrais voyager avec un de mes amis qui fait l'aller-retour entre l'Université de Montréal et Granby trois fois par semaine. En trois ans, tu pourrais devenir avocat si tu le voulais.

— Je ne sais pas ! Je dois réfléchir à tout ça… c'est trop vite pour moi !

— Je comprends, mais au moins j'ai dit ce que j'avais à dire sur le sujet et quand tu seras prêt, tu n'auras qu'à me faire signe.

— Qui me dit que tu ne changeras pas d'idée d'ici là ?

— C'est mal me connaître de penser que je peux changer d'idée ! Je suis amoureuse de toi même si tu n'es pas prêt à me faire part de tes sentiments, mais ce n'est pas grave. Je sais que traditionnellement ce sont les hommes qui se déclarent, mais ce n'est pas une demande en mariage que je te fais. J'aimerais vivre avec toi et me réveiller tous les matins à tes côtés.

— Et tes parents accepteraient que nous vivions en concubinage ?

— Ma mère regimberait, mais mon père s'en balancerait, dans la mesure où l'on s'aime !

— Je vais réfléchir très sérieusement à ta proposition, mais n'en prends pas ombrage si je laisse traîner les choses… ce ne sera pas toi le problème, mais la situation.

— Je comprends ! Est-ce qu'on poursuit notre périple ? J'aimerais bien qu'on se promène dans les vergers.

— D'accord !

Jacques avait l'impression d'avoir échappé à un piège qui avait bien failli se refermer sur lui. Il ne savait pas ce qu'était l'amour à son âge et il n'était pas pressé de le découvrir, même si tous deux avaient beaucoup d'affinités. Il trouvait Françoise très jolie et extravertie en plus d'être très intelligente, mais était-ce suffisant pour se mettre la corde au cou ? Elle mettait trop de pression, malgré tous les points positifs qu'elle soulevait. Entre autres, un éventuel retour aux études. Cela l'avait toujours tracassé. Elle lui offrait cette possibilité sur un plateau d'argent, mais il aurait préféré que ça vienne de lui. Il avait l'impression qu'elle avait toujours un coup d'avance sur lui. Il aimait bien jouer aux échecs, mais il aimait surtout gagner et, cette fois-ci, rien n'était moins sûr. L'adversaire était de taille et surtout décidée à l'emporter.

Jacques et Françoise poursuivirent leur balade jusqu'à Rougemont, puis piquèrent en direction du mont Saint-Grégoire pour finalement se retrouver près de Frelighsburg par les chemins de traverse. Pour une raison qu'il ignorait, il ressentit le besoin de retourner à Stanbridge East, le lieu qui l'avait vu naître.

— Tu vois cette petite ferme? C'est ici que je suis né, mais je n'ai pas beaucoup de souvenirs de l'endroit, car j'avais à peine cinq ans quand la grange et la maison ont brûlé. Je me rappelle les cris des aînés et les flammes rougeâtres, et aussi que c'était une nuit d'hiver. On a trouvé refuge chez des voisins.

— C'est une expérience traumatisante que de passer au feu, mentionna Françoise.

— J'étais trop jeune, mais je me souviens de la solidarité familiale et de celle des voisins. Tu vois le petit poulailler? C'est tout ce qui reste de la ferme ancestrale que mon père avait rachetée de sa mère devenue veuve beaucoup trop jeune. Elle s'est remariée et vit toujours à Granby depuis quelques années.

— Elle doit être très vieille maintenant?

— Sûrement, car mon père a soixante-six ans. Si on rajoute vingt ans de plus, ça te donne une idée approximative… Je ne suis pas certain, mais il me semble que mon père n'avait que quatorze ans quand il a racheté la terre. Ça trimait dur dans ce temps-là! Il m'a déjà raconté que, pour respecter ses engagements, il bûchait dans les chantiers l'hiver et que le reste de l'année, il travaillait sur la ligne de chemin de fer. C'était du rude travail pour un gars de quatorze ou quinze ans…

— C'est presque inimaginable aujourd'hui et ce n'est pas si loin que cela dans le temps; le début du siècle, 1910-1915 peut-être? mentionna Françoise.

— À peu près! Mais ça paraît si loin… j'aimerais bien posséder une ferme moi aussi, un jour!

— Il n'y a rien d'impossible! Il suffit d'y croire suffisamment pour que le rêve devienne réalité. C'est la même chose si l'on veut avoir une carrière brillante! Croire, c'est pouvoir!

— Ne pousse pas trop, Françoise, car tu peux obtenir l'effet contraire!

— D'accord, je me tais, mais je suis habituée à exprimer le fond de ma pensée. Ce ne sera pas facile! dit-elle, vexée.

— Excuse-moi, mais laisse-moi un peu de temps pour assimiler tout ça! Je n'y avais pensé que vaguement et même si je sais que tu as raison, il faut que j'organise ma pensée à propos des études et tout le reste…

— Je ne t'en parlerai plus, promis! répondit-elle.

Ils reprirent la route vers Granby sans parler, se contentant d'admirer le paysage bucolique. Tous deux semblaient réfléchir à la discussion qui avait accaparé l'essentiel de leur conversation de l'après-midi. Jacques se sentait bousculé et il n'aimait pas ça, mais en même temps, il ne voulait pas que la journée se termine sur une note aigre-douce. Il voyait la blouse de Françoise s'entrouvrir à chaque respiration et il apercevait cette chair rose qui l'excitait. Il voyait clairement l'aréole de son sein, qui dessinait une couronne sur son vêtement. Était-ce la fraîcheur de l'air ou une preuve de sa réceptivité à des caresses? Jacques croyait qu'il pourrait effacer le malaise qui s'était installé entre eux en la caressant. Il n'était pas loin de la vérité, car la chaude nature de Françoise était toujours prête à répondre à une marque d'affection, d'autant plus qu'elle sentait qu'elle l'avait poussé dans ses derniers retranchements en se montrant insistante. Françoise avait senti le besoin de le laisser respirer et cherchait une façon de le ramener à des sentiments plus tendres. Quelle meilleure façon que de s'offrir à lui, mais encore fallait-il trouver un endroit approprié.

— Dis-moi, Jacques! Sommes-nous bien loin du chalet de ton frère Yvan?

— Mais non, le lac Selby est tout près! Voudrais-tu le voir?

— Pourquoi pas! Ça terminerait bien l'après-midi, mais seulement si tu en as envie?

— Excellente idée! Allons-y, mais c'est un peu tard dans la saison pour la baignade, par contre je sais où il cache une clé. On pourrait se détendre un peu…

— Que cache ce sourire? Aurais-tu des intentions malhonnêtes, par hasard? demanda-t-elle, avec un sourire narquois.

— Rien de bien malhonnête, mais peut-être une façon de finir la journée sur une note extrêmement positive…

— J'aime bien le terme «extrêmement», et je suis extrêmement d'accord si j'ai bien lu tes intentions, déclara Françoise.

— Et selon toi, quelles sont-elles?

— Crois-tu que je n'ai pas remarqué que tu observais ma poitrine avec insistance? C'est comme quand tu regardes un automobiliste, presque à tout coup, il se retourne parce qu'il a senti ton regard. Donc si tu veux me mater les seins, fais-le avec moins d'insistance car je suis comme l'automobiliste, je sens ton regard…

— Pris en flagrant délit, avoua Jacques en riant.

— Je n'ai rien contre et j'irais même jusqu'à dire que c'est très agréable. Je crois que nous serons très détendus d'ici peu, qu'en penses-tu?

— J'espère qu'il n'y a personne au chalet…, répondit Jacques qui salivait déjà. Mon auto est trop petite pour faire du *necking*.

— Tu crois ça ? En dernier recours, on s'en accommodera, dit-elle en plaçant sa main sur la cuisse de son compagnon.

Effectivement, le chalet était désert et Jacques trouva la clé rapidement. Il ouvrit la porte et nota une légère odeur de renfermé, cependant ce n'était pas suffisant pour le détourner de son objectif. Aussitôt qu'ils eurent franchi le seuil de la porte, ils s'enlacèrent et s'embrassèrent avec fougue. Ils ressentirent une certaine urgence de laisser éclater leur passion qui les dévorait depuis le matin.

Chapitre 3

Les élections du 13 novembre 1962 approchaient à grands pas. Françoise avait demandé à Jacques de donner un coup de main aux libéraux dans Shefford pour déloger Armand Russell, député de l'Union nationale. Dans sa circonscription d'Huntingdon, il y avait peu d'espoir de chasser le député Henry Alister Darby Somerville, qui y régnait depuis plus de dix ans sous la bannière de l'Union nationale. Jacques accepta donc de travailler avec l'équipe libérale de son ancienne circonscription et fit des appels téléphoniques pour faire sortir le vote le jour des élections, mais sans succès.

— J'ai l'impression qu'on a perdu notre temps, Françoise ! On dirait que les gens prennent un plaisir malsain à se retrouver dans l'opposition.

— Écoute, il y a encore un énorme pourcentage d'anglophones et d'allophones qui est acquis à l'Union nationale dans Shefford et aussi dans Huntingdon. L'important, c'est que Lesage et Lévesque soient au pouvoir pour nationaliser l'électricité. Le reste, on s'en moque ! déclara Françoise.

— Ouais, tu as raison, mais je suis un mauvais perdant !

— Personne n'aime perdre, mais tu ferais mieux de t'y habituer car ton parti, ou plutôt ton mouvement, le Rassemblement pour l'indépendance nationale, n'avait même pas de candidat sauf Marcel Chaput, qui s'est dissocié du RIN pour former un nouveau parti, le Parti républicain du Québec, qui a été défait.

— Pourquoi dis-tu mon parti ? Je croyais qu'on était du même camp ?

— Nous sommes du même camp, mais tu es plus radical que moi. Je l'ai remarqué au rassemblement qui se tenait à l'aréna Maurice-Richard lors de notre première sortie officielle, tu te rappelles ?

— Le problème avec le RIN, c'est que le mouvement est composé principalement d'intellectuels qui vivent en milieu urbain. La base n'a pas vraiment de racines en région sauf quelques profs par-ci par-là. Il va falloir qu'on se radicalise si on veut devenir une force tangible et menaçante pour les vieux partis. Il faudrait plus de candidats-vedettes auxquels le peuple pourrait s'identifier. Il faudrait recruter dans les milieux syndicaux.

— Tu as probablement raison, mais étudions les vieux partis pour voir comment ils se comportent et apprenons de leurs erreurs et de leurs faiblesses.

— Je ne suis pas sûr d'avoir cette patience…

— La politique, c'est l'histoire d'une vie, sinon oublie tout ça ! Te rappelles-tu la fable de La Fontaine, *Le lièvre et la tortue* ? La politique, c'est un peu cela, lentement mais sûrement…

— Allons prendre un verre de vin pour fêter notre défaite !

— Pourquoi parles-tu de défaite alors que nous avons travaillé pour la nationalisation de l'électricité et pour le parti le plus progressiste actuellement au Québec ?

— Je corrige ! Allons vider une bouteille de vin plutôt qu'un verre…

Jacques était trop impatient de voir des changements réels. Pourtant, Françoise avait raison avec sa politique des petits pas. Plutôt que de courir, il faut avancer d'un pas lent, mais sûr, vers l'objectif. Pour sa part, elle le trouvait attendrissant avec sa fougue juvénile, mais elle le laissait évoluer à son rythme. Sans l'ombre d'un doute, elle l'aimait véritablement. Il était toujours de bonne humeur sauf quand il parlait de politique. À ces moments-là, il devenait très soupe au lait, mais retrouvait vite son tempérament normal. Ils se rendirent chez Laurent, un ami du couple, et Jacques sortit une bouteille de chianti du coffre de son auto. Ils trouvèrent Laurent et Germain buvant du gin et passablement éméchés.

— Salut les gars ! Qu'est-ce que vous fêtez avec autant d'ardeur ? demanda Jacques.

— Tous les bars sont fermés aujourd'hui, alors on a décidé de prendre un coup après avoir voté. Le gin est vraiment bon ! Vous en voulez ?

— Je vais me contenter de boire du vin, et toi Françoise ?

— C'est la même chose pour moi, car je travaille demain !

— C'est vrai pour moi aussi, bordel ! dit Jacques. Je crois que je vais m'inscrire à l'Université de Montréal pour septembre prochain.

— Tu ne m'avais pas dit ça, rétorqua Françoise.

— Tu as réussi à me convaincre et il me reste un peu de temps pour ramasser du fric. Ce qui va me faire le plus de chagrin, c'est de me départir de ma MGA. Je l'aime tellement !

— Est-ce vraiment nécessaire de t'en débarrasser ? demanda Germain.

— Je crois bien, mais je vais en parler avec Françoise auparavant et on verra…

— Il faut que tu consultes ta blonde avant ? railla Germain.

— C'est elle qui m'a convaincu que ce serait nécessaire de faire mon droit si je ne voulais pas me retrouver coincé comme banquier à trente ans !

— Moi, je termine mon baccalauréat en éducation en avril prochain, mentionna Germain.

— Et toi, Laurent ? demanda Françoise.

— Moi ! Il semble que je serai un éternel étudiant en philosophie, car je ne réussis pas à décider ce que j'aimerais faire dans la vie…

— Prenons un verre à nos succès ! lança Germain, qui était déjà ivre.

Ils trinquèrent à l'avenir pendant que Françoise étudiait Jacques du regard. Elle ne comprenait pas pourquoi il lui avait caché sa décision de retourner aux études. Il avait reconnu que c'était elle qui l'avait incité à le faire et, qui plus est, devant ses meilleurs amis. Il y avait sûrement une raison qui lui échappait. Avait-il l'intention de vivre avec elle quand il quitterait la banque, ou habiterait-il dans une fraternité comme Laurent ? Elle décida d'attendre qu'ils soient seuls pour le questionner sur ses intentions. Ils suivirent le dévoilement du vote à la radio, circonscription par circonscription. Ils se réjouissaient chaque fois qu'un libéral était élu. Le chef libéral Jean Lesage se retrouva avec une majorité écrasante de soixante-trois sièges, contre trente et un sièges pour le nouveau chef de l'Union nationale, Daniel Johnson. Jacques et Françoise vidèrent leur verre et quittèrent leurs amis, qui semblaient décider à faire une noce de cette journée d'élections. Françoise se retint de poser des questions, vu que Jacques devait retourner à Ormstown, mais elle se promettait de connaître le fin mot de l'affaire dès leur prochaine rencontre.

— Est-ce que tu as l'intention de revenir à Granby en fin de semaine ? demanda-t-elle.

— Oui !

— Je pourrais prendre l'autobus et aller te rejoindre si tu préfères, mais il faut que je fasse partie de tes projets, évidemment.

— C'est une excellente idée! On pourrait déjà mettre en pratique l'austérité qu'on se prépare à vivre, pas de motel, pas de restaurant et pas de spectacle. On pourrait quand même boire un peu de vin, qu'en dis-tu?

— Je suis tout à fait d'accord! J'arriverai en début de soirée ce vendredi et on planifiera les repas à ce moment-là. Bonne route et ne roule pas trop vite!

Ils s'embrassèrent longuement et se quittèrent à regret. Jacques prit la route même s'il était fatigué. Le trajet pour se rendre à Ormstown était long et, à l'automne, il craignait toujours de heurter un chevreuil, ce qui le forçait à maintenir une vigilance constante. Françoise n'aimait pas qu'il prenne la route si tard en soirée et surtout après avoir bu. Elle était très heureuse de se rendre à Ormstown la fin de semaine suivante, car elle avait l'impression de découvrir ce que serait la vie de couple avec Jacques. Il était chaud lapin et ne se faisait pas prier pour passer à l'acte. Pour le reste, il n'était pas trop accaparant. Et il se montrait présent quand elle lui parlait de l'avenir. Elle avait su que Serge avait postulé pour travailler à la construction du pont-tunnel qui traverserait le fleuve plus à l'est de Montréal. Le ministère des Travaux publics envisageait de relier l'autoroute 20 à ce tunnel et les travaux devaient durer un bon moment. Finalement, Serge avait pris sa vie en main, Granby n'ayant aucun avenir pour lui. Il avait espéré que sa relation avec Françoise prenne une tournure plus sérieuse, mais Jacques Robichaud lui avait ravi sa dulcinée dès qu'il s'était présenté dans le décor. Philosophe, il avait accepté le choix de Françoise, qui l'avait libéré de sa dernière attache à sa ville natale.

Jacques repensait à ce qu'il avait déclaré à ses amis devant Françoise. Il aurait dû lui en parler auparavant, mais il avait l'impression qu'en agissant ainsi, il gardait une certaine indépendance vis-à-vis d'elle. Il s'était donné un délai de presque un an, et beaucoup d'eau pouvait couler sous les ponts d'ici là. Toutefois, il avait vraiment l'intention de respecter sa décision. Si tout fonctionnait comme prévu, ils s'installeraient dans le logis que le père de Françoise mettrait à leur disposition. Il ne savait pas si cette promiscuité avec la belle-famille lui plairait, mais ça faisait partie des sacrifices auxquels il devait consentir. Austérité oblige, mais serait-il capable d'aller jusqu'au bout de sa démarche? Il tenait le volant de sa MGA et s'en départir serait le plus grand sacrifice qu'il aurait à faire, parce que sa voiture représentait un symbole très puissant et qu'elle lui permettait de se comparer sans gêne aux mieux nantis qui poursuivaient leurs études au volant des Austin-Healy et autres autos de marque.

La semaine passa rapidement. Elle ne dura que quatre jours seulement parce qu'ils avaient travaillé aux élections. Françoise prit l'autobus après avoir menti à sa mère sur sa destination réelle. Encore une fois, elle avait prétendu qu'elle allait rejoindre des amies de l'école normale et qu'elle serait de retour dimanche en soirée. Elle avait hâte d'arriver à destination et de se jeter dans les bras de son amant. Elle lui ferait l'amour sauvagement en arrivant, mais elle avait pour dessein de mettre au clair la position de Jacques face à son projet d'études. Elle était anxieuse, et se sentir aussi vulnérable lui déplaisait énormément, mais elle savait que c'était le prix à payer pour être follement amoureuse. Pourvu que ce ne soit pas trop évident et qu'il ne s'en rende pas compte! C'était important pour elle de garder un semblant d'indépendance pour éviter d'être abusée par ce joueur de poker habitué à déjouer les plans les plus machiavéliques de ses adversaires. Elle ne voulait pas être considérée comme une adversaire, mais comme une partenaire à part entière. Il lui faudrait de la patience pour construire le nid où il se sentirait suffisamment confiant, et même confortable, pour ne pas qu'il s'envole à la moindre bourrasque. Sa réflexion lui avait fait oublier le temps, quand elle se rendit compte qu'elle était arrivée. Elle regarda par la fenêtre et aperçut son amoureux qui attendait patiemment, cherchant à la repérer. Leurs regards se croisèrent et un sourire se dessina sur le visage de Jacques. Elle sortit son sac de voyage, qui était retenu par un filet, sur la tablette au-dessus de sa tête. Quand Jacques la prit dans ses bras dès qu'elle eut descendu de l'autobus, elle sentit qu'il était heureux de la retrouver.

— J'ai préparé une dégustation de vins et fromages avec des crudités, du pain français et des pâtés. J'espère que ce sera suffisant pour combler ton appétit.

— Une partie de mon appétit seulement, et je me demande si je ne commencerai pas par le dessert, dit-elle en lui caressant la cuisse dans un geste provocant qui ne laissait aucun doute quant à ses intentions.

— Je serais d'accord pour commencer par le dessert arrosé d'un peu de vin, répondit-il, comprenant très bien l'allusion de Françoise.

— On sent l'automne dans toute sa force! Il n'y a presque plus de feuilles aux arbres et je crois bien qu'il va pleuvoir cette nuit ou demain matin.

— Nous resterons à l'appartement si c'est le cas! Nous n'avons pas besoin de grand-chose, à partir du moment où il fait chaud. On peut regarder la grisaille par la fenêtre et se réfugier dans le lit sous n'importe quel prétexte…, mentionna Jacques.

Ils prirent l'escalier intérieur qui menait au logis. Jacques s'était emparé de son sac et la regardait monter en étudiant la forme de ses jambes et de ses fesses bien moulées dans sa petite jupe. Dieu qu'elle était excitante! Le geste qu'elle avait fait en sortant de l'autobus, il le sentait encore comme une promesse de félicité. Il n'avait aucun doute dans son esprit que le séjour de Françoise à Ormstown serait des plus agréables. Il avait rempli le garde-manger et était presque certain qu'il n'avait rien oublié d'essentiel ou même de superflu. Il avait une bonne réserve de vins et même quelques bouteilles de Cinzano et de scotch. S'il avait à sortir, ce serait pour se procurer un autre journal que *La Presse* qu'il recevait quotidiennement.

Quand ils atteignirent le palier et qu'ils eurent refermé la porte, Jacques laissa tomber le sac et embrassa chaudement Françoise qui répondit avec ardeur, sans même prendre le temps d'enlever son manteau. À l'aveuglette, ils se dirigèrent vers la chambre tout en tentant de se délester des vêtements trop encombrants. Jacques avait perdu ses lunettes quand elle avait tenté de lui enlever son chandail, mais c'était sans importance pour ce qu'ils se préparaient à faire. Bientôt, elle se buta contre le lit et se laissa aller en toute confiance. Sa jupe était remontée, mais il y avait encore un obstacle majeur qui obstruait ce petit coin de paradis et c'étaient ses bas-culottes. Quelques minutes s'écoulèrent avant qu'ils pussent se débarrasser des derniers vêtements qui freinaient leur élan.

— Est-ce que j'ai le temps de nous servir un peu de vin avant de passer aux choses sérieuses ? demanda Jacques, déjà haletant de désir.

— Pour le moment, j'ai seulement soif de toi…

— Tu as des arguments incontournables ! Je vais accepter ta proposition si je réussis à t'enlever ces satanés bas-culottes.

— Donne-moi encore deux secondes et tu ne trouveras plus aucun obstacle, je te le promets.

Dans la pénombre de la chambre, il regardait sa peau laiteuse et son corps à faire rêver. Elle était étendue sur le lit, les deux pieds sur le plancher, offerte à ses caresses. Il l'admira ainsi pendant quelque temps. Elle apprécia ce rôle passif parce qu'elle savait qu'avant la fin du week-end, elle jouerait un rôle plus actif, et qui sait si ce ne serait pas avant la fin de la soirée.

Jacques fut délicat dans son approche. Il avait commencé par déposer des baisers sur ses pieds, puis était lentement remonté jusqu'à ses genoux d'où il avait une vue imprenable. Il la prit par les hanches et la tira jusqu'au bord du lit afin qu'elle soit accessible à ses caresses les plus lubriques.

Cette entrée en matière leur avait creusé l'appétit. Françoise tremblait encore de tous ses membres quand elle se dirigea vers la cuisine, où Jacques avait déposé le plateau de victuailles. Il avait pris la peine de tamiser l'éclairage en déposant une serviette par-dessus la lampe sur pied qui séparait le salon de la salle à dîner, puis il alluma quelques chandelles. En lui versant un verre de vin, il proposa un toast.

— À nos amours, en souhaitant qu'elles soient toujours aussi intenses !

— Si elles sont toujours aussi intenses, je ne suis pas certaine que je vais me rendre à trente ans. C'était presque de la cruauté, mais tellement bien administrée que je pourrais devenir masochiste…

— As-tu ressenti de la douleur? demanda Jacques, un peu inquiet.

— Non! Pas de douleur réelle, mais de la cruauté par anticipation du plaisir que tu tardais à me donner… Tu sais que ça peut se jouer à deux, ce petit jeu-là? Tu ne perds rien pour attendre, mon cher!

— Je peux me calmer si tu trouves ça trop intense…

— Ne change rien pour l'instant, je t'aviserai le moment venu! Mais dans un autre ordre d'idées, je me demande depuis la semaine dernière pourquoi tu as choisi d'annoncer ton retour aux études à tes amis Laurent et Germain avant de m'en parler. Je croyais que c'était moi qui t'avais motivé à retourner aux études.

— C'est vrai que c'est toi qui m'as convaincu que je n'avais pas d'avenir dans le milieu bancaire et que je ferais mieux de retourner aux études. J'ai voulu annoncer à mes chums que je me ralliais à eux parce qu'ils n'ont jamais quitté les bancs d'école. T'es-tu sentie lésée par ma façon de faire?

— Non, mais j'avoue que je me demandais si notre projet de cohabitation était tombé à l'eau.

— Tu as compris que j'attendais à la session d'automne de l'an prochain pour quitter la banque ? Je commencerai mes démarches quand le temps sera venu, mais c'est certain que je m'inscris en droit à Montréal ou à Sherbrooke.

— Tu n'as pas répondu à ma question concernant notre projet de cohabitation…

— Tu ne trouves pas que c'est un peu précipité pour se prononcer sur un projet si loin dans le futur ? Peut-être que tu vas découvrir que je ne suis pas compatible avec toi après six mois de fréquentations ? Je suis très bien avec toi en ce moment, mais ce n'est pas garant de l'avenir…

— Tu me déçois, Jacques ! J'aurais cru que tu étais aussi enthousiaste que moi à l'idée de vivre ensemble, mais je me rends bien compte que ce n'est pas le cas.

— Ne saute pas aux conclusions trop rapidement, Françoise ! Sois réaliste en acceptant que je poursuive mon travail ici jusqu'au mois d'août ou septembre de l'an prochain. Je t'aime et je n'ai pas l'intention de fréquenter d'autres femmes d'ici là. Si je te comprends bien, tu veux un engagement ferme de ma part, tout de suite ?

— Je ne comprends pas ton hésitation à t'engager et je me demande ce qui te fait peur tant que cela dans notre relation.

— Pour être bien franc avec toi, tu es la première femme qui me demande de m'engager dans une relation sérieuse et je n'ai aucune expérience là-dedans. Tu devras me guider, car j'ai la trouille de me mettre la corde au cou. Tu sais ce vieux licou liberticide…

— Tu as une vision vieux jeu d'une relation de couple ! Comment veux-tu que je m'engage plus à fond dans une relation où j'aurai des sacrifices financiers à faire dans le futur ? Tu veux le beurre et l'argent du beurre, c'est bien cela ? Je ne peux pas m'impliquer dans une telle relation et je crois que je retournerai à Granby dès demain, car j'ai fait fausse route.

— Je ne veux pas que tu partes, Françoise ! Laisse-moi le temps de comprendre ce que tu attends de moi. Tu n'as pas fait fausse route, je t'en prie ! Ma peur fait probablement partie de mon bagage génétique, mais je t'en supplie, ne pars pas !

Jacques se sentait acculé au pied du mur. Il réalisait que Françoise avait une forte personnalité et qu'elle ne serait pas facile à abuser même si ce n'était pas son intention de la tromper. Il devrait donner s'il voulait recevoir quelque chose en échange. Il se rendit compte soudainement qu'elle était formidable à bien des égards. Sexuellement, c'était une bombe et intellectuellement, il était mis au défi pour la première fois de sa vie par une femme. Il avait intérêt à changer d'attitude rapidement au risque de la perdre définitivement. Il devait au moins la considérer comme son égale, n'osant pas s'avouer qu'elle était plus évoluée que lui et qu'elle serait la guide qui le dirigerait à travers les prochaines années. Il se fit suppliant.

— Je t'en prie, Françoise, dis quelque chose !

— Que veux-tu que je te dise ? J'ai des attentes et tu ne sembles pas disposé à les combler. Je ne sais plus comment réagir à tout cela ! Je t'avoue que je suis déçue et que peut-être tu m'as vue seulement comme une fille facile. Autant j'aime le sexe, autant je ne le fais pas avec n'importe qui…

— Je m'excuse encore une fois, mais arrête d'écorcher ma fierté, ou devrais-je dire mon orgueil. Je ne sais plus au juste… Je me rends ! dit-il en ouvrant les bras comme s'il reconnaissait qu'il avait perdu la guerre.

— Oublions tout cela ! On essuie et on recommence… Embrasse-moi !

Jacques l'enlaça fiévreusement. Elle l'avait secoué en menaçant de plier bagage dès le lendemain. Ce fut sa première leçon. Il avait appris qu'il ne pourrait pas jouer impunément avec celle qui lui avait enseigné le respect. Tout le reste de la fin de semaine, il fut aux petits soins à l'égard de Françoise qui le lui rendit bien. Le dimanche, en soirée, elle refit le trajet qui la ramenait à Granby, le cœur gonflé d'espoir. Ils avaient convenu que Françoise pouvait entreprendre les démarches pour louer le logis situé au-dessus du garage de la maison familiale. Elle avait décidé de s'y installer dès que possible et qu'elle y recevrait Jacques chaque fois qu'il descendrait à Granby. Fini les rendez-vous improvisés dans des motels ou chambres d'hôtel. Elle affronterait sa mère qui était prude et qui voulait surtout sauver les apparences.

L'année passa rapidement et, dès le printemps, Françoise occupa l'appartement au-dessus du garage. Tranquillement, elle et Jacques le meublèrent selon les occasions qui se présentaient. Le beau-frère de Jacques, Paul Tremblay, travaillait toujours pour l'encanteur Léopold Petit. Il surveillait pour eux les meubles qu'ils désiraient acquérir à peu de frais. Jacques avait commencé à économiser dès qu'ils avaient pris la décision de vivre ensemble, à l'automne 1963. Il vendit sa MGA non sans serrement au cœur, mais il devait montrer qu'il était sérieux. Françoise avait acheté une Mini-Austin usagée à vil prix, mais qui était fiable. Jacques voyageait avec André Turmel comme convenu, en synchronisant leurs horaires de cours. Finalement, Françoise l'avait convaincu de devenir un avocat engagé pour défendre les militants qui appuyaient les mêmes causes qu'eux. Il s'inscrivit donc en droit à l'Université de Montréal. Il travaillait à titre de journaliste pigiste pour *La Voix de l'Est*, le journal de la région, mais composait aussi des articles de fond pour la Centrale des syndicats nationaux (CSN) pour arrondir ses fins de mois. Il faisait aussi la plonge à la cafétéria de l'université pour prouver qu'il n'y avait pas de sot métier et militait pour le syndicat. Il avait totalement changé par rapport à ses années de frivolité quand il œuvrait pour la Banque CIBC.

Françoise avait réussi son pari : lui permettre de retourner aux études. Ils vivaient chichement et comptaient chaque sou qu'ils dépensaient. Leur seule extravagance était une bouteille de vin, le samedi soir. Heureusement que, pour compenser, leurs amis arrivaient chez eux avec des pâtés, des fromages et du vin. Ce n'était plus des bouteilles de chianti comme autrefois, mais de gamay ou de branvin. Quelques fois, des amis déposaient sur la table des vins indigestes, comme du 999 ou du Saint-Georges, pour faire comme Jack Kerouac. On ne boudait pas son plaisir pour autant et ces bouteilles étaient bues, non sans une grimace.

Ils roulaient leurs cigarettes Gitane pour économiser, mais aussi pour faire bon genre. Ils s'adaptaient à leur nouvelle vie, sans trop de tensions dans le couple. Jacques avait pris goût à cette vie d'étudiant. Au même moment, Françoise avait entrepris sa maîtrise en français. Lauretta était fière de voir son fils faire des études supérieures. Il était le seul de ses enfants qui y accéderait et elle s'en glorifiait, malgré toutes les misères qu'il lui avait fait vivre par le passé. Elle était reconnaissante à Françoise de ce changement radical. Elle n'avait jamais douté de l'intelligence supérieure de son fils, mais elle avait craint qu'il n'arrive à rien. Les conversations qu'elle avait eues avec Yvan l'avaient découragée. Grâce à lui, Jacques avait pu travailler à la Banque CIBC parce qu'il était le directeur de la succursale de Granby. Yvan avait regretté son geste presque aussitôt quand Jacques avait commencé à faire des siennes en n'en faisant qu'à sa tête.

Chapitre 4

Pendant que Jacques poursuivait ses études, Françoise, tout en faisant sa maîtrise en éducation, s'était beaucoup impliquée dans le mouvement syndicaliste de l'école secondaire où elle enseignait. Au début des années soixante, le FLQ faisait son apparition sur la scène politique provinciale. La principale raison de sa fondation était la disparité sociale et économique entre francophones et anglophones, mais aussi le contexte politique qui prévalait au Québec. Certains des membres les plus radicaux du RIN avaient grossi les rangs de l'organisation et avaient formé des cellules qui opéraient de façon autonome. Ils avaient commencé leur action terroriste en lançant des bombes incendiaires sur trois casernes militaires. Par la suite, ils s'en prirent aux boîtes aux lettres dans les quartiers à majorité anglophone, en les faisant exploser.

Lorsqu'il était à la Banque CIBC, Jacques avait été témoin de l'écart salarial entre francophones et anglophones. Il reconnaissait une certaine part de vérité dans les propos du FLQ. De plus, le milieu universitaire était infiltré par les communistes marxistes-léninistes, maoïstes ou trotskistes. Tous publiaient des pamphlets qui incitaient à la rébellion civile. Dans le corps enseignant, c'était les trotskistes qui dominaient. Après avoir soupé à l'appartement, Jacques fit cette réflexion concernant la présence communiste à l'université.

— Tu devrais voir à quel point nous sommes envahis par les militants communistes de tout acabit, c'est incroyable ! déclara Jacques.

— Nous, parmi les profs de mon école secondaire, on retrouve quelques trotskistes qui militent dans le syndicat, mais c'est à peu près tout. Ils sont très discrets, car ils craignent d'être renvoyés même s'ils sont actifs au sein du syndicat. Les communistes sont loin de faire l'unanimité chez les profs, même les plus nationalistes, précisa Françoise.

— À l'université, il y a des étudiants qui se réjouissent chaque fois que le FLQ fait sauter une boîte aux lettres. Te rappelles-tu le vol de matériels de diffusion au poste CHEF ici, à Granby ? Je connais un des gars qui ont fait le coup, et il fait partie d'une cellule du FLQ dans la région. Je te le dis, ils se préparent en braquant des banques, des caisses populaires, ou en volant de la dynamite sur les chantiers. Ils viennent juste de commettre un important vol d'armes et d'équipements à la caserne du régiment des Fusiliers Mont-Royal, à Montréal. Il y avait dans le butin 59 mitrailleuses semi-automatiques belges FN 7.62, 4 mitrailleuses Bren, 34 mitraillettes Sten, 4 mortiers 60 millimètres, 3 lance-roquettes antichar, des bazookas, des grenades, 5 pistolets automatiques Browning avec amplement de munitions, en plus de 15 émetteurs-récepteurs, deux téléphones portatifs, des lampes de tête, du fil électrique, une polycopieuse Gestetner, des couvertures, etc.

— D'où tiens-tu toute cette information ? Ce n'est pas rendu public !

— C'est celui qui essaie de me recruter qui m'a fourni toute cette information ! Je te le dis, il se prépare une révolution au Québec, et ça va brasser fort ! Ça ne sera pas comme à Cuba, mais c'est certain qu'il faudra qu'on soit reconnu comme peuple avant que ça vire à la guerre civile comme en 1837.

— Je trouve que tu exagères, Jacques ! Nous ne sommes pas si opprimés que ça !

— Tu trouves ? Regarde ailleurs dans le monde et tu verras qu'il y a quelque chose qui se prépare. Regarde en Asie, au Viet Nam, au Cambodge, au Moyen-Orient, en Syrie, en Algérie, en Iraq, en Iran. Tu n'as même pas besoin d'aller si loin. Juste à côté chez nos voisins américains, les Noirs se soulèvent parce qu'ils veulent mettre un terme à la discrimination raciale. La planète est comme un volcan qui s'apprête à exploser.

— Tu as probablement raison, mais en même temps, les femmes n'ont jamais été aussi libérées qu'en ce moment et c'est la même chose pour la musique, la mode, la…

— La quoi… Françoise ? Ce dont tu parles est une résultante de la révolution mondiale. J'ai oublié de mentionner que les colonies comme le Congo en Afrique veulent aussi se libérer. Les empires colonialistes s'écroulent, tout en essayant de résister à la vague révolutionnaire. Pense à l'assassinat de Kennedy et on voit bien que les fascistes tentent d'éliminer ceux qui s'opposent au statu quo.

— Je veux bien, mais qu'est-ce qu'on a à faire là-dedans? Ce n'est pas chez nous après tout.

— Je ne comprends pas que tu puisses parler comme ça. Nous faisons partie d'un tout, et ici les capitalistes ont la vie belle parce que nous sommes un peuple de colonisés et de porteurs d'eau qui ne se plaint pas. Rappelle-toi la grève des infirmières de Sainte-Justine l'année passée et à quel point tu les soutenais. Avoue que cette grève a changé le portrait du milieu hospitalier dirigé par les sœurs religieuses…

— Je dois reconnaître que tu as raison et c'est la même chose qui se prépare en éducation.

— C'était pareil avec la grève de Radio-Canada en 1958, puis pareil en 1949 avec la grève de l'amiante, et cette année avec la grève à *La Presse* qui perdure. On réveille la fibre nationaliste des Québécois qui sont tannés de se faire manger la laine sur le dos…

— C'est bien beau tout ça, Jacques, mais quand est-ce que ça va arrêter?

— Quand on va être souverains et que ça va être nous les patrons!

— Pour être les patrons, ça prend de l'argent! Où est-ce qu'on va le trouver?

— Le jour où on va contrôler les banques, quoique avec les caisses populaires, on a déjà un bout de chemin de fait…

— Ça fait drôle d'entendre cela de toi qui, il y a à peine deux ans, travaillais pour une des plus grosses banques du Canada.

— Justement! J'ai compris leur jeu quand j'ai saisi que tout ça n'était qu'une question de crédit. Quand tu contrôles, tu prêtes bien à qui tu veux…

— Je commence à être fatiguée, est-ce qu'on va se coucher?

— Pourquoi pas? André doit me ramasser tôt demain matin. On travaille trop, on a presque plus le temps de faire l'amour!

— J'ai toujours suffisamment d'énergie pour cela! Une petite douche rapide et hop! au lit.

Ils firent l'amour comme si c'était une question d'hygiène mentale et physique et s'endormirent rapidement sans penser à toutes ces histoires politiques, qui semblaient de plus en plus dominer la vie de Jacques. Françoise s'était rendu compte que, depuis l'assassinat de John Kennedy – politicien qu'il appréciait énormément –, il s'était radicalisé. Il prenait position pour le controversé Malcolm X et pour l'autodéfense des Noirs plutôt que pour le pacifique Martin Luther King.

Il répétait souvent qu'il fallait être prêt à se défendre contre ceux qu'il appelait les fascistes. Pour Jacques, les fascistes, c'étaient tous ceux qui étaient trop à droite et fortunés. Les capitalistes étaient les ennemis qui empêchaient la société de penser correctement puisqu'elle subissait un lavage de cerveau par la radio, la télévision et les journaux. Françoise avait plus de discernement et voyait des nuances – des zones grises, des zones blanches et des zones plus noires – dans la philosophie dogmatique que prônait Jacques. Tant que ses prises de position radicale se limitaient à des paroles ou à des contestations, elle était prête à le soutenir, mais elle ne voulait pas s'impliquer dans des actes de violence.

Jacques poursuivait ses études de droit avec brio, et Françoise terminait sa maîtrise. Jacques subissait l'influence de l'Université de Montréal et du syndicat de la CSN. Il flirtait avec *La Cognée* et *Parti pris*, deux revues de gauche, et on le sollicitait pour rédiger des articles parce qu'on appréciait sa plume lapidaire et incisive. Il était aspiré par un tourbillon qui l'amena à faire des recherches encore plus approfondies. Il sollicitait l'aide de Françoise, qui s'était avérée une excellente recherchiste. Elle le nourrissait de lectures qui le radicalisaient davantage. Plus il découvrait d'injustices commises à l'égard des travailleurs, plus il sentait la colère gronder en lui. Un soir, en rentrant chez lui, il se confia à Françoise.

— Je n'en reviens pas des libéraux ! Il y en a qui ont de l'allure comme Lévesque, qui a réduit la facture d'électricité de toute la population, mais il y en a d'autres qui m'enragent…

— À qui tu penses quand tu dis ça, Jacques?

— Je pense à Couturier, le ministre de la Santé, qui a refusé le droit de grève aux infirmières de Sainte-Justine, entre autres. Elles l'ont faite pareille, leur grève!

— Je suis d'accord, mais il y a quand même du bon si tu penses à Claire Kirkland-Casgrain, qui a réussi à faire adopter son projet de loi 16, Loi sur la capacité juridique de la femme mariée. Quand tu penses qu'avant cela, les femmes mariées ne pouvaient pas avoir la responsabilité civile et financière et exercer une profession sans l'autorisation de leur mari. C'est totalement aberrant!

— J'ai justement lu sur le sujet dans un de mes cours. Elle n'a pas tout réglé, ta Mme Casgrain. Avant 1964, le régime matrimonial en vigueur au Québec est celui de la société d'acquêts ou de communauté de biens. Avec ce régime, les femmes ne sont pas reconnues comme des personnes juridiques autonomes. Le plus drôle, c'est que même étant élue députée et nommée ministre, ta Mme Casgrain a dû faire signer son bail par son mari pour jouir d'un apparte-ment à Québec, car sa signature n'était pas valable à titre de femme mariée.

— Oui, mais elle n'a pas perdu de temps pour dénoncer cette absurdité et y mettre fin!

— Peut-être, mais la loi n'instaurera pas le principe d'éga-lité totale entre les hommes et les femmes. Le mari conserve l'administration de la famille. Il choisit la résidence familiale et exerce seul l'autorité auprès des enfants. La femme joue donc encore un rôle de second plan…

— Changeons de sujet parce que je sens que je vais m'emporter ! C'est vrai que c'est long de faire avancer les choses.

— Ma tante Françoise, qui porte le même nom que toi, a préféré le célibat plutôt que d'accepter d'être dominée par un homme, même si, en réalité, son père avait toujours autorité sur elle.

— Je trouve ça épouvantable, Jacques ! Je pense que je vais attendre que la loi change avant de te marier…

— Qui t'a dit que je voulais me marier ?

— Si on a des enfants, tu fais quoi ?

— On verra ! Ce n'est pas demain la veille. Je n'ai pas fini mon droit et je n'ai même pas de *job* digne de ce nom… es-tu pressée, toi ?

— Pas vraiment, avec tout ce qu'on vient de se dire… Tu as raison quand tu dis qu'on n'est pas si pressés que ça. Ce n'est pas le mariage qui fera qu'on s'aimera plus, qu'est-ce que tu en penses ?

— C'est bien ce que je dis! Ce n'est pas un contrat qui nous rendra plus amoureux, mais j'avoue que je t'aime déjà beaucoup et je ne sais pas comment je pourrais me passer de toi, ma douce.

— C'est vrai que je t'aime énormément moi aussi, parce que tu es tellement différent de tous les autres!

— Quels autres? Allez, dis-le! Tu sais que je suis très possessif et que je pourrais éliminer mon concurrent, si je savais que j'en ai un…

— Toi, possessif? Je n'ai vu aucun signe apparent en ce sens! Qu'est-ce que tu dirais si on allait se changer les idées à la boîte à chanson?

— Je n'ai pas une cenne…

— C'est moi qui régale, et grouille ta carcasse avant que je change d'idée!

Françoise en avait assez de toujours se prendre la tête dans d'interminables discussions politiques. Elle voulait continuer à s'amuser, sans nier pour autant les problèmes qui accablaient la société. Elle croyait que le temps finissait toujours par arranger les choses, tandis que Jacques voulait que tout se règle tout de suite. Il était impatient et trop radical. Elle se rappelait à quel point il jubilait quand Pierre Bourgault avait accédé à la présidence du RIN et l'avait transformé en parti de gauche, mais elle se rappelait aussi sa rage quand les moins radicaux comme Jean Garon et quelques autres avaient quitté le RIN pour fonder avec Gilles Grégoire le RN (Regroupement national), plus à droite. Elle espérait qu'ils rencontreraient des amis communs à la boîte à chanson.

Effectivement, ils rencontrèrent Germain et Laurent, assis ensemble comme des célibataires endurcis. Françoise avait des doutes quant à l'orientation sexuelle de Laurent. À quelques reprises, elle lui avait présenté de jolies femmes qui, comme elles, enseignaient. Il s'était montré poli, mais sans plus. Il n'avait pas cherché à les revoir, prétextant que les relations à distance ne fonctionnaient jamais, puisqu'il avait choisi de rester à Montréal à la fin de son baccalauréat en sociologie. Il habitait déjà dans ce qui deviendrait le Village gai, au sud de Sainte-Catherine, dans l'est, sur la rue de l'Hôtel-de-Ville. Il fréquentait la Casa Loma, le Zanzibar ou la taverne Saint-Régis, endroits réputés pour accueillir une clientèle gaie. Quant à Germain, elle n'avait aucun doute sur son orientation sexuelle. Il agissait comme un taureau en rut dès qu'il voyait une femme ouverte à l'aventure. C'étaient les meilleurs amis de Jacques et cette amitié remontait à l'époque du scoutisme, au début de l'adolescence. Françoise les avait acceptés d'emblée. Comme ils étaient des amis de longue date, elle les aimait bien. Germain avait terminé ses études et enseignait les mathématiques dans une école secondaire de la région. Avec ses allures de footballeur, il imposait le respect à ses élèves et n'avait aucun problème de discipline dans ses classes, ce qui en faisait un excellent professeur. Bien qu'il fût quelque peu macho, Françoise n'avait aucun problème à se faire respecter par ce colosse au cœur tendre.

— Salut les gars, comment allez-vous ? Ça fait un bail que je ne vous ai pas vus ! Est-ce qu'on peut s'asseoir avec vous, ou vous attendez Dulcinéa ?

— Salut Jacques, salut Françoise ! Qu'est-ce que vous faites de bon ? La vie à deux vous accapare complètement, à ce que je vois…, répliqua Germain. Moi, je vis mon célibat dans sa plénitude, mais j'avoue que certains soirs, j'aimerais bien me coller sur un corps chaud comme le tien, Françoise…

— Ça, mon brave Germain, c'est le privilège d'un seul homme. Tu es bien chanceux que Jacques soit ton ami, car il pourrait te faire ravaler tes paroles si j'étais le moindrement offusquée ! Et toi, mon beau Laurent, quoi de neuf dans ta vie ? Toujours à Montréal ?

— Eh oui ! J'aime l'effervescence de la métropole et son anonymat. J'ai un travail en or dans le milieu de la délinquance chez les adolescents et je n'ai pas besoin de te dire qu'à Montréal il y a une foison de délinquants. Je travaille beaucoup, mais j'aime ça ! répondit-il.

— Et toi Jacques ? dit ce dernier. Je vois ton nom à l'occasion quand je lis le *Parti pris* et même *La Voix de l'Est*. Ma mère est très impressionnée quand elle voit ton nom dans le journal. Elle découpe tes articles pour me les montrer quand je viens la visiter.

— Je gribouille toujours des articles pour la CSN et différentes revues afin d'arrondir mes fins de mois pendant que je finis mon droit. Heureusement que Françoise est là, parce que sinon, je mangerais de la vache enragée plus souvent qu'à mon tour.

— Tu es dans ta dernière année si je me rappelle… je te dis bravo, mon vieux, car j'étais certain qu'on t'avait perdu aux mains des banquiers ! Avoue que c'est Françoise qui t'a tiré du monde de la finance ?

— C'est vrai, mais je ne crois pas que j'aurais fait ça toute ma vie ! C'était pourtant facile de vivre dans ce milieu-là et j'avoue que je pense encore à ma vieille MGA…

— Laisse faire la nostalgie et prends une gorgée de ma p'tite flasque, ça va te remonter le Québécois !

— Qu'est-ce que tu as là-dedans ? Du tord-boyaux comme celui qu'on volait à mon père, tu t'en souviens, Germain ?

— C'est dans le même genre, Jacques !

Jacques en avala allègrement une gorgée, mais faillit s'étouffer quand le liquide descendit dans son gosier. Il ressentit la brûlure jusque dans son estomac. Ses yeux s'embuèrent et sa voix devint rauque.

— *Wow!* C'est de la nitro ou quoi? C'est terriblement fort!

— C'est de l'alcool frelaté à 90 % et ça enlève les fils d'araignée, pas vrai?

— C'est pire que du formol, bâtard! Comment tu fais pour boire ça, Germ...? Donne-moi une gorgée de ton eau, Françoise, s'il te plaît!

— Laurent ne veut pas y toucher, sous prétexte qu'il veut garder sa tête. Je me demande à quoi ça sert de la garder? L'avantage de la perdre, c'est que tu es presque certain de ne pas regretter la fille avec qui tu finiras la nuit...

— T'es donc bien macho, Germain!

— C'est juste une farce, Françoise, ne pogne pas les nerfs pour ça!

— Je te connais trop pour ça, Germain! Je sais qu'il y a toujours un grand fond de vérité dans ton humour déplacé.

— Je m'excuse, Françoise! Prends-en une gorgée et tu me diras après si tu ne préférerais pas un homme comme moi plutôt qu'un gringalet comme ton chum...

— T'es un gros colon, pour ne pas dire cochon! Maudit macho!

— Calmez-vous! On est ici pour s'amuser, et vu la manière dont c'est parti, je ne serai pas le seul à faire un ulcère ce soir, mentionna Jacques qui voulait calmer les esprits.

— As-tu compris, Françoise? Écoute ton homme quand il te demande de te calmer! Tu grimpes bien trop vite dans les rideaux. Remarque que j'ai eu une chatte comme ça qui grimpait aux rideaux et il a fallu que je m'en débarrasse en la noyant dans la rivière. L'histoire ne dit pas si elle est morte noyée ou empoisonnée tellement la Yamaska est polluée…

— Arrête, Germain, à moins que tu veuilles te faire arracher les yeux! Lâche ta flasque un peu…, répéta Jacques, qui voyait bien que Françoise n'appréciait pas l'humour noir de son ami.

Une amie de Françoise, Francine Falardeau, arriva sur ces entrefaites. Germain se lança aussitôt dans une opération de séduction, sous l'œil attentif de Françoise. La nouvelle venue lorgnait plutôt du côté de Laurent, qui était très bel homme et d'une politesse qui plaisait aux femmes. Malheureusement pour elle, Laurent était plus attiré par la gent masculine. Jacques le savait depuis belle lurette, mais n'en avait jamais fait grand cas. Il avait accepté cette réalité, car jamais Laurent ne lui avait fait des avances. Ils n'avaient jamais abordé le propos ensemble, et Jacques se demandait même si Laurent savait qu'il était au courant au sujet de son homosexualité. Jacques le taquinait en l'appelant le curé, et lui répondait souvent qu'il avait manqué sa vocation. C'est vrai qu'il aurait fait un bon prêtre ouvrier, comme on en voyait de plus en plus chez les Trinitaires ou chez les Jésuites. Il était donc très poli avec tous les gens qu'il rencontrait et s'intéressait à ce que les uns et les autres faisaient, mais sans plus. Parfois, les femmes confondaient sa curiosité pour de l'attirance, mais il n'avait aucun attrait pour elles.

Au grand dam de Germain, qui avait trop bu, Francine ne s'intéressait pas à lui, mais plutôt à Laurent, qui semblait captivé par elle. Il sombra lentement dans une brume éthylique pendant que le quatuor tenait une conversation animée sur le rapport Parent et sur le fait que le nouveau ministère de l'Éducation peinait à l'appliquer. La soirée se termina assez tôt pour Francine, qui espérait que Laurent lui propose un rendez-vous. Elle s'était en vain bercée d'espoir.

Chapitre 5

Les années passèrent, Jacques avait terminé son droit et Françoise sa maîtrise. La société avait beaucoup évolué durant cette période qu'on appelait la Révolution tranquille. Les années soixante avaient connu de grands remous. Les militants insatisfaits de la lenteur des réformes s'étaient encore plus radicalisés. René Lévesque avait claqué la porte du Parti libéral à peine quelques mois après la déclaration de De Gaulle sur le Québec libre pour former le MSA (Mouvement Souveraineté-Association), qui avait pour objectif de rassembler les forces nationalistes. Le RIN, sous la gouverne de Pierre Bourgault, s'était sabordé et s'était joint aux troupes de Lévesque. Le Nobel de la paix, Lester B. Pearson, qui était premier ministre du Canada depuis 1963, céda le pouvoir avant la fin de son mandat à Pierre Elliott Trudeau. Ce dernier déclencha des élections au printemps de 1968 et le jour du scrutin devait avoir lieu le 25 juin.

Jacques et Françoise s'étaient rendus à Montréal pour la fête de la Saint-Jean-Baptiste, mais aussi pour répondre à un appel à la confrontation lancé par Pierre Bourgault, qui voulait que les Québécois réagissent à l'affront de Trudeau, un antinationaliste qui avait l'intention d'assister au défilé alors qu'il dénigrait le nationalisme québécois. Bourgault avait un plan en tête.

— Françoise ! On devrait s'installer en face de l'estrade des notables et huer Trudeau au moment où la parade passera devant.

— Au parc La Fontaine ?

— Oui, c'est la meilleure place pour ne rien manquer, si les militants répondent en masse à l'appel de Bourgault !

— Allons-y, si on peut se frayer un chemin à travers la foule. On devrait se tenir la main pour éviter d'être séparés ! suggéra Françoise.

— Tu as raison ! Je vais suivre Laurent et Germain, et tiens bien ma main. Germain ! Tu devrais être en avant. Avec ta carrure, ça devrait être plus facile pour fendre la foule. Si jamais nous nous perdons de vue pour toutes sortes de raisons, on se retrouve chez ma tante.

— Crois-tu qu'il risque d'y avoir des émeutes ? demanda Françoise, un peu inquiète.

— C'est presque assuré ! Pourquoi penses-tu que j'ai mis des cailloux dans mon sac à dos ? C'est pour me défendre si la police charge la foule…

— Regarde derrière l'estrade. Il y a des policiers à cheval et, en avant, il y a l'escouade anti-émeute, cria Françoise qui commençait à paniquer.

Bientôt, ils virent le défilé approcher. La foule se scinda et les plus radicaux se retrouvèrent tout près de l'estrade. Les quatre larrons faisaient partie du groupe. Ceux d'en avant se mirent à lancer toutes sortes d'objets, qui allaient du pavé de brique à la bouteille de Coke en passant par des cailloux. L'escouade antiémeute se déploya pour contenir les émeutiers, et la police à cheval chargea la foule avec des matraques. Tout le monde huait, hurlait de colère. Jacques reçut un coup de trique sur la tête, et deux policiers essayèrent de l'entraîner. Françoise se retrouva par terre, mais Germain la releva et l'entraîna à l'écart tout en recevant lui aussi des coups. L'escouade anti-émeute frappait de tous les côtés. Jacques et Laurent reçurent une volée de coups. Jacques perdit ses lunettes dans l'échauffourée et se retrouva dans un fourgon déjà bien rempli. Jacques et Laurent étaient tous deux ensanglantés et blessés.

— Est-ce que ça va, Laurent?

— Je crois que j'ai le nez cassé, et j'ai mal partout! Et toi?

— J'ai perdu mes lunettes, probablement brisées par un coup de matraque. J'ai sûrement des côtes fêlées ou renfoncées parce que j'ai de la misère à respirer.

— Tu as la face pleine de bleus et de sang! mentionna Laurent.

— J'espère que Françoise s'en est tirée. Peux-tu m'aider à me débarrasser de mon sac à dos? Parce que s'ils me prennent avec mon sac rempli de roches, je ne suis pas sorti du bois. As-tu vu Germain?

— Non! J'étais trop occupé à me protéger. Il a dû s'échapper!

— Moi, sans mes lunettes, je n'ai pu rien voir!

Une fois le fourgon bien rempli, le camion démarra pour se diriger vers le poste de police le plus près. Toutes les personnes arrêtées furent incarcérées après avoir reçu les premiers soins. Jacques fut transporté à l'hôpital, où on lui fit quatre points de suture sur le crâne et un sur la joue. Ses côtes n'étaient pas brisées, même si elles le faisaient souffrir. Le médecin lui enserra le torse d'un bandage élastique pour soulager sa douleur. Il put appeler sa tante Françoise au matin du 25 juin. Il sut alors que sa conjointe et Germain avaient réussi à la joindre au téléphone, puisqu'ils s'étaient réfugiés chez elle. Elle avait tenté en vain de savoir s'il était détenu. Maintenant qu'elle le savait incarcéré, elle le ferait libérer. Jacques lui demanda si elle ne pourrait pas également faire relâcher Laurent, qui était détenu avec lui. Sa tante acquiesça à sa requête, et ils furent libérés vers la fin de la matinée. Quand ils arrivèrent chez elle, Jacques eut de la difficulté à monter l'escalier tant ses côtes le faisaient souffrir.

— Mon Dieu, Jacques! Tu sembles mal en point… où sont tes lunettes?

— Perdues durant l'émeute! Aurais-tu de l'aspirine, matante? J'ai mal partout, et sûrement Laurent aussi!

— On peut dire qu'on a été bien tabassés par la police ! J'avais l'impression qu'elle se défoulait. Le pire, c'est que je n'ai rien fait de mal, sinon manifester contre la présence de Trudeau, dit Laurent.

— Vous devez avoir une faim de loup ? demanda sa tante.

— J'ai plus besoin de tendresse que de nourriture, mais il ne faut pas me serrer trop fort. Je croyais qu'un coup de matraque sur la tête ferait plus mal que ça sur le coup, c'est après qu'on est sonné. J'ai tout de même le crâne plein de petites tonsures là où j'ai eu des points de suture.

— J'ai été chanceuse parce que quand les deux flics t'ont frappé, Germain m'a tirée à l'écart en pourfendant la foule. Il y en avait même plusieurs à cheval qui fonçaient sur les manifestants. J'ai vu une vieille dame qui s'est fait piétiner par la foule. Pauvre elle !

— Avez-vous eu la chance de récupérer l'auto ? s'informa Laurent.

— Oui, ce matin nous sommes allés la chercher. Elle est stationnée pas très loin, sur Rachel ! dit Germain.

— J'ai hâte d'être de retour à Granby, mais je vous promets qu'ils ne l'emporteront pas au paradis, la gang de crisse. Je ne serais pas surpris que Trudeau remporte ce soir les élections les doigts dans le nez, puisque les bulletins de nouvelles ont relaté les événements d'hier. D'un océan à l'autre, on l'a montré héroïque en défiant les émeutiers. Excuse-moi matante, mais je pense qu'on ferait mieux de partir si on veut avoir le temps de voter, et merci de nous avoir permis de sortir de prison.

— Ce n'est rien, Jacques. Tu es de la famille, après tout!

Tout le monde remercia chaleureusement tante Françoise de sa gentillesse. La petite troupe prit la route en direction de Granby, à l'exception de Laurent, qui habitait la métropole. Jacques était furieux de s'être fait prendre aussi facilement. Il se promettait d'écrire des articles cinglants sur l'événement. Comme il l'avait prévu, Trudeau avait réussi à se faire élire à la tête d'un gouvernement majoritaire. En refusant de s'enfuir pendant que les autres notables fuyaient pour se mettre à l'abri, Trudeau avait fait preuve d'un grand courage, qualité que certains lui reprochaient de manquer. La population canadienne fut donc charmée par cet homme qui se tenait debout, selon elle, devant des partisans séparatistes. La police, quant à elle, avait fait preuve d'une rare violence durant cette émeute, dont le bilan se traduisit par deux cent quatre-vingt-dix arrestations et quatre-vingt-trois blessés selon les journalistes. Dans les journaux, cette journée fut baptisée le «Lundi de la matraque». Le journaliste de la télévision de Radio-Canada, Jean-Claude Devirieux, fut congédié par la direction pour avoir décrit fidèlement la brutalité policière. Devant cette prise de position, tous les journalistes débrayèrent pour protester contre le congédiement de leur confrère, qui réintégra son poste à la suite d'une volte-face de la direction de Radio-Canada devant la situation.

Au début de l'année 1969, Jacques, qui avait poursuivi ses études en histoire après avoir terminé son droit et qui avait préféré cette concentration plutôt que de se préparer à passer son admission au barreau, était devenu un activiste de premier plan dans les combats d'importance au Québec. Il était de toutes les manifestations et s'efforçait à créer un lien entre les cégépiens et les étudiants de l'Université de Montréal et de l'Université McGill. Pour préparer l'Opération McGill français, une édition spéciale du *McGill Daily* fut publiée à 100 000 exemplaires une semaine avant la marche. Le document de huit pages, intitulé *Bienvenue à McGill*, était entièrement rédigé en français. Il était distribué à travers la province par des étudiants et des membres des cellules syndicales de la CSN, qui attaquaient les élites dirigeantes du Québec en exigeant une autre université francophone à Montréal, puisqu'il y avait trois universités anglophones sur le même territoire.

Aux yeux de Jacques et des autres rédacteurs du *Daily*, les Québécois étaient exploités à la fois culturellement et économiquement, avec pour conséquence que la démocratisation et la francisation de McGill s'inscrivaient dans une double lutte de libération. Les éditeurs avaient inséré en première page le manifeste du Comité des étudiants de McGill, et en dernière page le poème *Speak White* de Michèle Lalonde. Jacques ne s'arrêta pas là. Il participa, entre autres, à la manifestation contre les autobus Murray Hill qui avaient le monopole du transport de l'aéroport de Dorval au détriment des chauffeurs de taxi. De plus en plus de bombes explosaient dans les manifestations auxquelles il participait. Françoise craignait que Jacques soit impliqué dans ce groupe d'extrémistes, mais Jacques niait tout.

— Je n'ai rien à faire là-dedans, même si je suis d'accord avec ce qu'ils font !

— Me jures-tu que tu n'es pas impliqué ?

— Je te le jure ! Je n'ai aucun secret pour toi et pourquoi en aurais-je ?

— Je ne sais pas, sauf que tu sais que je ne veux pas que tu sois mêlé à des attentats potentiellement meurtriers. Il y a toute une différence entre lancer des roches pendant une manifestation et poser des bombes. D'ailleurs, plusieurs sautent à la moindre grève…

— Tu me connais mieux que ça, Françoise ! Je suis un théoricien, pas un guerrier. Je peux écrire des articles pour inciter à la rébellion, mais jamais je ne poserai de bombes ou lancerai de cocktails Molotov pour incendier un bâtiment ou un véhicule. Celui qui m'inspire le plus en ce moment, c'est Michel Chartrand, le président du Conseil central du Montréal métropolitain. Il gueule, il crie à qui veut l'entendre l'injustice qu'il voit partout. C'est un ambassadeur de la justice sociale au Québec, un détracteur du capitalisme sauvage, un vrai socialiste.

— Je te demande juste de faire attention ! De mon côté, je suis aussi très active syndicalement, mais Granby ce n'est pas Montréal, il faut y aller plus doucement ! C'est presque du recrutement personnalisé, un par un…

— Je suis dans un tourbillon qui n'arrête pas de tourner. Je suis très sollicité comme tu le sais, mais c'est tellement excitant d'être au cœur de l'action avec des gars comme Gerry T. et Michel Chartrand, pour ne nommer que ces deux-là.

— Pourquoi tu ne dis pas le nom de famille de Gerry ?

— Je crois qu'il est peut-être impliqué dans les actions violentes qui se produisent sur les piquets de grève. Il ne fait pas dans la dentelle, si tu comprends ce que je veux dire…

— Qu'est-ce qui se passe avec notre projet de ferme ? Tu étais pourtant très excité à l'idée qu'on en fasse l'acquisition avec André et Louise. Si on ne se décide pas sous peu, il y a quelqu'un d'autre qui va flairer la bonne affaire et l'acheter sous notre nez.

— Je ne suis même pas certain qu'on va pouvoir se l'offrir parce que les héritiers veulent la vendre à des Anglais, et j'ai beau me débrouiller assez bien dans la langue de Shakespeare, je suis loin d'être bilingue.

— Il faut quand même s'essayer !

— D'accord! Mais es-tu sûre qu'on aura le financement voulu de la caisse populaire? Dix-sept mille piastres, c'est pas mal d'argent…

— Ma mère va me prêter l'argent pour la mise de fonds, et André et Louise sont enseignants tout comme moi. Je suis convaincue que nous aurons le capital nécessaire.

— Il y aura beaucoup de rénovations à faire avant qu'elle soit habitable.

— Mon père nous aidera ainsi que nos amis, et j'espère que tu te libéreras pendant les vacances d'été…

— J'appelle M. Payne dès demain et on verra s'il est prêt à nous vendre sa ferme. Autre chose?

— Oui! J'aimerais ça que tu couches plus souvent à la maison! On ne fait presque plus l'amour…

— Je te promets qu'on va se reprendre!

— À notre âge, on ne se reprend pas! Ce qui est passé est passé. Quand je pense qu'on faisait l'amour tous les jours et même plusieurs fois par jour au début de notre relation. Le syndicat est devenu ta maîtresse?

— Viens te coucher que je te prouve que je peux encore te satisfaire, toi et ma maîtresse syndicale.

Françoise ne se fit pas prier et elle se dirigea vers la salle de bain pour se rafraîchir un peu. Quand elle en sortit, Jacques s'y engouffra à son tour. Elle s'installa dans le lit, tout excitée à l'idée d'être caressée. Cette diète ne lui plaisait pas, mais elle acceptait à contrecœur la situation. Elle savait que c'était important pour Jacques et qu'il se sacrifiait professionnellement pour la cause, mais ce soir, elle se régalerait. Elle se faisait un scénario dans sa tête du déroulement de leur séance de sexe. Elle voulait se gaver comme une boulimique insatiable et elle priait pour qu'il soit à la hauteur de ses attentes.

Quand Jacques entra dans la chambre et la vit, offerte à son regard dans une position impudique, il sut très bien ce qu'elle attendait de lui, étendue sur le dos avec les cuisses ouvertes et les pieds touchant le plancher. Elle avait déterminé quels seraient les préliminaires et il s'y plia avec appétit en commençant ses caresses à la hauteur des genoux. Lentement, il monta, léchant l'intérieur de ses cuisses pour l'entendre geindre d'impatience. Finalement, il se rendit à la source de son plaisir et vit en écartant les lèvres le doux nectar qui s'écoulait. Il y colla sa bouche et but de cet élixir qui l'excita au plus haut point. Françoise gémissait et le prit par les cheveux comme pour l'empêcher de s'échapper. Il était en appétit et la caressait partout en même temps, utilisant ses deux mains avec frénésie. Le jeûne empêchait Françoise de faire durer son plaisir plus longtemps.

— Viens, Jacques, je veux te sentir en moi!

— Tu es si pressée?

— Oui, je n'en peux plus sinon je vais jouir sans toi!

— Vas-y, ne te retiens pas ! Je trouverai bien le moyen de te faire jouir à nouveau…

Françoise se laissa aller à jouir sans retenue et Jacques continua son action jusqu'à ce qu'elle soit prête à jouir de nouveau. Cette fois, Jacques la suivit dans l'orgasme.

Après cette sérieuse discussion, Françoise put finalement se détendre même si elle savait que Jacques ne lui disait pas tout sur ses activités militantes. Elle fut ravie par contre de constater qu'il était décidé à acquérir la ferme. Après s'être donnés l'un à l'autre, ils s'endormirent tendrement enlacés. Le lendemain, la vie continuait. En février 1969, ils achetèrent avec André et Louise la ferme dans la région de Granby, qui devint vite un noyau d'activistes.

Si les années soixante furent marquées par une succession de premiers ministres, le début des années soixante-dix fut marqué par l'élection de Robert Bourassa avec son équipe libérale. Le Parti québécois, qui participait pour la première fois aux élections, avait fait élire seulement sept députés, le plus faible taux d'élus, malgré vingt-trois pour cent du suffrage. Qui plus est, leur chef René Lévesque ne fut pas élu dans sa circonscription de Laurier. Les nationalistes furent en colère et les éléments radicaux se déchaînèrent. Jacques sentit que le FLQ se préparait à une grande offensive, grâce aux informations qu'il avait glanées auprès de Gerry T. Les vols de banque, d'armes et de dynamite se multiplièrent.

Grâce à l'influence de Françoise et à ses contacts dans le corps professoral, Jacques écrivit, avec l'aide de Françoise, des tracts de propagande pour le FLQ avant la crise d'Octobre, et il les distribua avec elle. Ils avaient été guidés par des membres d'une cellule dormante qui s'occupait principalement de propagande. Leur action fut de courte durée, car l'armée et la police provinciale firent une descente à la ferme. Ils furent arrêtés et incarcérés durant la crise d'Octobre. Faute de preuves, ils furent relâchés après une semaine de détention. André et Louise, qui n'étaient pas au courant de leurs activités subversives, décidèrent de revendre leur part. L'incarcération de Jacques eut vite fait le tour de la famille Robichaud et les commentaires les plus désobligeants fusèrent de partout.

— Si jamais j'apprends qu'un de mes frères fait partie de ce gang de terroristes, je serai le premier à l'abattre, le sacrament! lança Patrick devant tous les membres de la famille qui étaient réunis à la maison familiale.

— Attention à ce que tu dis, Pat, si tu parles de Jacques! J'ai pas peur d'le dire: personne va toucher à un de mes gars tant que j'vas vivre…, tonna Émile, qui surprit tout le monde par ses paroles.

— Je suis fière de toi, Émile! lança Lauretta. Il faut être solidaire entre nous. Et toi, Patrick, ne dis plus d'âneries semblables dans ma maison!

— Tout le monde se ligue contre moi pour prendre pour un bandit! C'est ça? Et toi Yvan, tu acceptes ça? J'peux pas croire que je suis seul à penser comme ça, sacrament. Vous êtes tous des peureux incapables de dire le fond de votre pensée! Ben moi, je le dis!

— Patrick, tais-toi! Si tu veux continuer à déblatérer comme tu le fais depuis tantôt, je t'invite à poursuivre tes bêtises chez toi…, dit Lauretta, offusquée et en colère.

— M'man a raison, Pat! Moi personnellement, je l'ai pas mal de travers, ce Trudeau, avec ses mesures de guerre! Bourassa n'est pas plus intelligent et tout ce qu'ils vont réussir à faire, c'est de faire peur au monde, lança Daniel, qui ne prenait presque jamais position.

— Je suis d'accord avec toi, Dany! Quand je vois l'armée qui se pavane sur la rue Principale à Granby, je trouve que c'est exagéré, mentionna Nicole.

— Y'est en prison, sacrament! C'est un hostie de bandit, ton frère! rajouta Patrick.

— Ça suffit! Tu reviendras quand tu auras plus de respect pour ton frère…, s'emporta Lauretta.

— Inquiète-toi pas, m'man! Tu ne me verras pas la face ici avant un crisse de boutte…

— Tu vas parler à ta mère avec plus de respect que ça, mon jeune, parce que tu vas avoir affaire à moé, lança Émile en se levant de sa chaise berçante.

— Penses-tu que j'ai peur de toi, le bonhomme ? T'es juste un vieil ivrogne ! répliqua Patrick en claquant la porte.

— Je pense qu'il a perdu la tête ! déclara Monique, qui n'avait fait qu'écouter jusque-là.

— Il a toujours été un peu sanguin ! Il saute vite sur sa carabine pour la moindre raison…, reprit Daniel.

Lauretta était chavirée de s'être disputée avec son fils Patrick pour défendre Jacques. Yvan s'était abstenu de tout commentaire, puisque Patrick avait exactement exprimé sa pensée. Elle ne pouvait pas croire que Jacques et sa femme Françoise aient pu commettre des actes répréhensibles. Il s'agissait sûrement d'une erreur et les policiers les relâcheraient bientôt. Elle passa une semaine à se faire du mauvais sang. Toutefois, elle savait gré à Émile de l'avoir défendue, même si Patrick avait insulté son époux. Elle en voulait à la police, à l'armée et aux deux paliers de gouvernement.

Quand Jacques et Françoise furent relâchés, elle remercia le Seigneur. Elle savait que son garçon et sa bru ne pouvaient pas avoir été mêlés à des actes aussi violents que l'enlèvement d'un diplomate britannique, James Cross, et encore moins au meurtre du ministre du Travail, Pierre Laporte. Elle décida d'appeler Jacques pour savoir comment il se sentait et surtout s'il avait été bien traité.

— Jacques, c'est ta mère! Je m'attendais à ce que tu m'appelles aussitôt qu'on t'aurait relâché...

— Bonjour maman, les policiers ont mis la maison sens dessus dessous! Françoise et moi on est occupés à remettre de l'ordre ici. Ils sont vraiment cons et sans aucune culture. Ils ont saisi tous nos livres qui avaient une consonance russe comme Lénine, Pouchkine ou même Racine, tu imagines: *Le Cid révolutionnaire*... ce n'est pas tout! Ils ont emporté des classiques comme Tolstoï, Dostoïevski et quoi encore... de vrais imbéciles, je te le dis, maman!

— C'est fini maintenant, j'espère?

— Ce ne sera pas fini tant qu'ils ne nous rendront pas nos livres, et tu devrais voir dans quel bordel ils ont laissé la maison! Je ne serais pas surpris qu'on soit sous écoute électronique.

— Mon doux Seigneur, viens donc me voir quand tu auras une minute pour ta vieille mère! J'espère que tu n'as pas maigri en prison, tu sais que tu n'en avais pas de trop sur les os.

— Aussitôt que j'aurai deux minutes, je te promets de faire un saut à la maison, en attendant je vais ramasser ce qu'ils ont brisé ou tiré dans tous les sens. On se voit bientôt, promis...

Pour l'heure, Jacques et Françoise devaient affronter leurs copropriétaires. André et Louise avaient échappé par miracle à l'arrestation. Ils étaient absents au moment de l'invasion de l'escouade antiterroriste – composée de la police municipale, de la police provinciale, de la Gendarmerie royale et de l'armée – dans leur ferme. Au retour de leur séjour de Québec, ils avaient trouvé la maison dans ce lamentable état. Ce fut la goutte qui avait fait déborder le vase. Ils s'étaient réfugiés chez les parents d'André, en laissant une note sur la table expliquant leur réaction. Après que Jacques et Françoise eurent tout remis en ordre et réparé ce qui avait été brisé, ils appelèrent André. Ils convinrent de se rencontrer à la ferme.

— Salut Jacques, salut Françoise! À notre retour de Québec, nous avons trouvé la maison dans l'état que vous savez. Nous avons compris que vous aviez été arrêtés et que vous étiez en relation avec le FLQ. On n'embarque pas dans ce genre de mouvement!

— Ils nous ont relâchés hier parce que nous n'avions rien à voir dans tout ça!

— Écoute, Jacques! Je sais que Françoise imprimait des tracts sur la Gestetner de l'école, et il y avait le manifeste du FLQ qui traînait dans la maison. Nous, Louise et moi, voulions vivre un retour à la terre et rien d'autre. Nous nous sommes retrouvés au cœur d'un groupe d'activistes d'extrême gauche. C'est pour cette raison qu'on s'en va d'ici! On va continuer à assumer notre partie de l'hypothèque jusqu'à ce que vous ayez trouvé une solution pour nous libérer de cette obligation.

— D'accord! Et s'il le faut, j'accepterai un poste de journaliste à plein temps à *La Voix de l'Est*. Est-ce qu'il y a autre chose dont vous désirez discuter?

— Non! Je vais tenter de trouver un poste de professeur à Québec et Louise fera de même de son côté. C'est malheureux que ça se termine comme ça, mais nous voulons vivre en paix et c'est tout ce qui compte pour nous, répondit André.

— C'est en vigueur à partir de quel moment, André?

— Tout de suite après qu'on aura ramassé nos affaires…

— Comme tu veux!

André se trouva un poste au cégep de Limoilou à Québec, et Louise prit un poste de suppléante en attendant d'en trouver un permanent. Leur départ mit fin à leur amitié. Jacques était bien embêté, car il devait absolument se trouver un travail permanent pour que la caisse populaire accepte de libérer Louise et André. Il devait quitter ses activités à la CSN de Montréal et se faire accepter par le journal local de Granby. Peut-être pourrait-il garder son travail de pigiste mal payé pour la revue *Parti pris*. C'était sans savoir si *La Cognée* survivrait à la crise d'Octobre.

— Ouais ! On dirait que les tuiles nous tombent sur la tête les unes après les autres… as-tu des suggestions, Françoise ?

— Je t'avoue que je ne m'attendais pas à ce que ces deux-là nous abandonnent si rapidement à notre sort, mais c'est peut-être mieux ainsi ! On voulait une ferme, on l'a, et ils sont solidairement responsables avec nous jusqu'au moment où nous aurons trouvé une solution viable pour nous. Il faut trouver de l'argent, mais ce n'est quand même pas un si gros montant. Demande à Alain s'il pense qu'il y a de la place pour toi au journal.

— Si j'avais passé mon barreau, je pourrais être avocat pour un bureau établi à défaut d'avoir mon propre cabinet, mais ça suppose un délai trop long. Je pourrais enseigner l'histoire, mais je n'ai pas terminé mon bac. En d'autres mots, je suis dans la merde…

— Ce n'est pas si pire que ça, Jacques ! Ce n'est pas le temps de se laisser aller au défaitisme… on va passer au travers de cette crise, ne t'inquiète pas !

— Une chance que tu es là, ma belle, parce que j'en virerais toute une !

— Ce n'est peut-être pas une si mauvaise idée. Allons chercher un gallon de malbec, buvons et faisons l'amour… qu'en dis-tu ?

— Allons-y !

C'est ce qu'ils firent.

Après plus d'une semaine de détention et de frustrations, ils avaient besoin de se retrouver, de se cajoler, de faire l'amour, et à tête reposée, ils évaluèrent leur situation. Jugeant qu'ils avaient besoin de fonds supplémentaires, ils avaient pensé ouvrir leur porte à des amis qui étaient larges d'esprit et qui pourraient leur payer une pension. Ils pensèrent aussi à leur ami journaliste de *La Voix de l'Est,* à un animateur culturel qui travaillait au cégep et à Maxime, le neveu de Jacques, le fils de sa sœur Monique. Françoise avait un peu de difficultés avec Maxime parce qu'il était un ancien militaire et qu'elle était allergique à tous ceux qui représentaient ou avaient représenté l'autorité.

— Qu'est-ce que tu as contre mon neveu ? Il a décroché et il est devenu un représentant du *Flower Power* !

— Je ne suis pas certaine de ce que tu avances ! Il n'avait pas des allures de hippie quand je l'ai vu la dernière fois, mais si tu y tiens, pourquoi pas ! On verra bien… Comment vas-tu les aborder pour qu'ils acceptent notre offre ?

— En les invitant simplement à venir faire un tour et à vivre ici. Il y a quatre chambres à l'étage, plus l'ancien salon qui ferait une très grande chambre, si jamais ça intéressait quelqu'un.

— Est-ce qu'on laisse passer le mois d'octobre ? On ne sait pas quand sera suspendue la loi sur les mesures de guerre…

— Tu as raison ! Je pense qu'il y a plus de dix mille militaires en faction au Québec pour appliquer les mesures de guerre, si je me fie aux nouvelles. Ils sont déjà venus ici, mais ça ne veut pas dire qu'ils ne reviendront pas. Ils ont trouvé Laporte mort dans le coffre d'une automobile à Saint-Hubert, mais ils n'ont pas encore trouvé Cross. Trudeau doit rire sous cape en faisant peur ainsi aux Québécois et ils ont raison d'avoir peur, parce que ce dernier veut montrer à tout le monde que c'est lui le maître au pays, répondit Jacques.

— C'est de la faute à Bourassa ! C'est lui qui a demandé à Trudeau d'envoyer l'armée et il a répondu par la loi sur les mesures de guerre. C'est très malsain tout ça parce que tout le monde devient paranoïaque et soupçonne son voisin d'être un felquiste. Ça me rappelle la collaboration qui prévalait en France durant la Deuxième Guerre mondiale pour dénoncer la présence de Juifs dans telles villes ou tels villages.

— Tu as raison encore une fois, Françoise ! Je ne sais vraiment pas comment tout ça va finir. J'espère que ceux qui détiennent Cross vont le relâcher ou, à tout le moins, négocier un sauf-conduit pour séjourner dans un autre pays… je suis certain que, s'il le tue, on n'est pas sorti de l'auberge ! Le Québec va devenir un État totalitaire dirigé par des fascistes. Bourassa ne pourra jamais résister à Trudeau…

Pendant qu'ils débattaient sur l'avenir de la province, Pauline Julien, Gérald Godin, Michel Garneau, Gaston Miron, Denise Boucher, Me Louis Lemieux, Pierre Vallières, Charles

Gagnon et Michel Chartrand sont toujours incarcérés. Seize personnalités en vue du Québec, dont René Lévesque, Camille Laurin, Jacques Parizeau, Alfred Rouleau, Claude Ryan, Louis Laberge, Fernand Daoust, Marcel Pépin, Yvon Charbonneau, Fernand Dumont, Guy Rocher, Jean-Marc Kirouac, avaient demandé au gouvernement de négocier la libération des deux otages. C'était trop tard pour le ministre du Travail Pierre Laporte, mais on savait qu'il entretenait des relations avec la mafia… Le FLQ venait de faire avorter une enquête qui aurait condamné Pierre Laporte à la prison et qui aurait mis le gouvernement libéral dans l'embarras…

Le départ d'André et Louise dessinait une nouvelle réalité pour le couple, qui se devait d'agir prestement pour garder la ferme. Ni l'un ni l'autre ne voulaient retourner en prison. Durant sa détention, Françoise avait su que le FLQ était infiltré par de jeunes agents francophones portant la barbe et venant de la GRC. Elle avait su qu'une ferme de Sainte-Anne-de-la-Rochelle avait été achetée par un certain Paul Rose. Elle devait servir de base d'entraînement pour les militants felquistes, mais il y eut une descente et elle fut par la suite incendiée par un agent de la GRC, natif de Granby. Elle craignait que la même chose ne se produise chez elle. Le départ de leurs deux collègues lui donnait les arguments nécessaires pour calmer les élans nationalistes et les prises de position radicales de Jacques.

Chapitre 6

Toujours soutenu financièrement par Françoise, Jacques trouva du travail à plein temps pour le journal quotidien de Granby, *La Voix de l'Est*. Il était toujours en contact avec ses amis marxistes-léninistes qu'il avait connus à l'université, mais il avait abandonné ses études en histoire et cessa de faire de la propagande pour les mouvements de gauche. Il savait que la police secrète cherchait à éradiquer tous les militants de cette aile. À titre de journaliste, il ne gagnait pas beaucoup d'argent, mais suffisamment pour payer la charge supplémentaire laissée par le départ d'André et Louise. Il couvrait les organismes sociaux, mais se trouvait bien loin de l'action trépidante de la métropole. Il attendait que la loi des mesures de guerre soit suspendue avant d'ajouter des membres à la ferme. Il en avait glissé un mot à Alain, un journaliste, mais ce dernier devait respecter son bail. Il ne pouvait quitter son appartement avant mai, à moins de le sous-louer. En réalité, il préférait que le climat politique s'assainisse pour éviter d'être identifié à son tour comme un radical.

Françoise enseignait toujours le français, mais désormais aux finissantes des onzième et douzième années, à l'école Immaculée-Conception. Avec sa maîtrise en français, elle gagnait un salaire un peu plus élevé et elle réussissait à joindre les deux bouts. Cependant, elle avait hâte qu'une personne se joigne à eux pour les alléger sur le plan financier, car les coûts du chauffage étaient exorbitants en hiver, leur grande maison étant mal isolée. Comme le militantisme avait fait fuir leurs deux amis vers Québec, elle souhaitait que, lorsqu'ils auraient de nouveaux locataires, ils soient moins frileux dans tous les sens du terme. Il leur fallait attendre l'arrivée du printemps avant qu'il ne se passe quoi que ce soit de nouveau dans leur vie.

— Il faudrait que l'on construise un foyer pour l'hiver prochain parce que, réellement, on gèle tout rond dans cette vaste maison, ne trouves-tu pas? demanda Françoise.

— Tu as tout à fait raison! Il faut fermer toutes les pièces que nous n'utilisons pas, y compris la bibliothèque. Je sais que tu aimes bien travailler dans cette pièce pour faire tes corrections, mais elle est vraiment trop grande pour qu'on puisse la chauffer convenablement sans nous ruiner, répliqua Jacques.

— D'accord! Je travaillerai dorénavant dans la cuisine, mais il faut régler ce problème de chauffage une fois pour toutes. Je me demande bien de quelle manière ils se chauffaient au siècle dernier.

— Il y avait un poêle à bois dans la cuisine et une fournaise au rez-de-chaussée. Par la remise qui est juste au-dessous de la bibliothèque, on accède à un espace fermé. C'est là que se trouvait la fournaise. J'ai l'intention de mettre des plinthes électriques dans toutes les pièces. On ne peut recevoir de colocataires sans avoir de chauffage dans les chambres…

— Qui va se charger de faire ce travail ?

— Moi, bien entendu ! J'ai une certaine connaissance de la construction et ce que je ne sais pas, je l'apprendrai !

— Tu te sens capable de faire cette installation sans mettre le feu à la maison ?

— C'est relativement simple, il suffit de faire un plan et de planifier les prises de cent dix volts pour l'éclairage et les petits appareils, et un autre pour les plinthes de deux cents volts. Je peux toujours me faire aider par ton père si je suis dans le doute. Et puis il y a toujours Maxime, il est très travaillant et habile.

— Je vois que tu n'as pas oublié ton neveu dans tes projets. Il faudra que j'aie une bonne discussion avec lui. Il doit me convaincre qu'il sera un atout dans la rénovation de notre maison, dit Françoise, qui était toujours récalcitrante à son égard.

— Tu n'as pas à t'inquiéter ! Il sera rapidement ton meilleur allié pour bâtir une équipe de bénévoles et entreprendre ces grands travaux. Ça va prendre une équipe de bras forts et aussi une équipe de jeunes femmes pour t'aider à préparer les repas, parce qu'il va falloir nourrir tout ce monde-là. Ce sera leur seul salaire...

— Où va-t-on trouver l'argent ?

— Je ne sais pas encore, mais on trouvera! Est-ce que le bas de laine de ta mère est vide? On s'en sortira très bien si on fait tout le travail nous-mêmes. C'est un peu comme à l'époque du chalet d'Yvan, il a eu tellement d'aide que ça ne lui a pas coûté si cher au bout du compte. Nous avons jusqu'au printemps pour trouver ce qu'il manque en main-d'œuvre et en argent. Qu'en penses-tu? demanda Jacques.

— Mon père ne nous laissera pas tomber, j'en suis certaine, mais ma mère, je ne sais pas si elle voudra délier les cordons de sa bourse après notre détention à Parthenais. Elle a eu tellement honte, si tu savais…

— On peut sans doute hypothéquer la ferme à la hausse puisque, de toute façon, il faut enlever les noms d'André et de Louise. Je connais le président de la caisse Boivin. C'est l'ancien président du syndicat de la Granby Elastic Web qui a fermé ses portes l'année passée, en remerciant plus de trois cents employés. Cette compagnie-là appartenait depuis toujours à l'ancien maire, Pierre-Horace Boivin. Je vais en parler avec Laurent Pelletier pour voir s'il peut nous aider.

— Tu le connais assez bien pour ça?

— Il est très actif à la CSN pour replacer les anciens travailleurs de l'Elastic Web, et je ne perds rien à le consulter. Je suis certain qu'il peut nous aider, car il est tellement généreux de son expérience. Je n'hésite plus, je fonce.

— Bonne chance alors ! Je vais quand même explorer du côté de ma mère, mais je sais que les intérêts vont être élevés.

— Attends d'abord que je voie avec Laurent Pelletier ce qu'il en pense, nous ne sommes pas à une journée près…

— D'accord ! Je souhaite que ça marche avec lui.

C'est ainsi que Jacques appela Laurent Pelletier et il obtint tout de suite un rendez-vous avec lui. Il lui expliqua le montage financier qu'ils avaient élaboré à quatre pour obtenir la ferme. Il lui expliqua aussi que le couple associé à cet achat était parti vivre à Québec. Il lui raconta que sa belle-mère avait avancé l'argent pour la mise de fonds sans acte notarié, ne demandant que le paiement des intérêts.

— Je pense que je peux faire quelque chose pour vous deux. Ta femme enseigne, elle a donc une sécurité d'emploi et toi, tu es journaliste à *La Voix de l'Est*, ce qui n'est pas rien. Je fais partie du comité de crédit de la caisse et j'ai un certain poids sur les décisions qui se prennent. Si tu me dis que vous aurez des pensionnaires pour vous aider à joindre les deux bouts, c'est un atout dans votre jeu.

— Tu crois qu'on peut obtenir 10 000 $ de plus pour les rénovations, Laurent ?

— Juste le prix de la terre vaut plus que l'argent que tu nous demandes. Je ne vois pas de problème à l'horizon et on se réunit tous les mercredis soir. J'aurai ta réponse jeudi matin, mais tu peux dormir sur tes deux oreilles en attendant.

— Merci, Laurent! Tu me soulages d'un poids énorme et Françoise va être très contente, si tu savais.

Jacques était heureux de ce dénouement, malgré sa longue journée à cogner des clous au palais de justice de Sweetsburg. Il devait assister à un procès, qui fut reporté. Il était déchiré entre aller prendre une bière et rentrer pour annoncer la nouvelle à Françoise. Il se permit une bière avec son confrère Alain, qui viendrait habiter à la ferme à la fin de son bail. Il avait une bonne raison de fêter.

— Ouais! J'ai obtenu un prêt à la caisse Boivin pour refinancer la ferme et je suis très satisfait.

— Je croyais qu'ils validaient les nouveaux prêts seulement le mercredi soir, mentionna Alain.

— Laurent Pelletier m'a dit que je n'aurais aucun problème à obtenir un prêt chez eux.

— D'accord, mais c'est vendre la peau de l'ours avant de l'avoir tué! Mais je ne veux pas te décourager. Bravo! Concernant mon arrivée chez toi, il se pourrait que je sous-loue mon appartement avant la fin de l'hiver.

— Si tu arrives le premier, tu auras la chambre de ton choix.

— J'aimerais bien l'ancien salon parce que c'est une très grande pièce et, de plus, elle est au rez-de-chaussée.

— Elle est à toi si tu veux. Moi, je garde la mienne qui est juste au-dessus de la tienne. Nous avons une vue superbe sur le chemin d'entrée de la ferme.

— As-tu eu d'autres nouvelles de l'armée ou de la police ?

— Non ! Ils ont bien vu qu'on n'avait rien à voir là-dedans. Je vais faire une demande pour qu'on me rende mes livres, et peut-être aussi une demande de compensation pour atteinte à ma réputation et à celle de Françoise. Il y a des limites à nous faire passer pour des terroristes.

— Je ne suis pas certain que vous soyez blancs comme neige, vous deux, mais jusqu'à preuve du contraire, vous êtes innocents.

— Nous sommes innocents, Alain, quoi que tu en penses ! On peut être sympathisant sans pour autant avoir posé des bombes ou avoir enlevé du monde.

— Je ne m'obstine pas avec toi, Jacques ! Prendrais-tu une autre bière ?

— Non ! Il faut que je file à la maison pour annoncer la nouvelle à Françoise. C'est la moindre des choses : elle m'a tellement soutenu financièrement ces dernières années. Pour une fois que c'est moi qui trouve une solution…

— Je suis d'accord avec toi ! Ça prend une sainte pour t'endurer au quotidien.

— Tu as peut-être raison, Alain, car c'est vrai que je suis pas mal imprévisible. Par contre, elle ne peut pas se plaindre que je sois un type ennuyant en tout cas…

— Bonne soirée et profites-en pour fêter ça avec elle !

— Je n'y manquerai pas ! Ciao…

Pendant que Jacques se rendait chez lui en voiture, il souriait de satisfaction. Il considérait qu'il avait de la chance et qu'un ange veillait sur lui. Il se demandait si cet ange n'était pas Françoise. Elle avait toute de même changé sa vie.

En entrant dans la cour, il vit des traces de voiture dans la neige. Françoise était déjà à la maison. Il l'imaginait préparant le repas du soir et devinait déjà l'arôme qui flottait dans la cuisine. Il savait qu'elle serait ravie des nouvelles qu'il rapportait. Il enleva son manteau et peinait à cacher son sourire. Françoise le connaissait suffisamment bien pour savoir qu'il avait une bonne nouvelle à lui annoncer.

— Allez, crache le morceau ! Je vois bien que tu frétilles d'impatience de tout me raconter.

— Ton souper sent vraiment bon, mais je ne réussis pas à deviner ce que tu as préparé…

— Jacques ! N'essaie pas de changer de sujet. Je veux savoir ce que tu brûles de me dire sinon, je te prive de souper !

— D'accord, d'accord ! J'ai rencontré Laurent Pelletier ce matin, et nous aurons le prêt souhaité et même l'argent nécessaire pour entreprendre les rénovations que nous voulions faire. Tu peux dire à ta mère que nous n'aurons pas besoin de son fric.

— Tu es certain de ton affaire ?

— Laurent m'a dit de ne pas m'inquiéter, donc je considère la transaction comme réglée !

— Je respire mieux. La possibilité d'obtenir un prêt et de libérer Louise et André de leur obligation m'inquiétait. Ça prouve que c'est utile d'avoir des contacts. J'aurai un meilleur appétit…

— Veux-tu un verre de vin pour fêter ça ?

— Excellente idée ! J'ai l'impression que tous mes appétits se dénouent.

— C'est vrai qu'on a un peu négligé nos séances d'amour depuis quelque temps. On peut remédier à la situation très rapidement si tu veux…

— Avant ou après le souper ?

— Qu'est-ce que tu en penses ? Avant, ça nous ouvrirait encore plus l'appétit, c'est agréable de faire l'amour en ayant l'estomac vide.

— Je partage ton avis, le souper peut attendre puisque c'est un ragoût. On sait que c'est toujours meilleur quand ça mijote longtemps.

Ils se versèrent du vin et montèrent à leur chambre pour célébrer leur chance d'avoir pu régler cette impasse financière qui empoisonnait leur quotidien. Après presque une heure à se caresser tendrement et à s'aimer, leur estomac criait famine. Ils redescendirent, se servirent un autre verre de vin et une généreuse portion de ragoût. Après avoir dégusté leur repas, ils lavèrent la vaisselle, puis regagnèrent leur chambre pour y faire un peu de lecture, tout en laissant le sommeil les gagner.

Françoise aimait son travail d'enseignante. Elle trouvait essentiel que la jeunesse améliore tout aussi bien son français parlé qu'écrit. Elle se butait à plusieurs récalcitrants, mais ceux qui développaient le goût de la lecture avaient de meilleures chances de s'attacher à la beauté de cette langue. Il fallait surmonter beaucoup de difficultés pour atteindre un niveau de français qu'elle qualifiait d'international. C'est-à-dire une langue épurée des anglicismes qui s'y glissaient en raison de la grande proximité du Québec avec ses voisins américains. Elle déplorait aussi ne pas pouvoir faire rayonner davantage cette langue au sein des allophones qui arrivaient dans ce Nouveau Monde, parce qu'ils adoptaient d'emblée la langue de Shakespeare, soit celle des patrons.

Françoise déplorait également la nouvelle tendance chez les dramaturges comme Michel Tremblay d'anoblir le joual et de faire de cette langue populaire le langage courant. Ses préoccupations avaient changé depuis la crise d'Octobre. Elle était revenue à l'origine de sa passion, qui était la langue de Molière dans toute sa splendeur. Il y avait tant à faire qu'elle ne cessait jamais d'inventer des façons de motiver ses élèves.

Jacques s'était approprié l'auto de Françoise, qui était essentielle pour exercer son métier de journaliste. Ils avaient obtenu leur prêt, mais ils hésitaient à utiliser une partie de cet argent pour acheter un deuxième véhicule. Ils durent pourtant s'y résoudre. Ils firent l'achat d'un vieux tacot dont hérita Françoise. Une fois par semaine, Jacques assistait au conseil municipal de la ville de Granby. Il s'était lié d'amitié avec quelques échevins, et ils avaient pris l'habitude de se retrouver après la séance au restaurant Da Francesco, qui était situé presque en face de l'hôtel de ville. Ils mangeaient et buvaient jusqu'à tard dans la nuit, et il découvrait des secrets sur ce qui se préparait dans cette petite ville. Il ébruitait l'information pour le compte de ses amis échevins, qui voulaient que celle-ci soit révélée sans être nommés.

Pendant ce temps-là, Françoise restait seule dans leur vaste maison de ferme. Heureusement que son père n'était qu'à un coup de fil de distance. Elle avait l'impression qu'un écart se creusait entre elle et Jacques. Son métier de journaliste l'éloignait d'elle, et elle se demandait s'il n'y avait pas une autre femme dans sa vie. Elle ne voulait pas s'abaisser à le suivre, mais Jacques était presque tout le temps fatigué chaque fois qu'elle voulait faire l'amour. Ils ne formaient pourtant pas un vieux couple. Après à peine huit ans de fréquentation, dont six ans de cohabitation, ils avaient vécu une vie riche en activités et en émotions. Franchement inquiète, elle se décida à lui demander ce qui n'allait pas. Elle devait savoir…

Un soir qu'il rentra tôt, elle jugea le moment propice pour aborder ce sujet.

— Tu as eu une grosse journée ?

— Non ! Une journée plutôt ordinaire à poireauter au palais de justice.

— Veux-tu un verre de vin ?

— Pourquoi pas ?

Elle versa deux verres, alla s'asseoir à côté de lui sur le divan, puis prit son courage à deux mains.

— Dis-moi, est-ce qu'il y a quelque chose qui ne va pas dans ta vie ?

— Quelle drôle de question ! Pourquoi tu me demandes cela ?

— Je ne sais pas ! Une intuition peut-être… je ne te sens pas comme d'habitude, c'est tout !

— Il n'y a plus rien comme d'habitude, Françoise ! Petit à petit, je prends ma place au journal et j'essaie de travailler avec les syndicats, mais ils ne me connaissent pas. J'essaie aussi d'établir des contacts avec le provincial, et ça fonctionne avec la CSN grâce à Michel Chartrand et Gerry T., qui me connaissent bien et qui me donnent de bonnes références. Mais ce n'est pas si facile que ça de se faire une place.

— Je ne te parle pas de travail, mais de ton manque d'intérêt pour moi ! Tu me traites comme si j'étais ta sœur alors que je suis ta femme. Oh ! Tu es toujours poli et respectueux, mais tu n'as plus de désir pour moi et ça, ça fait mal à une femme ! As-tu une maîtresse ? Je comprendrais alors ton comportement. Nous avons à peine trente ans et déjà on ne fait l'amour qu'à peine une à deux fois par mois… ce n'est pas normal et j'ai des besoins plus grands que ça !

— Excuse-moi de ne pas avoir ressenti les signes avant-coureurs de ta détresse ! Je reconnais ne pas avoir fait preuve de beaucoup d'attention à ton égard. Je te dirais pour ma défense que moins on mange, moins on a de l'appétit… Je suis désolé, vraiment, mais je trouve que la maison manque dc vie. Elle est trop grande pour deux personnes.

— Tu as sûrcment raison pour ce qui est de la maison, mais ce ne sont pas de nouveaux arrivants qui me feront l'amour, du moins je l'espère.

— Mais non, mais non, mais avoue que si Alain ou Jean-Guy ou encore Maxime habitaient ici avec leurs copines qui viendraient faire un tour à l'occasion, la maison serait beaucoup plus vivante. Je te promets de ne plus te négliger, si c'est de tendresse dont tu as besoin.

— D'accord pour la tendresse, mais c'est de me faire baiser que j'ai besoin, de jouir à en perdre le souffle.

— Je te promets qu'en fin de semaine, on passera la journée de samedi au lit à baiser comme des bêtes. D'accord?

— N'essaie pas de te défiler, sinon je te coupe les couilles puisque, de toute façon, elles ne servent plus…

— Tout, mais pas ça, je t'en supplie! dit-il en riant.

— Si tu tiens parole, nous n'aurons pas à nous rendre à cette extrémité! Embrasse-moi, couillon, avant que je change les règles du jeu…

Cette conversation rendit Jaques mal à l'aise. Françoise soupçonnait quelque chose. Pourtant, il avait tout fait pour cacher son intérêt pour une ancienne copine qu'il avait connue voici plus de dix ans. Toujours célibataire, Isabelle était tout aussi jolie que dans son souvenir. S'il avait eu le courage de l'aborder, son désir d'aventure serait devenu réalité. Elle œuvrait pour le gouvernement du Québec et occupait un poste de cadre au sein du service de l'aide sociale. Il l'avait vue à quelques reprises lors de ses déplacements à son ministère. Quant à elle, elle savait qu'il vivait avec Françoise et ne semblait pas volage à première vue. C'était pour lui une approche de longue haleine, nourrie par son fantasme de la posséder.

Ce soir-là, poussé par l'ultimatum de Françoise, il lui fit l'amour passionnément en pensant à Isabelle. Sa performance impressionna Françoise au point qu'elle lui en fit la remarque.

— Dis donc, Jacques! Je crois que la menace fait des miracles sur ta libido. Si tu as besoin de cette petite perversion pour performer, je peux te satisfaire sans problème. Je sens que je vais bien dormir ce soir…

— Ce ne sont pas tes menaces qui m'ont excité, mais je reconnais que je t'avais négligée dernièrement, trop préoccupé par mon travail. Excuse-moi encore une fois!

— Tu es tout pardonné!

Pour cette fois-ci, Jacques s'en était bien tiré, mais il faudrait qu'il cesse de penser à Isabelle ou qu'il satisfasse ses fantasmes. Il n'avait rien à perdre puisque cette situation ne pouvait pas continuer. Tant que Françoise ignorait que des cinq à sept avaient lieu presque tous les soirs, après le bureau, au bar de l'hôtel Granby, il avait les coudées franches. Il s'endormit sur ces pensées pas très orthodoxes. Au matin, il se leva et remarqua que Françoise avait déserté le lit. Cependant, une bonne odeur de café et de pain grillé lui signala qu'elle n'était pas encore partie pour l'école. Jacques descendit dans la cuisine, embrassa doucement les cheveux de Françoise et se servit une tasse de café.

— Tu as bien dormi? lui demanda-t-il.

— Très bien, mais ce matin tu marmonnais beaucoup et c'est ce qui m'a réveillée.

— Qu'est-ce que je disais?

— Je ne sais pas trop, mais probablement que tu rêvais à ton travail, car tu étais très agité.

— Ah bon! Excuse-moi de t'avoir réveillée ainsi, mais je ne me souviens de rien…, répondit-il, soulagé.

— As-tu des nouvelles de Jean-Guy ou d'Alain?

— Jean-Guy viendra habiter ici aux alentours du premier mai, et peut-être qu'Alain sera ici dans quelques semaines, début avril. Quant à Maxime, il est prêt à venir ici tout de suite. Il vit chez ma sœur en attendant, et Paul le surveille de près. S'il ne vient pas vivre avec nous, il va se trouver un petit appartement à Granby.

— Dis-lui de venir s'installer, et on verra bien si la chimie fonctionnera entre nous.

— Tu dois avant tout faire un effort pour l'accepter. Maxime n'est pas un yoyo qui va et vient selon ton bon vouloir. Il faut que tu comprennes que ma sœur Monique n'apprécierait pas qu'il déménage ici pour être rejeté au bout d'un mois ou deux.

— Mais non! Je suis certaine qu'on va s'entendre, mais pourquoi ne viendrait-il pas faire un tour en ton absence?

J'aurais une bonne conversation avec lui, il n'a pas besoin de savoir que tu ne seras pas là ou que tu arriveras plus tard. Qu'en penses-tu ?

— D'accord ! Je vais l'appeler du bureau et l'inviter à venir vers 16 heures, si ça te va. Je n'arriverai pas avant 18 heures de toute façon. Tu pourrais l'inviter à souper et j'achèterai une bonne bouteille de chianti. Qu'en dis-tu ?

— Je pourrais préparer des pâtes…

— Je te laisserai un message à la salle des profs si ça fonctionne. Bon ! Il faut que je me dépêche, sinon je serai en retard pour mon rendez-vous. Passe une bonne journée ! Bisou, bisou.

— Toujours à la course comme d'habitude. Allez, sauve-toi !

Jacques avait effectivement rendez-vous avec Laurent Pelletier. Ce dernier voulait absolument lui parler en personne. Le prêt de la caisse lui avait été facilement octroyé, il ne pouvait donc y avoir de problème de ce côté-là. Pelletier lui avait donné rendez-vous dans les locaux de la CSN, rue Saint-Jacques, presque au coin de la rue Saint-Charles. C'était un bâtiment neuf qui, en plus de contenir beaucoup de salles de réunion, abritait la permanence de la Centrale, assurée par une secrétaire et un représentant qui faisait la navette entre Montréal et Granby.

— Bonjour Laurent ! Que me vaut l'honneur d'être convoqué ici dans les bureaux de la Centrale syndicale ?

— J'ai un projet dont je veux te parler et tu m'as été chaudement recommandé par le bureau de Montréal.

— Ah oui! Qui est cette personne?

— Il y en a au moins deux qui ont mentionné ton nom, et ce ne sont pas les moindres: Michel Chartrand, puis Gerry qui savait que tu habitais à Granby. C'est un projet-pilote qu'ils aimeraient greffer à la ville. Connais-tu Pierre Marois? Il a beaucoup milité pour le RIN et a été défait au printemps dernier à titre de candidat péquiste dans Chambly. Il est conseiller juridique pour l'ACEF, l'Association coopérative d'économie familiale, à Montréal.

— Bien sûr que je le connais! J'ai écrit des articles sur le sujet quand je faisais mon droit, et je l'ai connu au RIN parce que c'était une grande pointure. C'est un avocat brillant qui est très actif au sein de la CSN.

— Voilà! C'est pour ces raisons que tu es l'homme de la situation. On a besoin de quelqu'un qui connaît bien le milieu et on a pensé à toi!

— D'accord, mais toi Laurent, tu le connais encore mieux que moi, le milieu!

— Peut-être, mais toi Jacques, tu peux rallier les jeunes beaucoup plus facilement que moi! Ils ne me connaissent tout simplement pas…

— Je commence à peine une carrière de journaliste. J'aime ça écrire et je suis bon là-dedans. Je me vois mal conseiller les jeunes travailleurs sur la façon de faire un budget.

— Je m'occuperai de cette partie-là, mais on veut aller plus loin que ça! On veut créer des garderies coopératives pour les travailleurs, des coopératives d'habitation, pourquoi pas une télévision ou une radio communautaire? Des coopératives d'alimentation ou je ne sais quoi…

— C'est bien beau tout ça, mais qui va assurer nos salaires? Tu sais que j'ai une ferme à payer, et ce n'est pas Françoise qui va y arriver toute seule.

— Marois s'engagerait à te faire passer ton barreau. Tu sais qu'il est le directeur général de la fédération des ACEF du Québec, et n'oublie pas qu'ici ce serait un projet-pilote.

— Tu me l'as déjà dit, Laurent, mais pour passer mon barreau, c'est de quatre à huit mois de présence à l'École du barreau…

— Écoute Jacques, on pourrait t'enrôler dans la Compagnie des jeunes Canadiens. Ce n'est pas le Pérou, mais c'est au moins une allocation de subsistance qui ne t'empêcherait pas de continuer à écrire des articles comme pigiste. La CSN te garantirait un certain supplément de cette façon.

— Ce que tu me demandes, c'est de sacrifier ma carrière de journaliste pour militer à plein temps en organisant des rassemblements qui déboucheraient sur différents types de coopératives ? J'ai besoin de réfléchir et d'en parler avec Françoise avant de te donner une réponse.

— Ça me paraît tout à fait normal, mais n'oublie pas que tu serais au cœur de l'action comme jamais tu ne l'as été.

— Tu ne trouves pas ça spécial que le fédéral finance des projets sociaux parce que ce que tu me proposes, c'est carrément ça !

— C'est l'antisystème par excellence ! C'est notre Nobel de la paix, Lester B., qui a imaginé tout cela. Tu y réfléchis ?

— Je trouve ça complètement débile, mais je vais y penser. En attendant, je vais continuer à être journaliste… Salut Laurent !

Laurent Pelletier se demandait s'il allait accepter ou pas. En ce qui le concerne, il avait exposé la situation on ne peut plus clairement. Il espérait que Jacques sentirait l'appel. De son côté, ce dernier ne s'attendait pas à une telle proposition. On lui offrait la possibilité de devenir avocat pour défendre les opprimés et les syndiqués. C'était peut-être la route à suivre pour être lui-même une grande pointure et soutenir les grandes causes dans un monde en pleine transformation. Cette proposition assaillait totalement sa pensée. À 16 heures, il alla retrouver le notaire Trudel, devenu maintenant son ami. Il y avait aussi Me Guay, un échevin et un bon ami de Trudel.

— Salut Bernard, salut Alain ! Quoi de neuf à l'hôtel de ville ?

— Prends donc un bon scotch au lieu de t'inquiéter de l'hôtel de ville ! lui lança le notaire.

— Tu as bien raison ! Je prendrais volontiers un St. Léger sur glace. Je suis pas mal embêté parce que j'ai eu une offre aujourd'hui qui me perturbe beaucoup !

— De quoi s'agit-il ?

— Je ne peux pas en parler pour le moment, mais ça consiste à protéger le syndiqué puis le miséreux.

— Don Quichotte ? ironisa Alain Guay. Nous formerions une belle paire, parce que moi je défends les patrons ! Je t'offre le scotch, car tu vas me faire gagner de l'argent. À ta santé, Jacques !

— T'as raison, Alain ! Je te ferais la vic dure…

— Tu ne peux pas me faire la vie dure ! À mes clients, peut-être, mais pas à moi parce que moi, je facture et plus je facture, plus je fais de l'argent, répondit l'avocat.

— J'aurais dû être avocat pour m'enrichir moi aussi, bâtard ! lança le notaire à la blague.

— Si tu nous en disais un peu plus, je pourrais faire un peu de *pro bono*, si ça ne nuit pas à mes clients…, mentionna l'avocat.

— Tu en auras sûrement l'occasion, et probablement toi aussi le notaire…, fit Jacques.

— Tu commences à nous intriguer pas mal. Pas vrai, Alain ?

— Tu le sais pourtant que ton chum, c'est un estie de communiste ! rétorqua Alain à l'endroit de Jacques.

— N'essaie pas de me faire parler, Alain, parce que j'en ai déjà trop dit !

— En tout cas, moi je pense qu'il y a de la place pour tout le monde et c'est ça la beauté du système, non ?

— Je suis d'accord avec toi pour une fois, Alain, tant que tu paies le scotch !

— On n'en sait pas plus ? J'ai oublié que toi aussi tu as fait ton droit mon sacrament, répondit Bernard en éclatant de son rire tonitruant.

Ils prirent quelques verres de scotch tout en continuant à rigoler de tout et de rien. Jacques aimait bien ces joyeux lurons qui prenaient la peine de défendre des idées à titre d'échevins de la p'tite ville de Granby. Il avala une dernière rasade de scotch et s'en alla chez lui. En arrivant, il reconnut la Volkswagen de son neveu. Il était ravi de voir que Maxime se trouvait toujours en compagnie de Françoise. C'était signe qu'ils avaient réussi à se parler et à se comprendre. Il entra avec sa bouteille de chianti à la main et s'excusa du retard.

— Salut Maxime! Salut Françoise! J'ai apporté une bouteille de vin pour me faire pardonner. Qu'est-ce qu'on mange ce soir? J'ai une faim de loup!

— J'avais pensé à du spaghetti! Est-ce que ça vous va?

— Je ne veux pas m'imposer! fit Maxime.

— Mais non! Dis-lui que tu as décidé de venir habiter ici et que tu as même choisi ta chambre. Il a pris celle du coin gauche qui donne sur l'arrière. Je lui ai mentionné qu'Alain avait pris l'ancien salon et qu'il viendrait vivre ici sous peu.

— C'est une bonne nouvelle! Raison de plus pour ouvrir cette bouteille, qu'en dites-vous?

— Maxime en avait apporté une qu'on a bue en t'attendant. On était sur le point d'ouvrir le gallon de malbec.

— Si je débouche celle-ci, vas-tu être capable de conduire, Max?

— Au pire, je coucherai dans mon char…

— Tu vas t'apercevoir que ce n'est pas chaud la nuit, en avril!

— Tu dormiras sur le divan, intervint Françoise, qui était légèrement pompette.

— Un bon repas devrait tous nous dégriser.

— Je peux m'occuper des pâtes, dit Maxime.

— La sauce est déjà prête, il suffit de la réchauffer, rajouta Françoise de sa voix quelque peu avinée.

— Je peux m'en charger aussi, si vous voulez. C'est facile à préparer et de plus, c'est mon mets préféré, reprit Maxime.

Maxime se leva lentement de sa chaise pour s'assurer que ses jambes le maintenaient en équilibre. Jacques lui indiqua où trouver les chaudrons et les pâtes. Il se mit sans tarder à la tâche, pendant que Françoise et Jacques discutaient de leur journée de travail et de l'arrivée imminente du printemps. Quand tout fut prêt, Maxime leur fit le service.

— Tu vas vite devenir indispensable, Maxime, dit Françoise.

— À ma demande, ma mère m'a appris très jeune à préparer mes repas préférés et j'adore cuisiner. Il faut goûter à mes crêpes, qui sont tout à fait délicieuses. C'est la première chose que j'ai appris à faire.

— Je crois que tu as raison, Françoise ! Il va vite devenir essentiel à ton bonheur, ma belle.

— Je n'avais pas l'intention d'être la chef cuisinière de nos locataires une fois qu'ils seront tous là. J'espère qu'ils sauront préparer leurs recettes fétiches, sinon on leur apprendra, pas vrai Maxime ?

— Comme je te l'ai mentionné plus tôt avant que Jacques arrive, chacun est responsable de sa chambre, mais pour les aires communes, il faudrait prévoir un calendrier pour savoir qui fait quoi et à quel moment de la semaine pour éviter que ça devienne le bordel.

— C'est ce qu'il a retenu de l'armée que j'aime le plus : de l'ordre et de la discipline. De cette façon, je ne deviendrai pas la bobonne de tout le monde…, rajouta Françoise.

Ils mangèrent avec appétit, riant de tout et de rien. Jacques voyait Maxime sous un autre angle. Il n'était plus juste un neveu, mais aussi un ami avec qui il pourrait s'ouvrir spontanément. Maxime repoussa son verre de vin pour signifier qu'il n'en boirait pas davantage. Il avait l'intention de retourner chez ses parents pour la nuit. Le lendemain, il partirait à la recherche de mobilier pour meubler sa chambre. L'important était qu'il s'achète un bon matelas. Il avait déjà un tapis indien qui garnirait à merveille sa nouvelle chambre. Son père lui trouverait sûrement quelques belles antiquités, comme un secrétaire et une commode pour ranger ses vêtements. Jacques, lui, pensait à la proposition de Laurent Pelletier. Il se demandait si le moment était propice pour en discuter avec Françoise, mais il jugea préférable d'attendre au lendemain et d'être seul avec elle.

Après le repas, Françoise montrait des signes évidents de fatigue et Maxime jugea qu'il était temps de partir. Ils se firent l'accolade comme pour confirmer le pacte qu'ils venaient de sceller. L'air était vivifiant et la nuit joliment étoilée. Seule la campagne pouvait offrir pareil spectacle, contrairement à la ville, à cause de sa forêt de lampadaires. Debout sur le seuil de la porte, Jacques et Françoise le regardèrent partir, satisfaits du lien qui se tissait entre eux. Ils montèrent se coucher et Françoise s'endormit aussitôt. Jacques pensa sans cesse à la proposition que Laurent Pelletier lui avait faite. Il retint que la CSN de Montréal avait jugé qu'il était le meilleur candidat pour occuper le poste. Il était conscient qu'on lui proposait de faire du missionnariat, mais l'offre était tout de même flatteuse : il avait été remarqué par les grosses pointures. Il ne lui restait qu'à convaincre Françoise et à lui faire miroiter qu'en passant son barreau, il pourrait professer comme bon lui semblerait. Il s'endormit en soupesant ces arguments dans sa tête.

Le lendemain, Françoise se réveilla avec la bouche empâtée. Sa journée du vendredi s'annonçait longue. Heureusement que c'était la fin de la semaine, car elle se sentait nauséeuse. Jacques espérait qu'elle aurait repris du mieux en soirée, mais il avait la fin de semaine pour la convaincre. Il était certain qu'elle avait déjà une bonne idée de tous les revenus que lui procureraient ses nouveaux colocataires, mais lui ne savait pas combien il gagnerait en tant que membre de la Compagnie des jeunes Canadiens. Il ne savait pas non plus combien lui rapporteraient mensuellement les articles ou les reportages qu'il continuerait à rédiger pour le journal local. Il appellerait Laurent pour en savoir davantage et il improviserait par la suite. Ce job était fait sur mesure pour lui et il le voulait.

La journée avait été effectivement longue pour Françoise, mais le soir, à l'heure de l'apéro, elle allait déjà mieux, surtout après son premier verre de Cinzano. Jacques était rentré à la maison sans s'attarder et s'était versé à son tour un Cinzano sur glace. Vêtus de leurs manteaux, ils s'étaient assis sur la galerie pour admirer le coucher de soleil. La température avait été clémente toute la journée et il n'y avait presque plus de traces de neige. Les prairies étaient dénudées, et les bourgeons n'attendaient qu'une chaleur continue et des nuits plus chaudes pour éclore. La nature semblait impatiente de revivre. Jacques avait senti l'odeur du fumier de vache en remontant le rang. La terre était détrempée et les chemins boueux. Il n'y avait aucune erreur possible : c'était bel et bien le printemps qui s'installait et qui chassait l'hiver.

— On est bien dehors ce soir, mentionna Jacques assis dans sa chaise berçante.

— Oui, tout à fait ! J'aurais le goût d'enlever mon manteau, mais comme le vieil adage dit qu'en avril on ne se découvre pas d'un fil, je vais le garder, surtout que j'ai fait la folle hier en buvant autant.

— La nature a cette finesse de nous rappeler nos abus, mais moi, j'ai été plus sage que toi et Max. Je me demande comment il se sentait aujourd'hui.

— À cet âge-là, il n'y a rien pour les abattre…

— L'alcool laisse des traces même à son âge, mais il faut dire qu'il a dû s'entraîner à lever le coude dans l'armée.

— J'ai été agréablement surprise hier en parlant avec lui. Il est loin du réactionnaire auquel je m'attendais. Je dirais même qu'il est très à gauche dans sa façon de penser.

— Moi, je le connais depuis toujours, et j'ai suivi son cheminement chez les scouts et même après. C'est un grand *fan* de Che Guevara, de Jack Kerouac et de Jack London, pour ne nommer que ceux-là. Je me rappelle avoir vu des posters de ses héros. Il a même eu une période assez psyché-délique à partir de quatorze, quinze ans, et sa mère et encore plus son père étaient bien inquiets de son avenir. Je pense qu'il voulait se remettre en forme physiquement et être prêt à toutes éventualités, le cas échéant.

— En tout cas, je l'ai bien aimé !

— Pour changer de sujet, j'ai eu une proposition de Laurent Pelletier et j'ai besoin de ton accord avant de l'accepter.

Jacques lui exposa la situation dans un discours qui subjugua Françoise, et celle-ci ne put que reconnaître la chance qu'on lui offrait et qui ne se représenterait peut-être jamais. Il n'eut pas à gonfler ses revenus pour avoir son aval, car Françoise était certaine qu'ils boucleraient leur budget de toute façon. Finalement, il s'enrôla dans la Compagnie des jeunes Canadiens. Jacques ne recevrait qu'une allocation de subsis-tance, mais Françoise assurerait la pérennité financière grâce à la venue de Maxime, d'Alain et de Jean-Guy. Finalement, il serait au cœur de l'action tel qu'il l'avait toujours souhaité. Devant l'approbation enthousiaste de Françoise, Jacques ressentit un puissant élan d'amour à son égard.

— Que dirais-tu si on faisait l'amour? Ce sera peut-être la dernière fois que nous serons seuls dans cette grande maison. Bientôt, il y aura des oreilles pour entendre le bruit de nos ébats.

— Je ne suis pas très inquiète à ce niveau-là, parce que j'ai l'impression qu'ils en feront autant et peut-être plus que nous! Alain me paraît calme, mais je n'en dirais pas autant de Jean-Guy, qui est entouré de jeunes cégépiennes qui ont toutes les hormones en folie.

— Je crois que tu fais une bonne description concernant ces jeunes filles. De plus, il a une tête de tombeur, surtout quand il joue de la guitare. Les femmes aiment les artistes ou les mauvais garçons, dit Jacques en déboutonnant lentement la blouse de Françoise.

— Tu passes aux actes?

— Tu ne veux pas? demanda-t-il en lui dégrafant le soutien-gorge.

— Bien sûr que je veux! Ai-je déjà refusé?

— Non! C'était une simple question…, dit-il en palpant ses seins et en caressant ses mamelons bien dressés.

Jacques lui embrassa la nuque et monta en lui mordillant le lobe de l'oreille. Françoise eut un frisson qui partit de l'échine pour se rendre jusqu'au centre de son sexe. Sa petite culotte s'humidifia, mais elle resta passive pour voir à quel jeu il l'initierait. Il lui parlait de son futur travail quand ses lèvres n'étaient pas occupées à lui procurer des jouissances. Il la déshabilla doucement, sans se presser, sachant quel but il poursuivait. La partie de plaisir qui suivit la laissa comblée, et lui, complètement satisfait.

Chapitre 7

Françoise était enthousiaste parce que la maison grouillerait bientôt de monde. Alain et Jean-Guy seraient là sous peu. Maxime, lui, était déjà installé. Sa chambre était décorée avec goût. S'y mariaient l'orientalisme et le rustique québécois. Les murs étaient peints de couleurs apaisantes, ce qui mettait en valeur le rouge de son tapis indien. Françoise devait reconnaître qu'il avait beaucoup de talent pour la décoration. Homme vaillant, il faisait, sans rechigner, tous travaux qu'elle lui demandait.

Jacques avait remis sa démission au journal *La Voix de l'Est* avec un pincement au cœur. Il ne savait plus s'il avait pris la bonne décision en quittant le métier de journaliste qu'il adorait, mais il était parti en bons termes avec la direction et pouvait toujours revenir ou fournir au journal des reportages bien étoffés. Il se consolait en se disant qu'il entreprenait un autre genre de travail qu'il aurait fait gratuitement tant l'appel du militantisme était fort en lui. Il pensait à l'avocat qui, pour le taquiner, l'avait appelé Don Quichotte. Plus il y pensait, plus il voyait en lui des traits du personnage de Cervantes. Il avait écouté en boucle le microsillon de Jacques Brel, qui avait adapté au théâtre *L'homme de la Mancha*. C'était peut-être l'écoute de cette opérette, et particulièrement la pièce «Le Chevalier aux miroirs», qui avait ébranlé sa conviction profonde. Le chevalier disait essentiellement à Don Quichotte de regarder dans le miroir de la réalité et de constater qu'il n'était qu'un pauvre fou. Jacques faisait le parallèle entre sa réalité et l'aventure qu'il s'apprêtait à vivre ; il avait peur de faire fausse route…

Alain avait été le suivant à venir s'installer et il avait pris, comme prévu, la grande pièce du bas qui servait autrefois de salon. Maxime la lui enviait, mais Alain avait réservé cette pièce bien avant sa venue. De sa chambre, Maxime avait accès à la bibliothèque de Françoise et de Jacques, au bout du couloir. Il en avait pour des années à se gaver de bouquins tant le choix était vaste. Maxime avait rencontré Alain et Jean-Guy un soir qu'ils étaient venus rendre visite à Françoise et à Jacques. La rencontre fut chaleureuse. Alain avait l'air d'un intellectuel reconnu et influent, malgré ses vingt-cinq ans. Jean-Guy était plutôt un boute-en-train qui avait un immense sourire accroché sur sa tête d'homme viril. Maxime comprenait mieux sa réputation de tombeur, car avec un tel sourire, peu de femmes pouvaient lui résister. Maxime pressentait déjà tout le plaisir qu'il aurait à le fréquenter. Françoise connaissait bien les deux hommes puisque c'étaient de vieux amis du couple.

Alain avait une amie, Lucie, qu'il fréquentait depuis de nombreuses années. Françoise savait que cette relation pourrait finir par un mariage traditionnel. Quant à Jean-Guy, il était toujours à la recherche de la perle rare et il était chaque fois accompagné d'une nouvelle flamme, toujours plus jolie que la dernière.

Ce soir-là, les trois colocataires se trouvaient à la maison. Alain et Jean-Guy venaient faire un tour des lieux avant d'emménager de façon définitive.

— Jacques n'est pas là ? demanda Alain.

— Il n'est pas encore arrivé, mais il ne devrait pas tarder !

— Je voulais juste confirmer mon arrivée, et Lucie viendra m'aider à laver et à peinturer les murs. Je crois que je vais poser des toiles aux fenêtres, en plus des rideaux. J'ai besoin de noirceur totale pour bien dormir.

— Tu fais ce que tu veux, tu es chez toi. Et toi Jean-Guy, il reste deux chambres inoccupées, tu choisis celle que tu veux !

— Je vais aller jeter un coup d'œil en haut, est-ce que je peux regarder ta chambre, Maxime ?

— Bien sûr ! On m'a dit que tu étais sculpteur ?

— Entre autres, et j'ai l'intention de m'installer un atelier dans la cave qui n'existe pas encore.

— Ah oui ? Il y a actuellement un vide sanitaire.

— De trois pieds, oui, répondit Jean-Guy.

— C'est un travail colossal auquel tu t'attaques ! Il faudra que ce soit creusé au pic et à la pelle, et sortir la terre à la brouette. Tu n'en viendras pas à bout tout seul ! répliqua Maxime.

— Je n'ai pas l'intention de faire le travail tout seul! J'ai sollicité l'aide des étudiants du cégep et j'ai déjà une excellente réponse de leur part, mais tu as raison quand tu parles d'un travail colossal. En gang, rien n'est impossible, j'ai peur par contre que ça me coûte cher en bières. Il y a plein de filles qui se sont porté volontaires, ça va aider à soutenir le moral des troupes…

— C'est génial! Je vais t'aider, si tu veux.

— Je ne refuserai aucune aide et je peux déjà te dire que les filles vont s'occuper du lunch. J'en ai parlé à Françoise et à Jacques et ils ont eu la même réaction que toi. Ils ont trouvé l'idée géniale. De toute façon, il y avait des travaux d'excavation prévus parce que le coin gauche arrière de la maison s'est un peu affaissé, et il faut absolument corriger ce problème, précisa Jean-Guy.

— Je crois que c'est Jacques qui arrive! lança Françoise.

Jacques avait commencé ses nouvelles fonctions. Il aimait son nouveau travail et il avait déjà un projet auquel il collaborait activement. Il voulait créer la première garderie coopérative à Granby parce que tout ce qui existait, c'étaient des petites garderies privées en milieu familial dirigées par des femmes de bonne foi, mais sans formation particulière.

— Salut Jacques! Et puis ton nouveau travail, est-ce que ça te plaît? lui demanda Jean-Guy.

— C'est très différent du journalisme, mais je travaille avec du vrai monde et il y a une interaction plus directe que juste interviewer des gens ou faire le sommaire d'une réunion ou d'un événement. Vraiment, j'aime ça !

— Je suis prêt à commencer l'excavation puisque les cours au cégep viennent de terminer. J'ai des volontaires pour me prêter main-forte. Si tu es d'accord, je mettrais mon équipe à pied d'œuvre dès maintenant, sinon je risque de perdre mon monde. Il faut battre le fer pendant qu'il est chaud, qu'en penses-tu ?

— Nous t'avions donné notre accord, Françoise et moi. Le seul hic, c'est que Françoise n'a pas encore terminé ses classes et moi, je travaille cinq jours semaine. Je ne suis donc disponible que la fin de semaine.

— Pas de problème ! Je veux juste avoir accès à l'eau et à la toilette ! Nous serons nombreux parce que je n'ai pas l'intention de faire durer les travaux pendant longtemps. Tout le monde retournera chez soi à la fin de la journée vu que les nuits sont encore trop fraîches pour camper. J'aimerais laisser en place les tables de travail improvisées, les chevalets et les feuilles de contreplaqué.

— Tu fais comme tu veux, pourvu que tu exerces une certaine autorité sur tes étudiants. Je n'aimerais pas qu'ils viennent dans nos chambres et qu'ils se retrouvent partout dans la maison. S'ils vont dans la grange, je ne veux pas qu'ils fument parce que le risque de mettre le feu est trop grand, précisa Françoise.

— Ne t'inquiète pas pour la discipline, je m'assurerai qu'à la fin de la journée de travail il n'y ait rien qui traîne. Toi, Maxime, tu m'as dit que tu serais disponible pour me donner un coup de main. Étais-tu sérieux ?

— Tout à fait ! Je serai là quand tu seras prêt à commencer, répondit-il.

— Tu pourrais t'occuper de faire régner la discipline, et te faire aider par une de mes amies…, et t'assurer que personne ne fume de la marijuana pendant les heures de travail.

— Je suis moi-même un consommateur de *pot*, mais je suis d'accord pour que personne ne fume pendant qu'on travaille ou même durant la pause du midi. À la fin de la journée, ça ne nous regarde plus…, répliqua Maxime.

— Je n'ai jamais essayé ça, dit Jacques. Et toi Françoise, as-tu déjà fumé de la mari ?

— Non, mais je n'ai rien contre ! J'aimerais bien tenter l'expérience… mais je suis un peu craintive. Est-ce bien vrai qu'on peut avoir des hallucinations ?

— Pas du tout! On se sent euphorique tout au plus, mais certaines personnes ont tellement peur d'en inhaler qu'elles peuvent se sentir mal. On appelle ça faire un *bad trip*…, répondit Maxime.

— Ah oui! Si j'en consomme, je le ferai avec quelqu'un qui a de l'expérience, comme Jean-Guy ou Max. Françoise, si tu es d'accord, on essaiera cela ensemble, fit Jacques.

— Je pense que c'est une bonne idée!

— J'en ai toujours, intervint Max, mais je préfère le haschisch! C'est meilleur au goût et la sensation est plus subtile.

— As-tu bien d'autres secrets comme celui-là? lui demanda Françoise.

— J'ai essayé pas mal de drogues psychédéliques, comme la mescaline et le LSD, et là c'est vrai qu'on a des hallucinations. Je ne conseille pas ces drogues à tout le monde, répondit Maxime.

— J'ai faim! Avez-vous mangé?

— Non, mais je dois partir, car j'ai une invitation à souper, dit Jean-Guy.

— Je dois y aller moi aussi, déclara Alain.

— On se revoit en fin de semaine? demanda Jacques.

— Alain vient peinturer sa chambre avec Lucie, et Jean-Guy mobilise sa gang pour commencer les travaux, lui répondit Françoise. Si on se faisait des sandwiches au jambon fromage avec une bonne soupe aux légumes, ça vous dirait ?

— Moi, ça me va, fit Maxime, et toi Jacques ?

— Ça me convient parfaitement !

— Salut bien, les gars. On se revoit samedi au plus tard ! dit Françoise.

— À bientôt !

Maxime sortit le jambon, le fromage et le pain pendant que Françoise réchauffait la soupe. Jacques se servit un petit verre de vin en attendant que tout soit prêt. Après avoir avalé leur repas, ils se déplacèrent au salon pour écouter Moustaki, Brel, Brassens, Barbara, Ferré, Félix, Léveillée, Vigneault, Leyrac, Charlebois, etc., jusqu'à tard en soirée. Maxime se retira le premier pour aller lire et il s'endormit sur sa lecture. Françoise et Jacques discutèrent de la tournure des événements et étaient enchantés du changement qui s'installait dans leur vie. Plus jamais Françoise ne se sentirait seule. Vivre en communauté avait quelque chose de rassurant et de stimulant pour elle. À trente et un ans, elle serait la plus vieille du groupe, mais elle avait enseigné toute sa vie à des adolescents et peut-être que certains des élèves qui viendraient aider

Jean-Guy seraient ses anciens élèves. Elle se sentait déjà plus jeune au contact de Maxime, qui était le seul déjà installé dans cette maison conçue pour une grande famille.

Le samedi, Jean-Guy fut le premier arrivé. Sa camionnette était bondée de jeunes gens aux allures de footballeurs. Jacques, Françoise et Maxime venaient de terminer leur petit-déjeuner. Ils sortirent pour accueillir cette brochette de jeunes bigarrée qui était tout sourire. Ces ados avaient l'impression qu'ils vivraient une expérience unique en travaillant à la création de la première commune de la région de Granby. C'est du moins l'idée que Jean-Guy leur avait fait miroiter. Le premier groupe était composé de six jeunes hommes aux cheveux longs qui descendirent de la camionnette avec pelles et pics ainsi que deux brouettes. Ils portaient tous un bandana pour éponger la sueur qui ne tarderait pas à dégouliner de leur front.

Jacques ouvrit grandes les deux portes du garage et leur indiqua l'accès au vide sanitaire. Jacques trouvait ce projet un peu fou, mais Jean-Guy semblait tellement décidé à se créer un atelier qu'il n'avait pas osé contrecarrer son plan.

— Voici, les gars, l'endroit où vous devrez creuser, dit Jacques. C'est là que Jean-Guy veut créer son atelier. J'espère que vous ne tomberez pas sur d'énormes cailloux. J'ai deux barres de métal qui pourront vous servir, en cas de besoin. Pour le reste, c'est Jean-Guy qui sera le maître d'œuvre…

— On creuse au centre pour se faire un chemin d'accès, reprit ce dernier. Il ne faut surtout pas oublier que plus la pente est douce, moins ce sera difficile de transporter la terre avec nos brouettes. Vous la verserez à l'arrière du garage, et ça prendra un volontaire pour l'étendre au fur et à mesure.

— Je commence le premier ! déclara Jacques, on pourra se relayer par la suite, car je ne suis pas certain d'avoir la force nécessaire pour monter la brouette…

— J'ai deux bons taupins pour cette tâche. Charles et Alex, êtes-vous prêts ? J'ai besoin de deux gars pour manier les pics. Les autres, à vos pelles ! fit Jean-Guy.

— Je veux bien être un de ceux-là, dit Maxime.

— Un autre volontaire ?

— Moi ! répondit René, qui était trapu et musclé.

— D'accord ! Richard, tu vas pelleter avec moi, déclara Jean-Guy. *Go !*

Le travail commença dans un bruit de pics et de pelles. Cette tâche s'avéra exténuante, car tous étaient déjà en sueur. Pour les hydrater, Françoise leur préparait régulièrement de la limonade au gingembre. Elle mit aussi à leur disposition un pichet d'eau froide dont ils s'aspergeaient la tête. À midi, après quatre heures de travail, tout le monde avait droit à une bonne heure de pause. Entre-temps, l'arrivée d'une équipe de filles avait allégé la tâche de Françoise, ce qui lui enleva un peu de pression. À 13 heures, quatre autres jeunes hommes se présentèrent à leur tour, et les travailleurs pouvaient prendre une pause et se faire remplacer. Le travail avançait beaucoup plus rapidement. Certaines filles empoignèrent les pelles pour étendre la terre à l'arrière de la maison. Une certaine routine s'était installée et tout ce travail herculéen se réalisait comme une mécanique bien huilée. Il n'y avait pas de perte de temps, quand quelqu'un était exténué, quelqu'un d'autre le remplaçait automatiquement.

À la fin de la journée, tout le monde était satisfait du travail abattu. Jean-Guy n'avait jamais douté de la force de son groupe de jeunes. Ils avaient réussi à dégager la profondeur voulue sur presque la moitié de la surface. Jacques et Françoise étaient estomaqués du courage de ces jeunes qui travaillaient bénévolement. C'était suffisant pour redonner espoir au couple, qui avait été meurtri par la crise d'Octobre à peine six mois plus tôt.

— C'est remarquable ce que vous avez réalisé aujourd'hui ! Je n'aurais jamais cru que c'était possible, mais vous venez de me prouver le contraire !

— Pas trop vite, Jacques ! Le travail est loin d'être terminé. Par contre, si la gang est composée des mêmes personnes, on devrait atteindre nos objectifs demain, ou du moins je l'espère… En attendant, prenez donc une bonne bière bien froide à ma santé !

— Et moi, je vous offre le calumet de la paix ! lança Maxime, dont le t-shirt était complètement mouillé.

Maxime alluma sa pipe remplie de marijuana, et elle fit le tour du groupe. Certains s'abstenaient, mais passaient la pipe à leur voisin.

Rapidement, tout le monde riait et s'amusait ferme. Quelqu'un du groupe alla chercher le boyau d'arrosage et commença à s'arroser, puis arrosa sa voisine qui se mit à crier tout en s'enfuyant. Françoise prit l'initiative de réagir, car elle trouvait que ce n'était pas une bonne idée à cette période de l'année.

— Arrête ça, René ! Vous allez attraper le rhume ou la crève et il serait plus sage de rentrer à l'intérieur et ceux qui veulent prendre une douche, je mettrai des serviettes à votre disposition.

— Je crois que tu as raison, Françoise ! On rentre à l'intérieur tout le monde, lança Jean-Guy qui voulait économiser ses travailleurs.

Tout le monde était curieux de voir l'intérieur de la maison. Une jeune femme, Suzanne, remarqua le fil électrique qui courait tout le long du plafond monté sur une porcelaine dans les coins. Elle n'avait jamais vu cela auparavant et se demandait quelle était son utilité. Elle posa la question à Françoise qui lui répondit.

— Ce que tu vois là, Suzanne, c'est l'ancien système électrique et nous l'avons laissé en place parce qu'on trouve ça original. Le fil que tu vois est un fil de fer dénudé et le courant passait directement dedans. Pour éviter un court-circuit, il était enroulé autour d'une porcelaine pour continuer jusqu'à la prochaine porcelaine et ainsi de suite. Ça servait exclusivement pour l'éclairage comme tu vois ici dans la cuisine, le fil se rend au centre de la pièce.

— Pourquoi le mettait-il si haut près du plafond ?

— Pour éviter de s'électrocuter accidentellement ! Imagine si les enfants y avaient touché par curiosité le drame que ça aurait causé ! Il n'y avait que les biens nantis qui pouvaient se permettre ce genre de luxe et encore. Il fallait être excentrique parce qu'à cette époque, la norme c'était la lampe à huile.

— La maison est sûrement de l'époque des loyalistes parce que ce type de brique semble confirmer mon hypothèse…

— Tu as raison, Suzanne ! La maison a probablement été construite vers 1850. Elle aurait plus de cent vingt ans, tu t'imagines ce que pouvait être la vie à cette époque ? L'électricité a dû être installée plus tard, mais je ne suis pas tellement versée sur le sujet. On pouvait pomper l'eau à la main directement de la cuisine exactement comme celle qu'on voit dehors avec une margelle.

Après avoir fumé le calumet de Maxime, Jean-Guy jugea préférable de ramener tout ce joli monde à Granby le plus rapidement possible pour qu'il soit efficace le lendemain. Jacques et Françoise, eux, commencèrent à ressentir les effets de la marijuana. C'était leur première expérience et ils se sentaient très euphoriques.

— Vous êtes *stones*, les amis ! leur dit Maxime. Je vais préparer le souper pour vous. Je vois que vous vivez des sensations nouvelles et que c'est agréable pour vous. C'est comme la première fois que l'on boit de l'alcool, on ressent une sorte d'ivresse. Par contre, je vous garantis que demain, vous n'aurez pas de mal de bloc comme lorsqu'on prend un coup.

— C'est très agréable, mais je me sens comme paralysée, mentionna Françoise.

— Moi, c'est la musique qui m'envahit complètement ! J'ai l'impression de me retrouver devant l'orchestre symphonique à Carnegie Hall, c'est stupéfiant ! fit Jacques à son tour.

— C'est vrai que la musique est vraiment meilleure sous l'effet de la mari, mais en attendant, qu'est-ce que je vous prépare ?

— J'ai de la sauce à spaghetti toute prête dans le frigo, tu n'as qu'à faire cuire les pâtes…

— Très bien, Françoise ! Accompagné d'un verre de vin ou d'une bière ?

— De vin ! répondit celle-ci. Mais tu es certain que ça ne te dérange pas de faire le repas à notre place ?

— Ça me fait le plus grand plaisir. C'est un peu à cause de moi si vous vous retrouvez dans cet état-là ! La pipe est sur la table du salon, vous pouvez en tirer quelques bouffées encore, ne vous gênez surtout pas !

Maxime déposa une bouteille de vin sur la table de salon et disparut dans la cuisine. Il fit cuire les pâtes et réchauffa la sauce. Peu de temps après, il invita Françoise et Jacques à venir se restaurer. Il les servit à tour de rôle et se servit en dernier. Le repas fut animé parce que tout le monde était joyeux. Françoise s'étonna que son appétit fût si grand. Maxime lui expliqua que la marijuana ouvrait l'appétit. Jacques était le plus verbomoteur des trois. À l'invitation de Maxime, il avait inhalé de nouveau de la marijuana. Ses appréhensions face à cette drogue douce étaient tombées, alors que Françoise avait refusé un deuxième tour de pipe parce qu'elle s'était sentie paralysée.

Ils se couchèrent assez tôt pour se retrouver en intimité. Maxime les avait entendus faire l'amour et s'était promis d'inviter une copine aussitôt que l'occasion se présenterait. Son sommeil fut agité parce qu'il rêva qu'il faisait l'amour à Marie-Paule. Le matin vint vite et, bien qu'il fût en forme, ses muscles étaient endoloris. La veille, il avait passé la journée à manœuvrer pic et pelle, sans parler de la brouette qu'il avait poussée sur la pente qui allait en s'accentuant au fil de la journée. Il prit un bon déjeuner composé d'un gros bol de gruau nappé de sirop d'érable et accompagné de rôtis.

Françoise et Jacques se levèrent peu de temps après lui. Tous deux étaient de bonne humeur. Ils s'empressèrent de parler de l'état euphorique dans lequel ils s'étaient couchés la veille, tout en espérant ne pas trop avoir dérangé Maxime.

— Écoute, Maxime! On a fait l'amour hier soir et c'était divin! Je suis certaine que c'est à cause de ton herbe… Est-ce que c'est cher?

— Moins que l'alcool pour un effet supérieur et sans séquelle le lendemain, comme vous pouvez le constater! Est-ce que je me trompe?

— C'était vraiment formidable! répondit Françoise.

— Je peux vous procurer une once d'Acapulco Gold pour environ 40$. J'ai un ami qui l'importe du Mexique et il me le fait à ce prix au lieu des 60$ habituels. C'est comme dans tout, si tu as des contacts, tu paies moins cher.

— J'en prendrais une once, à ce prix-là! Est-ce que ça dure longtemps, une once?

— Ça dépend toujours de ta consommation. Si tu es raisonnable, ça peut te durer des mois, mais si tu en fais profiter tous tes amis, ça te durera moins longtemps, évidemment…

— Nous sommes juste deux, ça devrait nous durer un bon moment. Et si ça produit toujours le même effet, je crois bien que nous en serons de grands consommateurs… Tu ferais mieux de t'acheter des bouchons pour dormir, lui lança Françoise.

— Si vous me mettez trop en appétit, je pourrais vous rendre la pareille en invitant une copine à venir dormir de temps à autre, lui répondit Maxime.

— Ne te gêne surtout pas pour nous si la mari a le même effet sur toi que sur nous, répliqua Jacques avec un air égrillard.

— Je ne me gênerai pas, ne t'en fais pas! Le temps de prendre mes aises, mais je dois reconnaître qu'hier soir était une bonne introduction, lui répondit Maxime, en espérant que le couple saisirait le double sens de ses paroles. On a encore pas mal de boulot devant nous aujourd'hui! Crois-tu que Jean-Guy va atteindre ses objectifs?

— Je dois t'avouer que son équipe m'a vraiment impressionné hier, et s'ils maintiennent la même cadence aujourd'hui, je crois qu'il va réussir son pari…, fit Jacques.

— Ça me redonne espoir dans l'humanité! Je croyais que le travail bénévole n'était vrai que chez les membres de la même famille et encore… Peut-être qu'on assiste à la naissance d'un nouveau monde, je ne saurais dire, mais c'est très encourageant! Je crois que la dernière fois qu'on a vu ça, c'était du temps de mon grand-père, en 1900 et quelques…, mentionna Françoise.

— On vit un retour à la terre depuis un bon bout de temps, et ici on pourrait presque appeler ça une commune, vous ne pensez pas ?

— Tu as raison, Maxime ! C'est un peu la tournure que ça prend… Tiens ! Voilà Jean-Guy qui arrive avec sa gang…

Deux véhicules bondés de gars se suivaient. Maxime était un peu déçu. Dans le groupe de jeunes filles hier, il avait remarqué Suzanne, avec ses yeux pervenche et son sourire envoûtant. Ni Josée, ni Martine, ni Denise non plus que Linda ne pouvaient rivaliser avec elle. Sans être un canon de beauté, elle était très jolie et très dégourdie. Il était intrigué par le fait qu'aucune des filles n'était venue. De leur côté, la plupart des gars avaient l'air fatigués, car la fête avait dû se poursuivre tard dans la nuit ailleurs qu'à la ferme.

— Dis donc, René, as-tu pris le temps de dormir cette nuit ? lui demanda Maxime à la blague.

— Pas beaucoup, mais une bonne douche réveille son homme ! De toute façon, mon père m'a inculqué un principe sacré : «Jeune homme ! Ne manque jamais d'aller travailler parce que tu as pris un coup, sinon tu risques de perdre ton nom et ton emploi…»

— Ce qu'il ne dit pas, c'est que son père est médecin et qu'il se sert rarement d'un pic et d'une pelle, lança Jean-Guy.

Tout le monde s'esclaffa de bon cœur. Il en profita pour empoigner une pelle avant de se retrouver avec l'outil qu'il abhorrait le plus, le pic. C'était un peu enfantin parce que tout le monde passait par le pic et la pelle. Le plus difficile, c'était de pousser la brouette en se donnant un élan pour monter la pente sans renverser de matière. Le début de la journée fut difficile, mais une fois les muscles réchauffés, l'équipe travailla d'arrache-pied pour finir le travail entrepris. Françoise suivait difficilement le rythme pour la préparation des carafes de limonade. Ce n'est pas que les gars avaient si soif que ça, mais sa lenteur à se mouvoir à cause de sa consommation de marijuana la veille ralentissait ses gestes. Tout à coup, un coup de klaxon retentit dans l'entrée de la ferme. C'étaient les filles qui arrivaient. Chacune prit un râteau et s'empressa d'étaler la terre qui s'était accumulée depuis le matin. Malgré le port de gants, elles avaient les mains pleines d'ampoules et peinaient à faire le travail. Suzanne prit l'initiative de se rendre chez Jimmy, le fermier anglophone d'en face, pour lui demander s'il ne pourrait pas niveler la terre avec son tracteur. Quand elle lui montra ses mains, Jimmy en eut pitié. C'est assise sur l'aile du tracteur que l'équipe la vit revenir. En quinze minutes, il avait aplani le tas de terre. Quand il eut terminé, Jacques et Françoise le remercièrent du grand service qu'il leur avait rendu.

— Je vais revenir à la fin de la journée pour niveler le reste ! *You guys are crazy to dig a basement all by hands… but I guess there's no other way to do it !* Appelez- moi quand ce sera terminé, *and you ladies, take a break with those lovely hands, OK?*

— Merci pour ta débrouillardise, Suzanne. Quand je pense qu'on croyait qu'il ne nous aimait pas beaucoup parce que c'était un Anglais.

— Même un singe se désâmerait pour elle si elle lui demandait! déclara Maxime.

Suzanne le regarda avec un air coquin et répondit à sa boutade.

— Tu crois, Max? Et un beau garçon aurait-il la même réaction, tu crois?

Maxime devint rouge comme une pivoine et répondit que lui serait volontaire à faire n'importe quoi. Les autres filles se mirent à chahuter. Elles considéraient sa déclaration comme un intérêt marqué pour Suzanne. Celle-ci prit son air le plus enjôleur pour rétorquer qu'il serait sûrement sollicité. Un sourire de conquérant se dessina sur le visage de Maxime. Puis il reprit le chemin de la cave avec sa brouette.

— Ce doit être un culturiste, juste à voir ses muscles! dit Denise en salivant.

— C'est plutôt son entraînement militaire et son hérédité qui l'ont taillé comme ça! Si j'étais célibataire et un peu plus jeune, il m'intéresserait, déclara sans gêne Françoise.

— Il a quel âge, au juste? demanda Suzanne, qui comprenait l'intérêt de Françoise pour Maxime, car elle avait le béguin pour lui.

— Je crois qu'il a à peine vingt ans…

— OK, les filles ! Je me le réserve pour ce soir, lança Suzanne que la compétition excitait.

— On devrait aller acheter de la bière ? émit Josée.

— Excellente idée ! J'ai un peu de misère à digérer le vin, répliqua Linda.

En moins de deux, les filles sautèrent dans l'auto et revinrent avec une caisse de vingt-quatre. Les gars suaient à grosses gouttes, mais voyaient la fin du travail. La journée avait été plus chaude et la soirée s'annonçait douce. Vers la fin de l'après-midi, les filles avaient envie de faire un feu de camp. Elles trouvèrent ce qu'il leur fallait comme bois près de la grange. Quand les gars eurent terminé, les filles les attendaient comme des hôtesses prêtes à servir de la bière ou du vin selon le goût de chacun. Certains ne buvaient pas, mais attendaient avec impatience le calumet de Maxime. Suzanne apporta une bière à Maxime pour qu'il se désaltère et une serviette pour qu'il s'éponge. Françoise appela Jimmy pour qu'il vienne niveler la terre. Une fois le travail terminé, elle lui offrit une bière, qu'il accepta volontiers.

— Donne ce sac à René, dit Maxime, et garde ma bière. Je reviens après avoir pris une douche éclair, d'accord ?

— Tu te rafraîchis pour moi ? demanda Suzanne.

— Beaucoup pour toi, mais aussi par intolérance à la saleté. J'aime la propreté, sans en faire une maladie. J'en ai pour deux minutes… tu m'attends ?

— Bien sûr et prends ton temps parce que moi aussi, j'aime ça les hommes propres, dit-elle avec un sourire malicieux. Me montreras-tu ta chambre plus tard ?

— Ce sera avec le plus grand plaisir que je te ferai découvrir mes trésors, répliqua Maxime.

— J'ai déjà une bonne idée de tes trésors cachés. Je t'attends !

Maxime était dans tous ses états. Dans quel dessein Suzanne l'agaçait-elle ainsi ? Il avait peiné à cacher une érection naissante. Dieu qu'il la désirait avec sa peau mate et veloutée, ses yeux de biche et sa bouche pulpeuse. Il se fit couler une douche froide à souhait pour reprendre contenance. La terre qui maculait son corps et ses cheveux laissait des coulures brunâtres dans le fond de la douche. Il ne prit pas le temps de se raser, car il se méfiait des requins qui devaient tourner autour de Suzanne. Il s'essuya rapidement et monta à sa chambre pour enfiler un jeans propre, un t-shirt, et mit sa vareuse en jeans. Il était prêt. Il jeta un dernier regard à sa chambre et en fut satisfait. Il descendit l'escalier à vive allure et sortit par la porte principale où tout le monde était réuni. Il chercha Suzanne et vit qu'elle discutait avec Françoise. La pipe circulait et il reprit son sac de cannabis au passage, puis se dirigea vers Suzanne et Françoise.

— Tu as été efficace. Tes vêtements sont propres, tu sens bon ! remarqua Suzanne.

— Il est toujours comme ça ! On dirait qu'il ne supporte pas la saleté… Il mange et aussitôt qu'il a terminé, il se lave les mains. Il urine et il se lave les mains, mentionna Françoise.

— Tu en parles comme si c'était un défaut ! riposta Maxime.

— Mais non, Max ! C'est au contraire une qualité, enfin pour nous, les femmes ! Es-tu de mon avis, Suzanne ? Surtout avec la nouvelle tendance des hippies à ne pas se laver, je trouve ça répugnant. Si jamais tu deviens un hippie, tu seras un hippie net !

— Ha ! Ha ! Toujours le mot pour rire, sacrée Suzanne…

— Ne t'en fais pas Maxime, j'aime mieux les hommes propres, répondit Suzanne en se collant près de lui. Je t'ai gardé ta bière et elle n'a même pas eu le temps de devenir tiède, même si j'ai les mains chaudes. Touche !

Ses mains étaient effectivement chaudes, même brûlantes. Il avait une envie folle de l'embrasser et ne résista pas à cet appel. C'était à peine un effleurement de ses lèvres pulpeuses et humides, et il aurait même voulu aller plus loin. Maxime se calma de peur de l'effaroucher en faisant preuve d'autant de hardiesse, mais Suzanne en redemandait en pressant ses lèvres plus fermement. Elle sortit même sa petite langue espiègle pour explorer sa bouche. Délicatement, Maxime l'enlaça de plus près. Ils restèrent ainsi, tirant sur la pipe de marijuana quand, dans sa ronde, elle était rendue à leur tour. Jean-Guy avait prévu des hot-dogs pour tout le monde et préparait les briquettes pour le gril. Il avait deux caisses de bières dans sa camionnette qui lui servait aussi de *camping-car* quand le besoin se faisait sentir. Il y cachait un matelas, une glacière et plusieurs instruments de musique pour créer une fête à l'improviste. Il était loin d'être démuni quand il s'agissait d'improviser. Il chantait une variété de chansons à répondre pour soulever le groupe et personne ne s'ennuyait en sa présence. C'était un grand séducteur et Maxime l'admirait d'être aussi polyvalent. Maxime, plutôt romantique que séducteur, pouvait aussi séduire, car son côté gentilhomme plaisait aux femmes. Il avait un succès fou avec les femmes d'âge mûr, qui le voyaient comme un excellent futur gendre en raison de sa politesse et de sa tenue toujours impeccable.

Quand les briquettes furent prêtes, on fit cuire les hot-dogs en quantité suffisante pour nourrir tout le groupe ainsi que les quelques ogres qui s'y trouvaient. Au même moment, Jacques alluma le feu de camp. La noirceur commençait à descendre sur la ferme, et la fraîcheur de l'air se fit plus mordante. Suzanne se colla alors plus contre Maxime, évitant toutefois de trop se rapprocher du feu. Pendant que la fête battait son plein, elle prétexta qu'elle avait froid. Maxime lui offrit un pull ou un coupe-vent, qu'il devait toutefois aller chercher dans sa chambre.

— Voilà une bonne occasion de me montrer ta chambre et ses trésors. Je te suis!

— Je vais laisser un peu de *pot* à René, au cas où ils en manqueraient pendant notre absence.

— Je profiterai d'être à l'intérieur pour me réchauffer. Je suis vraiment frigorifiée ! Brrrr.

— Entre tout de suite, le temps que je voie René, et je te rejoins aussitôt ! Tu sais où est ma chambre ?

— C'est la première chose que j'ai retenue quand j'ai visité la maison…, fit-elle avec un sourire espiègle.

Maxime ne croyait pas à sa chance. Quand il pénétra dans sa chambre, il trouva Suzanne dans son lit, emmitouflée jusqu'au cou, sous l'édredon. Aucun de ses vêtements ne gisait par terre, il en déduisit qu'elle s'était couchée habillée pour l'agacer. Il alla s'asseoir sur le bord du lit et entreprit de lui caresser les cheveux et le visage.

— Tu es tellement doux avec tes caresses que je n'ai pas le goût que tu arrêtes.

— Je n'ai pas le goût de m'arrêter non plus ! As-tu encore froid ?

— Plus du tout ! Je commence même à avoir très chaud.

— Tu as deux options. Ou tu te déshabilles ou tu te désabrites ?

— Quel serait ton premier choix ? lui lança-t-elle, coquine.

— J'irais sans hésitation vers le déshabillage, mais sens-toi libre.

— Je veux garder mon soutien-gorge parce que je ne trouve pas mes seins jolis.

— Comment peux-tu dire une chose semblable ? Quelqu'un t'a déjà dit le contraire ? demanda Maxime, presque offusqué.

— Depuis aussi loin que je me rappelle, je ne les ai jamais trouvés beaux et personne ne les a jamais vus.

— Me laisses-tu te découvrir tout doucement en embrassant chaque trésor que je découvre. C'était ça les trésors que j'espérais découvrir dans ma chambre, à l'exception de quelques babioles que je te montrerai plus tard.

Maxime avait déjà soulevé l'édredon et déboutonna sa blouse lentement. Il embrassait chaque parcelle de chair qu'il découvrait et humait son parfum suave. Il respecta son désir de garder son soutien-gorge. Il entreprit de lui enlever sa blouse, qui lui révéla une femme aux formes plantureuses. Elle était bien en chair, mais sans bourrelets disgracieux. Elle avait une peau si douce et mate qu'il pensa tout de suite à une beauté exotique venue de quelques continents qu'il n'avait jamais visités. Il huma cette peau chaude qui exhalait une odeur plus capiteuse que les plus grands parfums. Il s'étendit à ses côtés et plongea son nez entre ses seins tout en les palpant de ses mains.

À la voir se trémousser, Maxime comprit que ses seins n'étaient pas insensibles à ses caresses, mais qu'elle était affligée d'un complexe. Il arrêta ses effleurements, mais se promit d'y revenir plus tard. Il détacha le jeans de Suzanne et descendit la fermeture éclair pour découvrir un charmant petit ventre qu'il embrassa abondamment. Il avait beau tirer sur son jeans, il avait du mal à l'enlever. Il aurait besoin de sa collaboration. Elle se tortilla, se défaisant de son jeans tout en retenant sa petite culotte. Quand elle eut réussi à s'en débarrasser totalement, Maxime l'admira, subjugué par sa beauté. Ses longs cheveux qui tombaient en cascade cachaient partiellement son soutien-gorge. Maxime décida de se mettre à l'aise à son tour. Dans son cas, ce fut très rapide, il n'avait que son t-shirt et son jeans, qu'il enleva prestement. Complètement nu, il se colla au corps chaud de Suzanne. Il la caressa, ses mains s'égarant dans sa petite culotte qui, très rapidement, se retrouva au pied du lit.

— Tu vas me faire jouir, Maxime. Arrête, parce que je veux te caresser moi aussi…

— Es-tu pressée, parce que je n'en suis qu'aux préliminaires ? Je veux goûter à chaque partie de ton corps et sentir la vague comme une grande déferlante qui inonde la rive.

— C'est beau ce que tu dis ! Je me sens comme une princesse…

— Ce soir, tu es ma princesse et je veux que tu te souviennes de cette soirée comme d'un phare que tu verras toujours, même de très loin.

— Tu me trouves vraiment belle ? Tu ne me trouves pas trop grosse ?

— Tu es divine, Suzanne ! Encore mieux que les femmes de Rubens dans ses plus célèbres toiles. Tu ressembles à un ange et j'ai peur de me réveiller avant d'avoir fait le tour de ton palais.

Sans plus tarder, il s'attaqua aux parties les plus envoûtantes du corps de Suzanne, qui haletait d'impatience parce qu'elle n'attendait que ça. Au bout d'un intense moment, elle retomba vidée de toute énergie et exposée au regard exalté de Maxime. Il se plaça au-dessus d'elle, sur ses deux avant-bras, avec un regard suppliant. Suzanne comprit le message et le guida vers la prochaine étape. Il ne put résister bien longtemps à tant d'excitation…

— Es-tu certaine qu'il n'y avait pas de risque ?

— Ne t'en fais pas, je prends la pilule ! Ouf ! Quels orgasmes j'ai eus, j'en tremble encore…

— Avec toi, je serais allé encore plus loin si j'avais pu me retenir plus longtemps. Tu as aimé ?

— J'ai adoré, mais je garde encore un complexe avec mes seins.

— Moi, je les ai trouvés parfaits! Je n'ai rien trouvé d'anormal, au contraire. J'aimerais les voir sans ton soutien-gorge et je te promets de te dire la vérité si je remarque quelque chose qui ne va pas. D'accord?

— D'accord!

Elle détacha son soutien-gorge pour le laisser contempler sa poitrine. Maxime n'y trouva rien d'anormal. Au contraire, ses seins étaient extrêmement désirables, et il les soupesa, les tritura de ses deux mains au point qu'elle l'arrêta.

— On ne recommence pas, s'il te plaît! Il est temps de rejoindre les autres, ne penses-tu pas?

— Tu as raison, mais je me sens comme un enfant qui a les deux mains dans le plat de bonbons pendant que les parents sont absents. Je viderais volontiers le plat...

— Tu auras d'autres occasions de te servir dans le plat de bonbons, crois-moi!

— C'est une promesse?

— Oui! répondit-elle en l'embrassant.

Ils retrouvèrent le groupe, qui s'amusait fermement. En les regardant de plus près, ils se rendirent compte que la plupart avaient bu et fumé plus que leur quota. Des couples fraîchement formés étaient absents, peut-être se trouvaient-ils dans la camionnette de Jean-Guy ou dans l'auto de René ou encore dans la grange. Certains avaient eu la même idée qu'eux et se donnaient du bon temps. Françoise et Jacques semblaient *stones*, mais participaient à la fête en chantant ou en jouant des congas ou encore de la cuillère. L'ambiance était très festive, peut-être un peu trop pour Maxime qui redescendait lentement du septième ciel. Il alla retrouver René pour récupérer sa pipe, mais Charles l'avait l'emportée avec lui en disparaissant avec Linda. Il dut se contenter de rouler un joint et de prendre une bière. Suzanne était allée rejoindre Josée, et riait follement. Maxime se demandait si elle n'était pas en train de raconter son aventure à sa copine, mais peu lui importait au fond, c'était l'époque de l'amour libre.

Maxime se dirigea donc vers Françoise et Jacques pour savoir s'ils étaient heureux de leur journée, mais surtout de leur soirée.

— Que veux-tu de mieux, Max? Au début, j'ai pensé que nous étions peut-être trop vieux pour cette bande de jeunes adultes, mais rapidement, on a constaté qu'il n'y avait aucune différence entre nous et eux. C'est parfait comme ça! affirma Françoise, vraiment enthousiaste.

— Vous n'êtes pas des croulants, quand même! Vous n'avez pas peur du changement et ça se sent, répondit Maxime.

— Il faut absolument que tu me procures une once de *pot*, Max! Je ne sais pas ce que ça me fait, mais j'ai le sang qui bout dans les veines. Je n'ai jamais été passive quand c'était le temps de faire l'amour, mais la fréquence diminue à force de vivre avec le même partenaire. Je ne veux plus de cela ! Je veux redevenir agressive comme au début de notre relation et j'ai l'impression que le *pot* va me redonner ça…

— Je ne fonderais pas trop d'espoir là-dessus, Françoise. Si le désir n'est pas là au départ, ce n'est pas le *pot* qui va créer l'étincelle. Par contre, s'il y a encore une étincelle qui survit contre vents et marées, le *pot* peut rallumer la flamme et brûler la cabane, répondit Maxime.

— J'ai l'impression que je suis le seul qui travaille demain, mentionna Jacques. Je suis fatigué et je pense que je vais aller me coucher, mais ne vous préoccupez pas de moi, je vais tomber comme une roche.

Françoise fit une moue, mais Jacques ne vit pas la mine déçue de sa douce. Il ne répondait plus à la demande. Quand il salua le groupe avant de se retirer, ce fut le début de la fin du *party*. Les couples qui s'étaient éclipsés plus tôt en soirée émergèrent de leur cachette, puis retrouvèrent Charles et Linda qui avaient cherché un peu d'intimité dans la camionnette de Jean-Guy. La musique arrêta soudainement. Tout le monde comprit qu'il fallait rentrer, mais se promit de revenir à la première occasion.

Françoise aurait bien continué la fête, mais il ne restait que Maxime. Ils rentrèrent et se versèrent un verre de vin avant de prendre place au salon. Elle mit du Reggiani et ils écoutèrent les paroles en silence. Elle semblait vouloir lui parler, mais hésitait. Maxime remarqua qu'elle paraissait tracassée par quelque chose, mais il n'aurait su dire ce qui la torturait. Il attendit qu'elle se révèle parce qu'il aurait pu être la cause de son tourment. Les chansons de Reggiani étaient propices à l'introspection, mais il y avait aussi le fait que Françoise semblait avoir un goût marqué pour la marijuana. Elle paraissait lui prêter des pouvoirs qui n'étaient peut-être qu'accidentels. Maxime en connaissait tout un chapitre sur les psychotropes. Il en avait consommé une grande variété et en prenait encore aujourd'hui. Tant que son intérêt se limitait à la marijuana, il ne voyait pas de problème à ce qu'elle en continue la consommation, mais il ne voulait pas porter l'odieux de les avoir initiés à un monde qui leur était interdit jusque-là. Il incluait Jacques dans cette réflexion, car il le sentait encore plus audacieux que Françoise.

Finalement, Françoise s'ouvrit, et ses inquiétudes n'avaient aucun rapport avec la drogue. Elle était plutôt tracassée par les aventures extra-conjugales de Jacques. Elle voulait savoir s'il revoyait une ancienne flamme.

— Maxime ! Tu es proche de Jacques, je le sais parce qu'il a beaucoup insisté pour que tu viennes demeurer ici. J'avoue que j'étais un peu réticente au début, mais je me rends compte que tu es facile à vivre et toujours très volontaire lorsqu'il s'agit de faire des travaux ménagers ou autres. Finalement, je t'aime bien !

— C'est gentil de ta part de me le dire. Je t'aime aussi !

— Ce n'est pas juste pour ça que je voulais te parler. C'est Jacques qui m'inquiète. Je pense qu'il a une aventure avec une ancienne flamme, es-tu au courant ?

— Françoise ! La question que tu me poses est extrêmement délicate, mais je vais te répondre. Premièrement, je ne le sais pas et je serais le premier surpris si c'était le cas. Deuxièmement, imagine que Jacques me pose la même question et que je sais que tu as un amant. Aimerais-tu que je lui dise la vérité ? Je ne peux pas et je ne veux pas qu'on me force à mettre mon nez dans vos histoires de couple. Excuse-moi !

— Non, c'est correct ! Ta réponse est on ne peut plus claire et je t'en remercie. Tu as raison !

Françoise replongea dans sa réflexion et Maxime eut envie de lui dire que parfois quand on est *stone*, on devient un peu paranoïaque ou obsédé par une idée fixe, mais il jugea préférable de ne pas rouvrir la parenthèse. S'il voulait que son séjour soit harmonieux, il avait intérêt à se mêler de ses affaires comme dans l'armée… Il monta se coucher parce que la journée avait été dure et riche en émotions. Il avait fait la connaissance de la belle Suzanne et s'était retrouvé dans son lit avec elle. Il l'avait désirée follement et avait l'impression qu'elle se rappellerait de lui, pas seulement pour ces moments d'intimité passés ensemble, mais aussi pour sa délicatesse. Il n'avait rien forcé et lui avait donné exactement ce qu'elle voulait et peut-être un peu plus. Il avait agi en gentilhomme et, avant de s'endormir, il pensa que son père serait fier de lui.

Le lendemain matin, Jacques était parti au travail, et il lui avait emboîté le pas peu de temps après. Il avait des choses à faire, comme se trouver un emploi et obtenir une once de *pot* pour Françoise et Jacques. Il pouvait toujours compter sur son vieux copain Taupe, qui ne lui vendait que de la qualité. Bien des fraudeurs à cette époque refilaient à leurs clients du persil à gros prix. Il ne comprenait pas pourquoi on essayait d'escroquer des gens dans une ville aussi petite que Granby, car on finissait toujours par se recroiser à un moment ou à un autre.

Françoise avait prévu prendre un congé de maladie avant la fin de l'année scolaire. Elle voulait en profiter pour budgéter les dépenses essentielles pour rendre la maison plus habitable en hiver. L'isolation était déficiente, mais comme la maison était en brique et qu'elle remontait à l'époque loyaliste, il fallait l'isoler par l'intérieur, ainsi que l'avait suggéré son père. Comme tous les murs étaient en crépi recouverts de plâtre, les travaux seraient majeurs. La plus grande perte de chaleur se faisant par le toit, il valait mieux isoler d'abord le toit et calfeutrer la vieille fenestration, toujours selon son père. Il avait aussi mentionné que, en remettant la maison à niveau, les murs intérieurs craqueraient et que, en conséquence, il lui faudrait enlever le plâtre ou le recouvrir de feuilles de gypse. Elle était découragée, sans compter qu'elle aurait voulu que ce soit Jacques qui évalue tous ces coûts, ne serait-ce que pour le sensibiliser à l'ampleur qu'un tel investissement nécessitait. Au contraire, il lui avait toujours laissé ce fardeau, même s'il partageait les coûts à la hauteur de ses moyens. La situation n'allait pas s'inverser, à moins d'un changement radical de sa part. Elle savait qu'elle serait toujours le soutien de famille, s'ils formaient une famille. Elle nourrissait le désir qu'un des futurs colocataires soit son complice. Elle ne désespérait pas, parce que Maxime avait la rigueur qu'il fallait pour assumer ce rôle. Il avait clairement posé ses limites, et c'était tant mieux. Cela prouvait qu'il avait des principes.

Lentement, la vie s'organisa à la ferme. Jean-Guy avait déménagé ses pénates dans son atelier et y avait aménagé sa chambre. Alain avait également aménagé la sienne, mais dans l'ancien salon. Tout le monde l'enviait jusqu'au jour où il vit apparaître le fantôme de Payne, le dernier propriétaire de la maison. Selon Alain, l'homme regardait dehors par la fenêtre du salon – sa propre chambre aujourd'hui – tout en fumant paisiblement sa pipe. Alain, qui avait un esprit très cartésien, n'avait vraiment pas aimé cette expérience. Il ne croyait pas au spectre ni à toutes ces sottises, mais il ne voulait plus habiter cette pièce, sinon il déménagerait. Ne pouvant laisser passer pareille occasion, Maxime proposa à Alain de faire l'échange. Le soir même, le déménagement était fait et Alain put respirer normalement, tout en restant sur le qui-vive. Il demanda même à sa copine de venir habiter avec lui pour quelques semaines.

Maxime adorait cette pièce, qui était deux fois plus grande que son ancienne chambre. Il ne vit aucune manifestation du spectre et l'aurait bien accueilli s'il était apparu. Ce qu'il aimait le plus de sa nouvelle chambre, c'est qu'il pouvait recevoir des visites incognito comme cette charmante Suzanne, qui avait pris l'habitude de lui rendre visite en fin de soirée et parfois même en pleine nuit. Si Maxime était occupé avec une autre conquête au moment de sa venue, elle repartait sans faire de bruit. Maxime aurait bien aimé que Suzanne soit sa copine exclusive, mais cette dernière pensait autrement. Elle était fortement attirée par les garçons très machos et Maxime ne correspondait pas à ses critères. Elle le gardait toutefois comme amant parce qu'il savait éteindre le feu qui la consumait les soirs de fête. Maxime s'en accommodait, mais poursuivait sa quête de l'âme sœur.

Les travaux d'aménagement de la maison avaient commencé et se faisaient au milieu des fêtes qui ne cessaient pas de se produire durant tout l'été. Françoise avait décidé de faire un très grand jardin pour nourrir tous ces travailleurs qui vivaient plus ou moins en permanence à la ferme, campant autour des espaces disponibles sans nuire à la circulation. Pour ce faire, elle avait loué la terre à son voisin Jimmy. Ce dernier avait labouré le jardin avec son tracteur et y allait de ses conseils éclairés pour réussir un potager. Pour cette raison, le jardin fut un vrai succès, et la commune put se nourrir en légumes frais et même faire des conserves à l'automne.

Maxime eut l'idée de construire un petit clapier, Jacques une bassecour, avec poules, oies, dindes et faisans. Ils avaient dû concevoir une volière pour les faisans, et Jacques avait trouvé parmi ses lectures la façon de la fabriquer. Tout le monde consultait le *Whole Earth Almanac* qui était une véritable bible pour ceux qui effectuaient un retour à la terre. C'était fascinant à lire, car on y trouvait de tout pour réaliser à peu près n'importe quoi à peu de frais en récupérant du matériel obsolète. Jean-Guy, qui sculptait le métal, était équipé comme un soudeur professionnel, et quand quelqu'un avait une idée qui nécessitait de la soudure, il était toujours volontaire pour mettre son talent au service des autres. Ce fut une période heureuse où, tranquillement, on apprenait à devenir plus autonome. Maxime acheta même un petit veau de grain de Jimmy pour qu'à l'automne on fasse boucherie. Les amis qui venaient camper sur la ferme entreprenaient toujours quelques travaux, avec l'accord de Françoise et de Jacques, pour payer leur séjour.

Chapitre 8

À la fin de l'été, les travaux jugés essentiels avaient été réalisés. Jean-Guy avait accepté de redresser le côté de la maison qui s'était légèrement effondré. Il fallait procéder lentement avec des treuils. Le soir, la maison craquait et les murs se fissuraient. On aurait pu croire qu'elle était hantée. Quand elle cessait de craquer, Jean-Guy retournait à ses treuils le lendemain et continuait à redresser la maison jusqu'à ce qu'elle soit complètement de niveau. Sa plus grande crainte était que les anciens murs de briques se fissurent, ou s'écroulent. Il y eut quelques fissures, mais elles furent rapidement colmatées.

Jacques voulait expérimenter la culture de la marijuana et avait mandaté Maxime pour lui trouver des graines ou des plants. Il en voulait pour approvisionner la commune. Maxime jugea qu'une dizaine de plants devraient suffire au groupe, pourvu qu'ils soient bien entretenus. À l'automne, ils avaient réussi à produire suffisamment de cannabis pour combler leurs besoins, d'autant plus qu'à cette époque on fumait le plant dans son intégralité, et non seulement la fleur ou la cocotte, comme ce fut le cas plus tard.

Au grand regret de Françoise, Jacques rentrait de plus en plus tard certains soirs parce que, disait-il, les réunions communautaires se tenaient en soirée. La réalité était qu'Isabelle était très active dans les développements communautaires et que Jacques la croisait souvent lors de réunions. Il ne ratait jamais l'occasion de l'inviter dans un bistro pour prendre un verre de vin, une bière ou un café. Pendant des heures, ils pouvaient se remémorer leur jeunesse chez les scouts et les guides du Canada. Ils avaient toujours ressenti une attirance l'un pour l'autre, mais rien ne s'était jamais passé entre eux. Jacques était sur le point de franchir le point de non-retour, mais il hésitait parce que Françoise était une compagne qui l'avait soutenu et encouragé depuis le début de leur association. Par contre, Isabelle représentait pour lui la pureté, la douceur, la fraîcheur de la femme enfant à qui il devrait tout montrer si jamais ils consommaient le fruit défendu.

L'hiver 1972 se passa dans la joie à la ferme, malgré le doute qui assaillait Françoise de temps à autre concernant la fidélité de son homme. Le nombre de femmes que Maxime et Jean-Guy amenaient pour un soir ou quelques jours ne la rassurait pas en ce sens. Alain ne faisait pas partie de cette génération, car il avait son amie et envisageait même le mariage. Il n'y avait rien d'obscène dans le comportement de Maxime ou de Jean-Guy parce qu'ils s'affichaient librement devant d'anciennes flammes, dans une atmosphère de camaraderie. Maxime pouvait présenter Lucie à Suzanne et les deux femmes pouvaient devenir les meilleures amies du monde. C'était un peu la même chose avec Jean-Guy, l'amour et l'amitié se confondaient et ne suscitaient pas de jalousies. Ainsi était l'époque, il valait mieux s'y adapter que de la subir.

Au printemps, un nouveau membre se joignit au groupe, un anglophone des prairies de l'Ouest. Il représentait le mouvement hippie dans toute sa splendeur, mais aussi le mouvement *beatnik*. En tant que grand voyageur, il intriguait tout le monde et devint très ami avec la commune, particulièrement avec Jacques, avec qui il avait de grandes affinités. Il baragouinait le français, mais tous appréciaient l'effort qu'il faisait pour se faire comprendre dans cette langue. Pour plusieurs, ce fut l'occasion de rafraîchir leurs bases d'anglais quand il revenait à la langue de Shakespeare. James avait un cercle d'amis américains qui étaient des objecteurs de conscience, ou tout simplement des « *draft-dodgers* », qui refusaient de faire la guerre pour défendre les intérêts des impérialistes. Ils étaient venus s'installer dans les campagnes environnantes de Granby. Par le même cercle, James introduisit d'autres psychotropes dans la pharmacie de Françoise et Jacques, ou de tous ceux qui en voulaient. Il les initia aux champignons magiques qu'il avait fait pousser sur le vieux tas de fumier qui gisait derrière la grange depuis plus de quinze ans. Il introduisit aussi la mescaline, le LSD et le peyotl. Maxime avait goûté à tout ça, mais était bien content de ne pas être l'initiateur du couple à ces produits exotiques, car c'était un peu plus délicat que le cannabis ou le haschisch. Il avait vu des gens faire des *bad trips* avec ce type de drogues. Pour certains individus, la prise de LSD, de mescaline ou de peyotl pouvait déclencher la paranoïa ou la schizophrénie latente en eux. C'étaient des produits dangereux pour les personnes fragiles, qui pouvaient se retrouver à l'urgence dans une crise de panique. Par chance, Françoise et Jacques étaient des personnes fortes et équilibrées.

Françoise continuait à enseigner le français aux finissants, mais dans des classes mixtes de la polyvalente Joseph-Hermas-Leclerc. Jacques avait réussi à ouvrir la première garderie coopérative, en guidant les parents qui avaient créé un conseil d'administration pour mener à bien ce projet à prendre les bonnes décisions. Il aimait voir les gens prendre leur destinée en main. Il était fier du résultat et travaillait maintenant à mettre sur pied une coopérative d'alimentation et étudiait la possibilité de fonder une coopérative d'habitation. Laurent Pelletier avait été un des instigateurs d'une coopérative de ce genre dans les années cinquante et soixante, et celle-ci avait bien fonctionné. Jean-Guy était toujours animateur culturel au cégep qui grossissait à vue d'œil. Il avait cessé de batifoler et fréquentait une très jolie fille qui terminait son cours d'infirmière. Maxime suivait un cours d'immersion en télévision grâce à l'Office franco-québécois. Il se retrouvait avec des Africains venant d'anciennes colonies françaises qu'on appelait maintenant la Francophonie depuis qu'elles étaient devenues des pays et non plus des territoires ou des protectorats français.

Un matin de l'hiver 1973, alors que Jacques se rendait à son travail, un automobiliste perdit le contrôle de son véhicule sur le chemin glacé et alla emboutir celui de Jacques. Pendant quelques jours, on craignit pour sa vie. Son corps était brisé à de multiples endroits et son visage complètement défiguré. Maxime, qui le suivait en se rendant à Radio-Québec afin de suivre sa formation, fut le premier sur les lieux de l'accident. Quand il vit Jacques, il eut un choc. Son œil gauche était sorti de l'orbite. Maxime ne voyait pas le corps au complet, l'auto étant dans le fossé, mais il vit qu'une de ses jambes avait subi une double fracture ouverte et qu'elle avait percé son pantalon. Dès lors, il tenait ses chances de survie à un niveau très faible. Un voisin, témoin de l'accident, s'était empressé d'appeler la police qui, à son tour, avait communiqué avec les ambulanciers. Jacques geignait, mais Maxime n'était pas certain qu'il fût conscient.

— Jacques, c'est Maxime! Tu as eu un accident assez sérieux et l'ambulance s'en vient. Comment te sens-tu?

— Je suis où? Il fait froid…

— Essaie de ne pas bouger! Je vais dans mon auto et je t'apporte de quoi te réchauffer, dit-il. Maxime avait suivi un cours de secourisme lorsqu'il était dans l'armée. Il courut jusqu'à son véhicule et en rapporta une vieille couverture dont il couvrit Jacques.

— Voici de quoi te couvrir en attendant les ambulanciers! Entends-tu la sirène? Ils arrivent et je vois même une dépanneuse qui suit derrière la voiture de police. Tu vas t'en sortir, Jacques! Reste avec moi!

Jaques sombrait dans l'inconscience, mais la douleur le ramenait à la réalité, même si cette réalité lui faisait plus penser à un rêve. Il avait l'impression de flotter au-dessus de la scène de l'accident. Il voyait son auto renversée dans le fossé et celle du conducteur qui l'avait embouti. Le son se modulait, il entendait des sirènes puis des voix et il reconnut celle de Maxime qui lui disait de tenir le coup. Il n'avait pas l'intention de lâcher prise, n'étant pas conscient de sa condition. Curieusement, il avait l'impression d'être sous l'effet du LSD, ce qui n'était pas désagréable, sauf lorsqu'il essayait de bouger. Son corps était dans une drôle de position parce qu'il était retenu à la taille par sa ceinture. Le haut de son corps avait glissé vers le côté passager et le sang lui inondait le visage. Son nez, presque arraché, était la cause de cette hémorragie. Il toussait pour libérer sa gorge imbibée de sang et pour respirer plus librement. Cette toux entraînait plein de douleurs qui lui faisaient perdre connaissance à nouveau.

Maxime suivit toute l'opération et accompagna Jacques jusqu'à l'hôpital. Il chercha à joindre Françoise, qui était déjà à la polyvalente. Quand, finalement, il l'eut au bout du fil, il lui expliqua la situation.

— Je te conseille de venir tout de suite à l'hôpital parce que Jacques a eu un grave accident sur la rue Mountain en se rendant au travail. Je reste ici en attendant que tu arrives. Je n'irai pas à Montréal ce matin parce que je suis trop ébranlé ! Je t'attends à l'urgence !

— J'arrive, lui lança Françoise d'une voix paniquée.

Maxime retourna au chevet de Jacques et fit pression sur le corps médical pour qu'on s'occupe de son oncle. Il se fit demander pour qui il se prenait pour exiger qu'on donne des traitements à l'homme qui gisait sur la civière. Françoise arriva à l'urgence toute haletante. Quand elle vit Jacques, elle éclata en sanglots. Maxime tenta de la rassurer, tout en continuant à exercer de la pression pour qu'on s'occupe de son oncle. Une salle d'opération se libéra soudainement et l'opération commença sans tarder. Par chance pour Jacques, les organes internes n'étaient pas atteints, malgré son corps qui était en lambeaux. On replaça le nez et recousit sa paupière ou ce qu'il en restait. On eut même recours à des greffes de la peau. Après avoir passé plus de huit heures dans la salle d'opération, on le transféra aux soins intensifs. Les médecins pensèrent à le transporter dans la métropole ou au Centre hospitalier universitaire de Sherbrooke, mais ils craignaient qu'il ne résiste au transport.

On le maintenait en vie grâce à la morphine. La convalescence fut très longue. Il passa une année à l'hôpital sous traction, en raison de son tibia et de son péroné. Les spécialistes profitèrent de cette convalescence pour lui refaire le visage. Les amis qui vivaient à la ferme au moment de l'accident allaient le visiter régulièrement à l'hôpital. Jacques gardait le moral, mais il était devenu accro à la morphine. Quand il quitta la clinique, il passa une autre année alité dans un lit d'hôpital qui prenait place au salon. Tous les membres de la commune s'en étaient allés. Jean-Guy s'était marié et avait accepté un poste dans une autre région. Alain avait lui aussi convolé en justes noces et avait accepté un poste dans la capitale. Maxime était parti voyager en Europe et en Afrique du Nord, où il resta presque une année. Jacques ne fut plus jamais le même homme. Son ami James s'occupa de lui trouver de l'opium pour qu'il puisse supporter la douleur et l'inactivité qui lui pesait par moments. Il profita de ces deux années pour lire tout ce qui lui tombait sous la main. Françoise le nourrissait de diverses lectures. Elle voyait bien qu'il ne serait plus jamais la même personne, mais ne songea pas pour autant à le quitter. Elle en prenait soin comme s'il était son bébé et endurait ses sautes d'humeur causées soit par son manque d'opium, soit par sa rage d'être ainsi prisonnier de son corps. Au fil des mois, il put se mouvoir en fauteuil roulant et commencer une réhabilitation physique, mais moralement, il était atteint. Il se voyait amoindri et son affreuse maigreur lui faisait peur. Lorsqu'il voyait son reflet dans le miroir, il ne se reconnaissait plus. Il se trouvait franchement laid. En revanche, il n'avait rien perdu de sa vivacité d'esprit. Au contraire! Il avait l'impression d'être plus allumé, plus concentré que jamais quand il se livrait à une réflexion, ou même lorsqu'il avait rendez-vous avec ses médecins. À travers ses nombreuses lectures, il avait appris le fonctionnement de son corps et comprenait très bien le processus de régénération des tissus et des cellules. Grâce à sa mémoire phénoménale, il pouvait corriger ses médecins s'il y avait la moindre incohérence dans leurs propos par rapport à de l'information qu'ils lui avaient donnée lors de ses visites précédentes.

Jacques était devenu redoutable et le corps médical était sur ses gardes chaque fois qu'il se présentait pour ses examens. Toujours poli et même protocolaire, il leur parlait sans détour de ce qu'il désirait comme médications ou comme traitements. Il souffrait de douleurs chroniques qui nécessitaient des opioïdes. Il connaissait l'interaction des médicaments avec cette drogue, mais surtout l'absence de règlement quant aux ordonnances faites par un médecin. Pour sa part, le Collège des médecins était plutôt vague sur le sujet. Las de ce pseudo-médecin, les médecins attendaient patiemment qu'il quitte l'établissement lors de ces épisodiques visites…

Financièrement, ils avaient du mal à boucler leur budget. Françoise supportait seule le poids des prêts hypothécaires et affrontait seule également la guerre que se livraient les compagnies d'assurances pour éviter de débourser quoi que ce soit à la victime, ou aux victimes, car elle se comptait indirectement parmi celles-ci. Françoise parlait rarement à Jacques de leur situation précaire, sauf lorsqu'il était question d'opium. Ce dernier devenait alors un tyran, car il lui en fallait coûte que coûte pour inhiber sa douleur, et la dose prescrite par les médecins ne suffisait pas à le soulager.

Il détestait que Françoise lui tienne tête à ce sujet. Pour chasser leurs malentendus, il invitait des amis pendant qu'elle travaillait. Lorsqu'elle revenait à la fin de la journée, avec de l'alcool et de la drogue pour lui, elle retrouvait souvent deux ou trois personnes *stones* et saoules dans sa maison. Jacques, toujours couché dans son lit d'hôpital, semblait régner sur ces personnes, qui le veillaient comme on veille un mourant. Elle était vraiment en détresse, sans compter qu'elle n'avait plus de vie sexuelle. Elle se rappelait l'époque où le spectre d'Isabelle venait la hanter. Elle avait proposé à Maxime de lui faire l'amour, mais il avait refusé. Elle ne lui en avait pas voulu. Françoise désespérait de retrouver un semblant de vie normale.

— Jacques, il est temps que tu bouges un peu sinon tu vas finir tes jours étendu sur ce grabat. Tu as tout ce qu'il faut pour t'en sortir et je ne veux plus de ce lit dans le salon. Je vais appeler le CLSC pour qu'il vienne le chercher cette semaine. Sers-toi de tes béquilles et marche un peu…

— Tu me lances un ultimatum ? Je ne me sens pas prêt à faire le saut et de quel droit te permets-tu de décider à ma place ?

— C'est l'été et ça fait presque un an et demi que tu végètes… Je comprends ta situation, mais je veux que tu délaisses ce lit une fois pour toutes et que tu t'installes sur la galerie pour que tu renoues avec la nature et l'air pur. Je déteste maintenant ce salon avec ses allures de capharnaüm puant. Même le soleil n'ose plus y entrer de peur de te déranger. Parlant droit, je te rappellerai simplement que je paie, et que j'ai toujours payé, notre prêt pour garder cette maison. Depuis que tu l'as envahie, je n'y suis plus attachée.

— C'est ton dernier mot ? demanda Jacques.

— Oui, et comme je te le disais tout à l'heure, j'appelle le CLSC dès aujourd'hui pour qu'il me débarrasse de ce lit ! Il est grand temps que la maison redevienne normale, sinon je me loue un appartement en ville. Tu te débrouilleras avec les paiements.

— N'oublie pas que tu es copropriétaire, conjointement et solidairement ! répliqua Jacques, qui n'aimait pas la tournure de la conversation.

— Puisque tu le prends sur ce ton, je rapporte les clés de la maison à la Caisse afin qu'elle la liquide. J'assumerai la perte si perte il y a, mais si je me fie à Laurent Pelletier, la ferme vaut largement plus que le prix de l'hypothèque. Il te restera peut-être un peu d'argent, mais ne compte pas trop là-dessus, la Caisse voudra récupérer sa mise…

— Je vais y réfléchir !

— Fais comme tu veux, mais j'appelle le CLSC dès aujourd'hui. Bonne journée et surtout bonne réflexion !

Sur ces mots, au début du mois de juin 1975, Françoise quitta la maison pour se rendre au travail. Pour sa part, Jacques était outré de se faire traiter de façon aussi cavalière. Il la sentait déterminée et prête à tout pour mettre fin à cette période qui avait trop duré. Il reconnaissait qu'elle n'avait pas tout à fait tort, mais il avait aussi comme principe de ne jamais avouer ses fautes. Toute la journée, il s'exerça à marcher avec ses béquilles. Il essaya de se rendre jusqu'à la galerie, mais il était empêtré dans ses béquilles. Il n'en prit qu'une et saisit une canne, et réussit enfin à s'asseoir dehors. C'est vrai que l'air printanier était bon à sentir sur le visage. Il était d'une pâleur morbide, lui l'ancien scout toujours bronzé. Il se demandait si le soleil n'atténuerait pas les traces laissées par ces greffes de peau et ne masquerait pas sa maigreur cadavérique. Il ne pouvait pas faire autrement que de constater les ravages causés par son accident et son accoutumance aux opiacés.

Jacques avait reçu une lettre de Maxime qui voulait revenir au pays. Il s'enquérait s'il pouvait l'accueillir à nouveau à la ferme sous les mêmes conditions, le temps qu'il réfléchisse à son avenir immédiat. Jacques voyait le retour de son neveu d'un bon œil et Françoise aussi, parce que sa venue briserait le cercle vicieux qui s'était installé dans leur vie. Cette nouvelle était une brise de fraîcheur pour Jacques, qui n'était pas sorti de son enfer depuis plus de dix-huit mois. Il était devenu peu à peu agoraphobe, mais sentait qu'avec l'aide de Maxime il pourrait s'en sortir, parce que celui-ci allait l'introduire à nouveau dans le milieu granbyen. Finalement, sans lui avouer les conclusions de sa réflexion, il se plierait à la volonté de Françoise et tenterait de reprendre sa vie en main.

Ce soir-là, quand elle rentra du travail, Françoise trouva Jacques sur la galerie en train de profiter des derniers rayons chauds de la journée. Elle le salua aimablement, heureuse de le voir ailleurs que dans son lit. Elle lui demanda s'il avait besoin de quelque chose.

— Pourquoi pas un petit verre de vin, mais seulement si tu en prends un toi aussi.

— Bonne idée ! Je dois t'avouer que je suis ravie de te retrouver dehors, mais il faudra que tu fasses attention aux coups de soleil. Tu vas te sentir beaucoup mieux en prenant chaque jour de l'air et du soleil et, pourquoi pas, une petite marche sur le chemin qui mène à la ferme ou autour des bâtiments.

— Concernant Max, je pense qu'il m'aiderait à me réintégrer dans le milieu. J'ai aussi pensé à me procurer deux cannes avec des manchons. Qu'en penses-tu ? Il me semble que ce serait moins encombrant que des béquilles.

— Tu peux tout avoir cela au CLSC ! Au fait, ils vont passer demain durant la journée pour prendre le lit. Je vais te préparer la chambre du bas en attendant que tu puisses monter à l'étage. Maxime a tout laissé quand il est parti. Je suis certaine que ça ne le dérangera pas que tu utilises son lit.

— Roulerais-tu un joint pour moi ? J'ai l'intention de me sevrer des opiacés et je vais avoir besoin d'aide.

— Veux-tu une de tes pipes ? Ce serait beaucoup plus pratique pour toi… Quant à Maxime, si ça peut t'aider à sortir de ta léthargie, pourquoi pas ! Il a été un des plus faciles à vivre à l'époque où nous avions des locataires.

Chapitre 9

Françoise s'occupait des besoins élémentaires de Jacques et de l'intendance de la maison. Comme il ne prenait plus ni morphine ni opiacés, Jacques avait besoin de palliatifs, et ce fut la marijuana et l'alcool qui soulagèrent ses douleurs. Comme presque toutes les personnes qui ont frôlé la mort de près, il n'avait plus les mêmes valeurs qu'auparavant. Les combats politiques ne signifiaient plus rien pour lui. Quand il partait faire sa tournée au centre-ville avec Maxime depuis son retour de voyage, ils s'installaient à la terrasse ou au café Louis et il renouait avec tous ceux qu'il avait perdu de vue depuis son accident. Le notaire Trudel et tous les avocats le saluaient comme un survivant. Tous constataient les dommages que son corps avait subis et certains le questionnaient sur ses séquelles physiques, mais très peu osaient l'interroger concernant son moral. Il fascinait par son allure dégingandée et ses deux cannes anglaises.

Jacques était devenu un homme différent de l'époque où il faisait des discours politiques enflammés. Il était plus introspectif, moins rieur, et avait de la difficulté à percevoir les nuances du premier et du second degré en humour. Ses anciennes connaissances voyaient bien le changement sur le plan de sa personnalité. Il tenait des propos prophétiques que nul n'avait demandés. Maxime servait de modérateur et invitait les gens à ne pas lui en tenir rigueur. Les étudiants ou les décrocheurs qui venaient encore à la ferme, l'écoutaient presque religieusement. On lui posait n'importe quelle question et il répondait avec référence à l'appui, puisée dans tel ou tel document. Jacques était devenu un dictionnaire ambulant.

Très rapidement, Jacques n'eut plus besoin de sortir de chez lui. Qu'il fût assis au salon ou sur la galerie, il discourait quand un visiteur curieux venait le voir. Quantité de jeunes gens s'arrêtaient chez lui, informés par la rumeur que ce miraculé était devenu un orateur hors pair. Finalement, tout le monde voulait le connaître.

Françoise se demandait comment inverser le cours des choses. Se sentant envahie dans sa maison, elle finissait par en vouloir à Jacques ou à ceux qui le considéraient comme un génie. Elle lui reconnaissait une intelligence supérieure, mais non utilisée à bon escient. Elle s'interrogeait constamment sur sa possible réintégration au marché du travail. Elle força Jacques à trouver une solution à ce problème, sinon ce serait la rupture définitive entre eux.

Elle n'en pouvait plus d'être le seul soutien financier du couple. C'est son grand cœur qui l'empêchait de rompre tous liens avec Jacques puisqu'ils vivaient comme frère et sœur depuis l'accident.

— Jacques! As-tu l'intention de réintégrer le marché du travail un jour ou l'autre? Je veux savoir parce que cette vie de colocataire ne m'intércsse plus surtout si je suis la seule à payer.

— Tu ne comprends pas que l'accident m'a laissé des séquelles physiques et psychologiques?

— Je vois bien qu'il y a des séquelles physiques puisque tu n'as même pas tenté de me faire l'amour une seule fois depuis que tu peux te déplacer librement. Quant aux séquelles psychologiques, je ne les qualifierais pas de spirituelles… Tu sembles t'amuser fermement avec tous tes invités à chaque fois que j'arrive à l'improviste. On ne peut pas continuer comme ça!

— Pour ce qui est de te faire l'amour, je pensais que mon allure physique te dégoûtait et je sais que je ne suis plus que l'ombre de moi-même.

— Penses-tu que l'amour ne tient qu'à l'apparence physique? Si c'était le cas, jc ne t'aurais pas supporté tout ce temps depuis l'accident. Je t'aime ou je t'aimais pour ton physique, mais surtout pour ton intellect! Je ne suis plus certaine si je t'aime encore, car j'en ai ras-le-bol d'être la bohonne et rien d'autre. Dieu sait que je t'ai supporté après ton accident, mais là, je ne suis plus capable.

— Te faire l'amour me plairait énormément si tu oublies que je suis tout brisé, tenta-t-il ainsi de détourner la conversation qui s'envenimait.

— On peut juste se coller et s'échanger de la chaleur humaine! On verra ce qui en découle. Seulement sentir des mains caressantes sur nos corps peut faire toute la différence dans notre relation. J'ai besoin de caresses et de caresser un autre corps que le mien. C'est comme si tu avais demandé à un volcan de s'éteindre juste parce que tu ne voulais pas répondre à la demande.

— Tu es certaine que tu veux que je te caresse et que tu n'éprouveras pas de dégoût? Si tu veux, on peut monter dans notre chambre tout de suite et se caresser autant que tu veux. Ça fait presque deux ans que je veux jouir et si tu m'en laisses la chance, je ne te remercierai jamais assez.

— Allons-y sans plus tarder! Ça me dépasse que deux êtres comme nous aient une si grande carence de communication!

Jacques l'avait manipulée en ramenant la conversation sur le sexe et en jouant sur sa laideur physique qui était ce qui l'avait empêché de lui faire des avances dans ce sens. Il fallait qu'il trouve autre chose pour se libérer de l'obligation de travailler, mais ce n'était pas aussi évident. Il fallait qu'il pense vite et le communautaire, le militantisme, l'action sociale ne l'intéressaient plus du tout. Comme beaucoup de gens qui ont frôlé la mort, sa vie était chamboulée. Il n'avait plus les mêmes priorités. En réalité, il n'avait plus aucune priorité et aurait vécu comme Alexandre le bienheureux jusqu'à la fin de ses jours. Il se demandait comment il avait pu accorder autant d'importance à des choses sans intérêt pour lui maintenant. Il pensa au journalisme, mais il avait perdu jusqu'à la dialectique propre à ce métier. Il n'avait plus le goût d'écrire…

— Tu es encore belle et peut-être même plus belle que mon souvenir. Ta peau est douce et tes seins encore magnifiques, déclara Jacques.

— Ça fait peut-être trop longtemps que tu n'as pas mis d'énergie sur le sexe ?

— Tu as peut-être raison, car je sais que la morphine et la libido ne font pas bon ménage. Je ne veux pas me défendre en mettant tout sur le dos des opiacés dont on me gavait à l'hôpital, mais tu sais que j'avais des douleurs abominables tout ce temps-là. Je pensais plus à me suicider qu'à baiser si tu veux la vérité.

— Tu ne m'as jamais dit ça, Jacques, que tu avais eu des pensées suicidaires ! Pourquoi ne t'es-tu pas confié à moi ? J'aurais pu t'aider…

— Je trouvais que tu en avais assez à supporter déjà ! Si j'étais mort, tu aurais encaissé un paquet d'argent et tu n'aurais pas eu à me supporter tout ce temps-là. J'aimerais m'excuser, mais je ne sais pas exactement pourquoi. Je sens que je t'en ai fait trop baver et je sens que ce n'est pas encore terminé, que je ne suis pas encore sorti de ma noirceur, dit Jacques, tout en la caressant.

— Je suis très sensible à tes caresses…

— Laisse-toi aller Françoise si ça te fait du bien. Je t'en dois tellement !

— Arrête, je jouis ! Oh, c'est bon, c'est tellement bon quand c'est une autre personne qui te fait jouir !

— Je serai plus présent à l'avenir, je te le promets et surtout je vais cesser de te négliger. Qui sait si l'appétit ne reviendra pas ?

— Veux-tu que j'essaie de te caresser ? Ça ne peut pas être désagréable et je ne m'attends à rien sinon à te caresser comme on le faisait au tout début de notre relation, mentionna Françoise.

— Tu peux essayer, mais ne t'attends pas à ce que ce soit comme au début ! Je suis une personne handicapée physiquement et psychologiquement.

— Arrête de t'abaisser, Jacques ! La vie peut encore être très agréable si tu la prends dans le bon sens. Ferme-toi les yeux et laisse-moi faire ce que je veux faire avec ma bouche et mes mains ! Ça fait tellement longtemps que je n'ai pas caressé un homme. Ça m'excite…

Françoise s'exécuta, prélude d'un savoureux moment de volupté. L'orgasme qui en résulta fut d'une telle intensité que Jacques ne réussit pas à garder la tête froide.

— C'est peut-être un coup de chance si j'ai joui moi aussi, mentionna Jacques en redescendant lentement de l'extase qu'il avait atteinte.

— Je suis volontaire pour vérifier l'hypothèse ! Pas tout de suite, mais demain ou après-demain si le cœur t'en dit le moindrement, répondit Françoise.

— Si ce n'était pas de cette satanée douleur qui n'arrête pas de me harceler. Je te garantis que je suis plus précis qu'un baromètre pour prédire la température. La mari… me soulage, mais jamais comme le Demerol ou l'opium. J'essaie de réduire ma consommation et si le docteur m'a prescrit 150 mg toutes les quatre heures, c'est qu'il jugeait que c'était nécessaire…

— Non ! Je te connais trop et je t'ai vu manœuvrer avec le docteur. Il a peur de toi ! J'ai l'impression qu'il pense que tu en sais plus long que lui dans ce domaine, déclara Françoise.

— C'est certain que j'en connais plus que lui sur le sujet parce que ce sont mes os qui ont été brisés et non les siens. En plus de subir des greffes de peau qui me fait ressembler de plus en plus à Frankenstein. Il vaut mieux ne pas aborder ce sujet parce que je sens ma bonne humeur s'envoler.

— Évitons d'en parler, mais il faut trouver une solution pour contrôler tes douleurs afin que tu puisses reprendre une vie normale…

Françoise déposa sa tête délicatement sur l'épaule de Jacques sans dire un mot, surveillant si ça lui ferait mal. Il n'eut pas de réaction alors elle s'enhardit à lui caresser la poitrine, jouant avec ses poils. Elle avait les yeux ouverts et regardait son torse décharné qu'elle ne reconnaissait pas. Elle devait renouer le lien affectif qui s'était brisé en même temps que son corps. Elle avait pitié, car il faisait réellement pitié. Il n'avait jamais eu de gros muscles, mais plutôt des muscles noueux qui en surprenaient plusieurs quand d'aventure on voulait tester sa force. C'était une boule de nerfs un peu comme son père Émile Robichaud, mais maintenant, il n'avait plus ses muscles noueux qui avaient fondu comme neige au soleil après une aussi longue hospitalisation. Françoise avait de la peine d'avoir perdu son amant pimpant qui avait le corps détruit. Elle s'endormit sur son épaule en pensant au passé pas si lointain où ils formaient une formidable équipe.

En se réveillant au milieu de la nuit parce que son bras était engourdi par le poids de la tête de Françoise, Jacques descendit au salon et bourra sa pipe de cannabis et l'alluma. Il gardait négligemment presque une demi-livre de *pot* sur le plancher à côté de son *lazy-boy* comme si c'était normal. Il réfléchissait à ce qu'il venait de vivre avec Françoise. Il venait de découvrir que sa libido n'était pas morte, mais seulement endormie après une longue période d'inactivité.

Il avait trouvé ça très agréable de constater qu'il était encore en vie, mais ça ne réglait pas son problème de retourner sur le marché du travail. Juste la pensée de passer son barreau et de devenir avocat lui donnait la nausée. Se réintroduire dans la « *Rat Race* », porter un costard et une cravate comme à l'époque de la banque, c'était impensable. Il fallait qu'il mette son cerveau à contribution s'il voulait endormir la vigilance de Françoise. Il ne voulait pas la tromper, mais il n'avait pas le choix…

Pressé par Françoise, Jacques avait décidé de se créer un emploi qui lui permettrait de ne pas quitter sa ferme sauf pour faire la fête pendant qu'elle serait au travail. Il devait trouver une façon de mettre à contribution tous ces gens qui rôdaient autour de lui. Un projet se dessinait lentement dans sa tête pour gagner sa vie tout en gardant contact avec ces gens qui avaient développé une sympathie pour lui. Il pouvait encore agir avant que Françoise ne mette à exécution sa menace de le quitter. Il vida sa pipe et la bourra à nouveau de cannabis.

Quand Françoise se leva ce matin-là et qu'elle le trouva au salon entouré d'un nuage de fumée, elle ne put s'empêcher d'exprimer son désaccord.

— Tu ne trouves pas qu'il est un peu tôt pour fumer du *pot*? As-tu fait du café?

Ce sont mes douleurs qui m'ont réveillé et comme j'essaie de réduire la consommation d'opiacés, je me suis dit que la solution était de me bourrer une pipe. Va dans la douche pendant que je prépare le café. Qu'est-ce que tu veux pour déjeuner ? Je peux au moins faire ça pour toi !

— Peut-être que deux rôtis au miel et au fromage feraient l'affaire, répondit-elle, totalement surprise par cette participation soudaine.

Quand elle ressortit de la douche, une odeur de café et de rôtis embaumait la cuisine. Jacques avait bien fait les choses. Il avait coupé des tranches de fromage cheddar à même la meule, une tradition de son enfance, et les avait disposées dans une assiette à côté d'une orange décortiquée en quartiers. Ce simple geste chassa le nuage qui allait se former dans la tête de Françoise. Il y avait peut-être encore espoir… C'était sans oublier leur nuit de la veille. Ils s'étaient retrouvés après tout ce temps à vivre de façon chaste.

— J'ai adoré que tu me fasses l'amour hier soir, c'était fantastique ! déclara Françoise.

— Je t'avoue que j'ai été très surpris de pouvoir performer ! Si tu poursuis tes encouragements comme tu l'as fait hier, il se peut que je redevienne humain et non plus un émule de Frankenstein…

— Arrête de dire ça, Jacques ! Je me suis habituée à tes cicatrices. Tu ne savais pas que les balafres plaisent aux femmes ?

— Il y a tout un écart entre une simple cicatrice et ce qu'ils m'ont fait pour me refaire un nez et une paupière.

— Avoue qu'ils ont bien réussi leur travail. Ton nez est tout à fait normal et ta paupière aussi.

— Peut-être, mais j'ai encore mal aux os ! Je ne sais pas si un jour je pourrai me débarrasser de cette douleur lancinante. Je vais consulter un guide sur les plantes médicinales pour voir si je ne trouverais pas quelque chose de ce côté-là.

— C'est une bonne idée ! Tu devrais même poser la question à ta mère, je suis certaine qu'elle serait une bonne conseillère.

— S'il y a une personne sur terre que je veux garder loin de mes problèmes de santé, c'est bien ma mère ! Tu ne te souviens pas de ses syncopes chaque fois qu'elle venait me voir à l'hôpital ? Ça devenait ridicule…

— D'accord, je n'ai rien dit ! Veux-tu que je regarde les nouveautés en médecine traditionnelle ou en médecine douce à la librairie ?

— Ce n'est pas nécessaire parce que j'ai pas mal tout lu sur le sujet depuis ma trop longue convalescence, mais je vais davantage cibler mes lectures à partir de maintenant, répondit Jacques. Bonne journée !

— Bonne journée ! dit-elle en se penchant pour l'embrasser, ce qu'elle n'avait pas fait depuis des lunes.

Françoise était interloquée par l'attitude de Jacques. Est-ce qu'elle était témoin d'un changement radical d'attitude ou bien ce n'était qu'une de ses façons de se déprendre d'une situation difficile ? Sentait-il trop de pression de la part de sa femme parce que le ton de Françoise avait changé récemment pour devenir plus vindicatif ? Jacques devait se reprendre en main sans plus tarder et le sexe ne ferait que reporter l'échéance pour quelque temps. Françoise exigeait de voir des changements palpables. Elle envisageait d'acheter une seconde automobile au cas où Jacques trouverait du travail. Le transport était un des grands désavantages d'habiter à la campagne. Ils avaient tous besoin de se déplacer selon leurs propres horaires. Jacques pouvait demander à Maxime de le dépanner momentanément, mais lui aussi n'était pas toujours disponible. Jacques abhorrait l'idée de chercher un emploi. Il n'avait jamais eu à le faire dans le passé. On lui avait proposé d'écrire des articles pour différentes revues et Alain lui avait permis d'obtenir son poste de journaliste à *La Voix de l'Est* comme son frère lui avait obtenu son poste à la banque. Il avait une sainte horreur du rejet et il n'avait pas l'intention de se soumettre à ces injures. Il tenterait de se créer un emploi.

Cette journée-là, Jacques passa son temps à lire la *Flore lauren-tienne* du frère Marie-Victorin, cherchant des idées novatrices à ses soins. Il était attiré par l'idée de faire pousser des herbes médicinales en serre, mais n'avait aucune idée du marché possible pour de tels produits. Les jours suivants seraient consacrés à l'étude de faisabilité du projet qui prenait forme dans sa tête. Le même soir, quand Françoise revint du travail, heureuse d'avoir constaté un changement dans l'attitude de Jacques le matin avant son départ, elle trouva ce dernier plongé dans la lecture du *Whole Earth Almanac*. Il cherchait une structure simple qui pourrait satisfaire ses besoins. Il en trouva une en bois qui ne coûterait pas une fortune. Il était très enthousiaste et parla de son projet à Françoise.

— As-tu passé une bonne journée?

— La routine! Et toi?

— J'ai eu une idée et j'espère que tu vas l'apprécier.

— Tu parles d'une idée ou d'un projet que tu mijotes?

— C'est un projet que je dois valider pour en déterminer la faisabilité. Je crois que je serais plus heureux si je me créais un emploi ici même à la ferme.

— À quoi penses-tu?

— À une serre remplie de plantes médicinales selon la vieille tradition des apothicaires. Avec toute cette vague de culture biologique, je suis convaincu qu'il y a un marché pour des plantes médicinales biologiques.

— J'ai vu quelques bouquins en anglais qui traitaient du sujet, mais ça reste très marginal. Il y a des risques d'intoxication à se soigner avec des plantes si l'on ne suit pas la recette à la lettre.

— On pourrait vendre les plantes et les recettes? Si quelqu'un a un rhume, on lui vend le mélange et la posologie pour se guérir. Si un autre souffre d'insomnie, on lui propose différentes recettes, et ainsi de suite avec les maladies les plus courantes. On puise dans les recettes de grands-mères et on les met au goût du jour! Qu'en dis-tu?

— Je ne sais pas. Il y a un coût pour construire une serre, et il y a le chauffage en hiver qui peut être prohibitif. Je crois qu'il faudrait une seconde option, comme des plantes d'intérieur qui pourraient assurer un revenu plus stable, le temps que tu aies développé ton marché en matière de plantes médicinales. Je me demande même si tu ne rencontreras pas quelques difficultés avec certaines instances gouvernementales.

— Tu sembles négative, Françoise? Tu cherches des bibittes là où il n'y en a pas. Pourquoi le gouvernement s'opposerait à ce que je fasse pousser des plantes médicinales?

— Parce que tu veux jouer à l'apothicaire et qu'un apothicaire, c'est un pharmacien. Nous ne sommes plus au XVIᵉ siècle, et même à cette époque, on t'aurait peut-être accusé de sorcellerie… va savoir?

— Tu es vraiment de mauvaise foi! De la sorcellerie? Tu pousses un peu fort… Si tu es contre, dis-le tout de suite et j'oublie tout ça. Ce n'est pas plus compliqué que ça…

— Là, c'est toi qui exagères! Je dis tout simplement qu'il faut vraiment faire le tour de la question avant d'aller de l'avant. Il y a toute la question financière qui n'est pas à négliger. Tu sais que je budgétise très serré parce que je n'ai pas le choix. Tant qu'on n'aura pas reçu la compensation promise par les assurances, on n'aura pas de jeu…

— Maudit argent sale ! C'est toujours la même crisse d'affaire, les compagnies étirent le temps jusqu'à ce qu'on soit sur le point de crever et prêt à accepter n'importe quoi. On reçoit le dixième de la somme escomptée et on devrait sauter de joie en plus de les remercier.

— Pourquoi n'essaies-tu pas d'obtenir un règlement en mettant à contribution un des avocats que tu connais ? Il va coûter de l'argent, mais s'il réussit à débloquer le dossier, il devrait t'en rester suffisamment pour réaliser ton projet.

— Ton idée n'est pas bête ! Il faut à tout prix régler ce litige. Les compagnies d'assurances me doivent de l'argent et il faut que je me renseigne pour savoir lequel parmi mes contacts est le plus apte à obtenir un règlement raisonnable.

— Veux-tu encore un peu de vin avant de souper ?

— Je n'ai pas faim, mais je reprendrais volontiers du vin. Il faut que je choisisse le bon avocat spécialisé dans ce genre de litige. Je vais en parler à Alain Guay, il va sûrement bien me conseiller. Il faut que j'attise son empathie parce que je suis désespéré de ne plus avoir de fric.

Françoise lui servit un verre de vin et s'activa dans la cuisine, pendant que Jacques réfléchissait à son dilemme. Elle prépara des croque-monsieur et une salade. Elle avait réussi temporairement à l'aligner sur une autre voie pour éviter les querelles, car Jacques pouvait être très violent verbalement. Elle le voyait ruminer dans sa chaise berçante en tirant sur sa pipe bourrée de cannabis. Il lui rappelait son beau-père Émile quand il s'emmurait dans le silence comme à ce moment-ci. Le mieux était de lui offrir son repas et de s'occuper d'autre chose. Elle mangea son croque-monsieur et monta se réfugier à la bibliothèque.

Jacques se versa un autre verre de vin et bourra sa pipe à nouveau. Il ne savait pas pourquoi il continuait à fumer du cannabis puisqu'il était déjà complètement *stone*. Il avait mêlé drogues et alcool, et il était aussi abruti que son père quand il absorbait trop d'alcool et ça le répugnait plus que tout. Il jeta un œil sur le croque-monsieur refroidi et la salade que Françoise lui avait préparés, et il se décida à manger parce qu'il voulait dégriser pour mieux réfléchir à ce que serait sa prochaine action.

Pour l'heure, il réfléchissait au fait qu'il s'était mis à détester Françoise parce qu'elle était plus lucide que lui concernant ses projets et qu'elle n'était pas dupe quand il racontait ses balivernes devant une audience. Il craignait qu'elle le dénonce en le traitant de fieffé menteur. Ça le troublait, et une fois de plus, il s'éloignait de l'objectif qu'elle avait fixé pour lui. Finalement, il s'endormit dans son *lazy-boy*. Il dut s'appuyer sur le mur du salon pour s'y rendre.

Le lendemain matin, Françoise le retrouva dans son fauteuil. Il faisait pitié à voir. Elle ressentit même un certain dégoût tant il sentait l'urine et le fond de cendrier. Elle se demandait comment leur couple réussirait à survivre à toutes ces épreuves qui s'accumulaient. L'idée de rompre avec lui et de tout recommencer à zéro lui parut la solution la plus simple. Elle revit ce professeur d'éducation physique qui la poursuivait toujours en lui faisant des avances. Elle savait qu'il la désirait follement et qu'il serait gentil avec elle, même s'il n'avait pas l'intelligence vive de Jacques. Quand elle donnait ses cours, elle se laissait distraire par ces pensées qui l'assaillaient sans répit.

Jacques sortit lentement de sa léthargie. Il regarda l'heure et fut surpris de voir qu'il était déjà 10 heures. Il restait du café froid dans le percolateur. Il le fit chauffer dans une casserole pour étancher sa soif. Pendant que le café chauffait, il pensa à Bernard Trudel, son ami le plus fidèle. Lui saurait lui suggérer un bon avocat. Après avoir avalé son café brûlant et un bout de fromage, il sauta dans la douche. Quand il eut fini sa toilette, il appela Bernard.

— Salut Jacques! Qu'est-ce qui me vaut ton appel?

— Salut Bernard! J'ai besoin de conseils et d'un coup de main. Il faut que tu me réfères le meilleur avocat pour régler mon litige d'assurances.

— Je casse justement la croûte avec Guy Arsenault, le meilleur avocat de la ville, un diplomate-né. Pourquoi ne te joindrais-tu pas à nous ?

— Où et à quelle heure ?

— Midi et trente, au Petit Suisse !

— J'y serai ! Merci, mais j'avais pensé à Alain Guay !

— Alain est un très bon avocat, mais il est débordé en ce moment avec l'office de la construction.

Jacques était rassuré, mais il n'avait pas beaucoup d'argent dans ses poches. Une fois le taxi payé, il serait presque fauché et avec Bernard, c'était rare que ça ne finisse pas par un *party*. Comme d'habitude, il réglerait l'addition… Il fondait beaucoup d'espoir dans cette rencontre. Il connaissait l'avocat Arsenault de vue et de réputation, et sa mine de tribun en imposait. Si ce sénior d'un gros cabinet acceptait, c'était dans la poche, mais pourquoi ferait-il cela ? Par amitié pour Bernard ? Peu lui importait la raison, l'important étant qu'il accepte. Jacques appela un taxi et arriva un peu en avance, vêtu de son veston en velours côtelé, mais sans cravate.

Bernard Trudel et Guy Arsenault entrèrent dans le restaurant en discutant et en riant. En reconnaissant la voix de ses deux meilleurs clients, Henri – le chef et aussi le propriétaire des lieux – vint les saluer en leur offrant l'apéro. Jacques, qui s'était joint à eux, se sentit lésé quand Henri revint avec seulement deux consommations. Bernard apostropha le chef cuisinier.

— Henri! Jacques est mon ami et il a droit aux mêmes privilèges que nous deux, sinon, Guy et moi on n'en veut pas de ton pastis!

— Excuse-moi, Bernard. Je ne savais pas que monsieur était ton ami! Je lui en apporte un à l'instant même. Pardonnez-moi, monsieur!

— Appelez-moi simplement Jacques, j'aurais dû vous le dire que j'attendais ces messieurs.

— D'accord Jacques, je reviens!

— Comment vas-tu, Jacques? Je te présente Guy Arsenault, que tu connais sûrement de vue. Jacques a eu un terrible accident qui a mis en veilleuse sa carrière depuis bientôt deux ans, mais c'est un gars coriace. Il a sa licence en droit et un bac en histoire. Il a été journaliste à *La Voix de l'Est* en plus d'être pigiste pour différentes revues militantes. Quand il a eu son accident, il travaillait pour la Compagnie des jeunes Canadiens à mettre sur pied des coopératives.

— Tu as une feuille de route assez chargée, à ce que je vois. Tu es multidisciplinaire, mais pourquoi n'as-tu pas passé ton barreau? C'était la chose à faire, fit Me Arsenault.

— J'ai été pris de court par mon accident et aujourd'hui, mon intérêt pour mes anciennes activités s'est émoussé.

Ce que je voudrais en ce moment, c'est régler mon dossier d'assurances. Ça fait presque deux ans que les compagnies se renvoient la balle pendant que j'attends qu'un chèque de compensation me soit livré. Il me faut un avocat efficace !

— Je crois que Guy est l'homme de la situation. Seul un diplomate peut réactiver le dossier. Qu'est-ce que tu en penses, Guy ?

— Je crois que tu as raison, Bernard ! Se lancer la balle est monnaie courante dans ce genre de litige, mais je crois qu'ils l'ont égaré. Il faut la remettre au jeu si on veut régler le litige. À quoi t'attends-tu, Jacques ?

— À recevoir au moins le minimum, mais je ne peux pas m'attendre à grand-chose, car je n'avais droit qu'à une allocation de subsistance avec la Compagnie des jeunes Canadiens. J'ai quand même perdu mon auto et subi des séquelles physiques importantes. Je suis chanceux d'être encore en vie…

— Apporte-moi toute la correspondance que tu as eue avec eux le plus tôt possible. Je te facturerai un pourcentage sur ce que je pourrai obtenir à court terme. C'est bien ça que tu veux ?

— Exactement !

— Je ne te fais pas de promesse, mais je vais certainement les réveiller et ils seront bien obligés de s'entendre, précisa Guy.

— Commandons à boire et à manger parce que j'ai une faim de loup, déclara Bernard.

— Merci, Guy, de me donner un coup de main. J'ai un projet qui demande des fonds et ce serait parfait si mon dossier pouvait débloquer…

— Qu'est-ce que t'as derrière la tête cette fois-ci? lui demanda Bernard.

— J'aimerais me construire une serre et cultiver des plantes médicinales…

— Comme du *pot*, par exemple…

— T'es malade, Ben! Je me ferais pincer tout de suite. Tout serait biologique.

— T'as toujours eu un côté granola, pas vrai? À moins que ce soit ta femme?

— Je suis convaincu qu'il y a un marché pour ça, mais pour satisfaire Françoise, j'aurai peut-être des fleurs, on verra…

Après avoir pris leur commande, la serveuse leur apporta le vin qui accompagnerait leur repas. Du rouge, évidemment! La première bouteille fut consommée en un rien de temps. Guy en commanda une autre. La serveuse leur apporta une deuxième bouteille, suivi des assiettes. Jacques se sentait ragaillardi par la prestance de Me Arsenault. Si quelqu'un pouvait l'aider, c'était lui. D'ailleurs, Bernard ne cessait de vanter les qualités de fin négociateur de son ami. Bientôt, une troisième bouteille se retrouva sur la table, et Bernard riait de plus en plus fort, communiquant ainsi sa proverbiale gaieté. Après avoir bu toutes ces bouteilles, ils prirent un Grand Marnier, sans oublier le scotch si cher à Bernard. Vers la fin de l'après-midi, ils quittèrent le restaurant et se rendirent au cinq à sept du café Louis, à deux pas du restaurant. Presque tous les professionnels de la p'tite ville de Granby s'y rencontraient pour un verre ou deux, et le cinq à sept pouvait se terminer tard en soirée. Jacques y rencontra Maxime, qui en avait fait son lieu de prédilection pour prendre l'apéro. Lorsqu'il vit dans quel état se trouvait Jacques, il comprit qu'il avait passé l'après-midi à boire avec les deux larrons qui l'accompagnaient.

— Salut, Max ! Crois-tu que tu pourras me ramener à la maison ?

— Seulement si tu n'as pas l'intention de rester ici trop longtemps, car j'ai déjà faim…

— Je pense que j'ai réglé un gros dossier aujourd'hui quand Guy Arsenault a accepté de prendre ma défense dans le dossier d'assurances.

— Est-ce qu'il va s'en souvenir demain ?

— Je m'en charge personnellement, je dois lui apporter le dossier complet demain matin. Est-ce que tu pourrais m'y conduire ?

— Tu devrais vérifier avec lui s'il doit plaider en matinée. Le meilleur moment de le rencontrer est peut-être l'après-midi. Explique-lui dans le détail les entourloupes dont tu as été victime quand tu étais cloué sur ton lit d'hôpital. Guy Arsenault a beau être compétent, il peut s'embourber facilement dans un dossier qui traîne depuis aussi longtemps.

— Tu as raison! Je vais lui poser la question avant qu'on parte. J'espère que Françoise ne sera pas trop déçue de me voir arriver ivre. Je me suis saoulé pour une bonne cause…, répondit Jacques.

Maxime prit une autre bière et fit signe à Jacques de passer à l'action. Ce dernier s'approcha de Me Arsenault et lui demanda quel serait le meilleur moment pour lui apporter le dossier. Maxime ne s'était pas trompé, l'après-midi était le moment idéal. Ils conclurent donc de se voir vers 15 heures le lendemain. Après être montés dans l'auto, Jacques et Maxime se dirigèrent vers la ferme. Maxime s'interrogeait sur l'accueil que Françoise leur réserverait. Il ne voulait pas qu'elle le croie responsable de l'état de Jacques. C'est donc en craignant de se faire admonester qu'il stationna son auto. En sortant de voiture, Jacques s'écria:

— J'ai trouvé un avocat pour activer le dossier de mon accident!

— Tu as l'air pas mal saoul pour avoir brassé des affaires, répliqua Françoise, agacée par son ivresse.

— Il dit vrai! Je l'ai rencontré au café Louis et il était avec Bernard Trudel et Guy Arsenault. Il a rendez-vous au bureau de Me Arsenault, à 15 heures demain. S'il y a un avocat capable de régler ce litige, je crois que c'est Me Arsenault. C'est un fin négociateur qui en impose, affirma Maxime.

— Tant mieux, parce que je commence à en avoir ras-le-bol de son comportement. Il ressemble de plus en plus à son père. Je ne comprends pas l'importance de se saouler pour faire avancer les choses. Moi, j'ai soupé et il en reste suffisamment pour deux. Je monte dans ma chambre, termina Françoise.

— C'est ce qu'on appelle du soutien moral, Maxime ! fit Jacques en regardant Françoise disparaître de la pièce.

— As-tu faim ? Je peux te préparer une assiette, si tu veux.

— Je n'ai pas faim ! Merci quand même, dit Jacques en quittant la cuisine pour se rendre au salon.

Maxime se servit une assiette de ragoût. Pendant qu'il mangeait, il entendit un ronflement du salon. Il esquissa un sourire parce qu'il ne s'était pas trompé. Le couple allait de mal en pis, et Françoise n'avait pas tort d'être découragée, car elle semblait être la seule à vouloir sauver leur couple. Jacques ronflait tellement fort que Françoise devait l'entendre de sa chambre ou de la bibliothèque.

Françoise rageait. Elle ne pouvait pas admettre qu'il se conduise ainsi alors qu'ils essayaient de se rebâtir une vie normale après tout ce temps perdu. Elle n'avait pas aimé ce qu'elle avait vu. Jacques semblait toujours avoir besoin soit d'alcool, soit de cannabis. Elle l'imagina en train de se saouler avec ses amis pendant qu'elle se crevait à travailler pour sauver leurs actifs. Son plan d'engager Guy Arsenault comme médiateur avait intérêt à fonctionner, car c'était la dernière chance qu'elle lui donnait.

Chapitre 10

Jacques se réveilla au milieu d'une maison silencieuse. Sans savoir quelle heure il était, il décida de se lever de son *lazy-boy*. Il s'en voulait d'avoir fait des abus la veille, mais il était incapable de résister à la tentation. Il buvait jusqu'à plus soif et continuait au point de devenir végétatif. Plus il pensait à son père qu'il avait abhorré toute sa vie pour les mêmes raisons, plus il le comprenait et plus il lui pardonnait d'avoir été un père absent. Il trouva sa canne et retourna s'asseoir pour fumer une pipe de cannabis, qui lui fit le plus grand bien. Il sentait moins la douleur et put marcher avec plus de facilité. Il se fit du café pour s'éclaircir les idées. N'ayant pas faim, il essaya de se concentrer sur son dossier. Sa cause était incontestable et il ne voyait que de la mauvaise foi de la part des compagnies d'assurances, qui avaient laissé traîner sa cause pendant aussi longtemps. Me Arsenault ne ferait qu'une bouchée de ces deux avocats minables à la solde de ces compagnies. Il se demandait s'il ne les accuserait pas d'emblée de collusion. À l'évidence, ils étaient complices ou, à tout le moins, de connivence pour le flouer.

Un peu avant midi, Maxime réapparut. Il n'avait pas oublié son engagement, soit de conduire Jacques au bureau de Me Arsenault à 15 heures. Jacques n'avait pas encore mangé ni pris sa douche.

— As-tu révisé ton dossier ? demanda Maxime.

— C'est ce que j'ai fait ce matin depuis que je suis debout et je viens tout juste de terminer. Je pense qu'on a un dossier solide, et je vais suggérer à Guy de les attaquer pour collusion, répliqua Jacques.

— Je ne sais pas si c'est une bonne idée. Ils vont sûrement se défendre, et qui dit défense dit longs délais... Tu veux être payé le plus rapidement possible, c'est ça ?

— J'ai vraiment le goût de les écraser, ces deux salauds !

— C'est ton passé de militant qui parle, mais tu dois l'oublier pour aller chercher le maximum de fric ! Le temps n'est pas à la vengeance...

— Je pense que tu as raison ! Je vais laisser Guy décider de la tactique à adopter. Au fond, c'est pour ça que je le paie.

— As-tu une idée du montant que tu aimerais obtenir ?

— Compte tenu de toutes mes séquelles physiques, je veux 100 000 $!

— Avant d'avoir payé ton avocat ?

— Idéalement, *après* l'avoir payé...

— Je te le souhaite, mais ça me paraît être beaucoup d'argent.

— As-tu vu mon état physique ? Les séquelles sont perma-
nentes, et on ne parle même pas des séquelles psychologiques…

Maxime déposa devant Jacques un des sandwichs qu'il avait
préparés durant leur discussion, accompagné de chips, et se
servit l'autre, également avec des croustilles. Après ce lunch
qui combla un petit creux, Jacques prit sa douche et changea
de vêtements. À 14 heures, ils prirent la route vers Granby.
Maxime mentionna à Jacques qu'il l'attendrait au café Louis,
à deux pas du bureau de Me Arsenault. Jacques entra avec
son attaché-case et dut gravir les escaliers, les bureaux de son
avocat se trouvant au deuxième étage. Guy l'accueillit avec un
sourire de vainqueur. Après s'être serré la main, Guy l'invita
à entrer dans son bureau. Jacques déposa son dossier devant
Guy et commença à lui exposer les points les plus impor-
tants. Guy vit rapidement de quelle façon il pourrait coincer
les deux avocats. La diplomatie était son point fort et il s'en
servait avec brio. Son approche fut simple : montrer à quel
point Jacques faisait pitié en raison de ses séquelles, mais aussi
en raison du non-aboutissement d'une entente entre les deux
compagnies ; brandir les rapports médicaux qui, s'ils avaient
été consultés par ces deux avocats, attestaient de la gravité
de l'accident et de la longue convalescence qui s'ensuivrait.
Il décrocha le téléphone et les appela sur-le-champ. En cours
de discussion, il les amena à reconnaître leur mauvaise foi,
surtout en ce qui concernait les conclusions des rapports
médicaux, ce qui leur donna des frissons dans le dos. Jacques
fulmina intérieurement quand il entendit Guy parler de lui

comme d'une loque humaine. Il leur demanda un montant de 125 000 $ pour régler le litige, en leur faisant comprendre que c'était un prix pour règlement rapide. Ils s'entendirent pour soumettre la proposition à leur contentieux et reconnurent que c'était la compagnie d'assurances de l'autre conducteur qui devait verser les indemnités.

— Tu m'as fait passer pour un handicapé ! s'écria Jacques.

— Peu importe le moyen utilisé, puisque nous avons atteint notre but. Je les ai convaincus qu'ils faisaient une bonne affaire, moralement et monétairement. De quoi te plains-tu ? Tu voulais 100 000, et tu les auras !

— Tu en es certain ?

— Ma main au feu ! Ta compagnie d'assurances, qui ne voulait pas te payer sans garantie de la partie adverse, n'a maintenant plus d'excuse pour te faire un chèque parce que l'autre accepte de payer…

— Et tu obtiens 25 000 au passage ?

— Tu as tout compris, mon cher Jacques. N'oublie pas que j'ai hérité du rôle de te faire passer pour un pauvre hère et pour un infirme. Tu aurais voulu le faire toi-même qu'ils ne t'auraient pas cru, et ils t'auraient laissé poireauter pendant encore une autre année. Il faut que tous les éléments soient réunis pour que ta cause soit couronnée de succès.

— Je paierai la balance de l'hypothèque et je construirai une serre pour gagner ma vie.

— Une serre, Jacques? As-tu pensé à tout le travail que ça représente? Tu sais que tu n'auras pas une seule journée de répit? C'est peut-être moins exigeant qu'une ferme laitière, mais ça demande une surveillance constante. J'en ai une à l'arrière de ma propriété, et j'ai un système d'alarme qui m'avertit dès qu'il y a un trop grand écart de température, car il ne faut pas que les plantes gèlent. Sans ce système, je ne dormirais que d'un œil. Si je prévois partir pour quelques jours, il faut que j'engage quelqu'un pour surveiller mes plantes. Penses-y bien!

— Je vais y réfléchir et j'attendrai le chèque avec impatience.

— Veux-tu que je leur demande de l'envoyer à mon bureau? Ça pourrait accélérer le paiement.

— Tu crois? Fais pour le mieux parce que tu ne t'es pas trop trompé depuis le début.

— Je leur enverrai des billets de hockey pour créer un lien d'amitié. Ils les auront sur leurs bureaux avant que le chèque soit émis. Un petit rappel ne nuit jamais…

— Je commence à comprendre pourquoi les gens disent que tu es le meilleur. Tu ne négliges aucun détail pour arriver à tes fins…

Guy Arsenault acquiesça en esquissant son sourire le plus éclatant. Ils se serrèrent la main, et Jacques se dirigea vers le café Louis. Il avait une terrible soif. Il se demanda si Maxime ne lui prêterait pas un peu d'argent d'ici à ce qu'il reçoive son chèque. Jacques arriva devant l'entrée du bar avec une mine réjouie. Il était déjà plus de 16 heures. Maxime lui offrit une bière. Juste au sourire de Jacques, il savait que tout s'était bien passé. Jacques avala sa bière d'un trait et demanda à son neveu s'il ne pouvait pas lui avancer un peu d'argent. Ce dernier lui répondit qu'il ne lui restait qu'un seul billet de 20 $ en poche.

— Je peux te payer une autre bière, mais il serait sage que tu rentres tôt si tu veux faire plaisir à Françoise. Elle sera contente d'apprendre ta bonne nouvelle. Au fait, tu ne m'as encore rien dit à ce sujet…

— Je vais toucher 100 000 $ d'ici un mois ! As-tu pensé à ce que je pourrai faire avec tout cet argent ?

— C'est beaucoup d'argent, en effet, mais c'est très peu si on considère les années perdues et les souffrances que tu as endurées et que tu endures toujours.

— Il faut regarder devant, Max ! Ce qui est fait est fait et je n'y peux rien, mais l'argent par contre, je peux faire plein de choses avec, comme apaiser Françoise…

— Elle en a bien besoin, je te le certifie !

— À t'écouter parler, j'ai l'impression que tu es dans ses confidences.

— Je ne dirais pas cela, mais je l'écoute suffisamment pour me faire une idée de ses sentiments, et ce n'est pas la joie… on devrait retourner à la maison pour lui faire la surprise.

— Tu as peut-être raison. On laisse tomber la deuxième bière, il y a certainement encore une cruche de gamay à la maison.

Maxime avait réussi à sensibiliser Jacques sur l'humeur de Françoise. Jacques fondait beaucoup d'espoir sur l'argent qu'il empocherait d'ici peu pour ramener l'harmonie entre eux. Ils étaient tous deux à la maison quand Françoise arriva de l'école. Maxime se trouvait dans sa chambre et Jacques dans le salon, un verre de vin à la main et sa pipe remplie de cannabis dans l'autre. Françoise lui fit une mine renfrognée. Pour elle, rien n'avait changé, Jacques lui renvoyait toujours la même image.

— Prends le temps de te verser un verre de vin, car j'ai une excellente nouvelle à t'annoncer.

— Je n'en ai pas le goût! répliqua-t-elle.

— Prends au moins le temps de t'asseoir, c'est très important!

— Qu'est-ce qu'il y a de si important? dit elle sèchement.

— Je vais recevoir un chèque de 100 000 $ d'ici un mois.

Françoise prit effectivement le temps de s'asseoir parce que 100 000 $, c'était beaucoup d'argent, et elle se sentait en droit d'en réclamer la moitié. Comme il avait parlé au *je*, elle voulait l'entendre raconter les projets qu'il avait en tête. La discussion était déjà mal partie.

— Je vais d'abord nous libérer de l'hypothèque et finir les travaux de la maison. Ensuite, je voudrais une auto parce que je ne veux plus dépendre de quiconque pour aller en ville. Je ne veux pas nécessairement une auto neuve, mais je veux qu'elle soit grosse, peut-être une camionnette, si je réalise mon projet de serre tel que je l'imagine.

— Et moi dans tout ça?

— Que veux-tu dire par «moi dans tout ça»?

— J'ai tout payé depuis deux ans et il me semble que j'ai droit à une bonne partie de ce chèque…

— Si je paie l'hypothèque et les rénovations de la maison, il y en a au moins la moitié qui est à toi, non?

— Je ne veux pas que tu aies le contrôle sur cet argent.

— C'est quand même moi qui ai été accidenté…, répliqua Jacques.

— Et c'est quand même moi qui ai tout payé pendant que tu ne rapportais pas un sou…, répondit-elle du tac au tac.

— On a un mois pour savoir ce qu'on fera de cet argent et ne prends pas le mors aux dents, s'il te plaît.

— Je veux juste m'assurer que tu ne feras pas de folies avec cet argent, c'est tout !

— Es-tu d'accord pour qu'on paie l'hypothèque et qu'on termine les rénovations ?

— Je suis d'accord pour l'hypothèque, mais pour les travaux, j'aimerais que ce soit mon père qui s'en charge.

— Je ne vois pas de problème à ce que ce soit ton père qui finisse les travaux, si ça peut te mettre en confiance.

— Ce n'est pas une question de confiance, mais une question d'économie. Je ne veux plus jamais me retrouver dans une situation financière aussi précaire qu'en ce moment. Ce n'est pas d'hier que cette situation perdure, mais depuis 1970… ça fait presque cinq ans ! Je n'en peux plus d'hésiter avant d'acheter un vêtement de peur de manquer d'argent pour l'épicerie.

— Je comprends ce que tu dis et si tu veux qu'on budgétise serré, on le fera, mais il faut que je puisse réaliser mon projet de serre. J'avais pensé à une serre artisanale en bois, mais aujourd'hui, j'opterais pour une serre Harnois en acier.

— Tu n'as même pas la moindre idée du marché et tu veux te lancer à l'aveuglette dans la culture de plantes médicinales ?

— Arrête de m'attaquer comme ça, Françoise ! On dirait que tu me prends pour un con. C'est quand même moi qui ai souffert et qui souffre encore. Cet argent me revient de droit, et même si je suis prêt à être conciliant parce que je suis conscient que tu m'as soutenu pendant tout ce temps, je t'en prie, ne presse pas le citron jusqu'à ce qu'il n'y ait plus de jus…

— D'accord ! Disons que tu vas agir intelligemment et que tu vas faire une étude de marché sérieuse. Selon le résultat, tu vas aller de l'avant ou tu vas laisser tomber, c'est bien ce que je crois comprendre ?

— Si tu veux. On reprendra la conversation demain parce que je te sens trop agressive en ce moment, et je n'ai pas le goût de me chicaner mais plutôt de fêter, répondit Jacques pour clore la conversation.

Maxime avait tout entendu de sa chambre et sentit que ce n'était pas le bon moment d'en sortir. Malgré une atmosphère orageuse, il trouva la conclusion de Jacques pleine de sagesse. Il avait remporté une grande victoire aujourd'hui et il avait le droit de la savourer comme bon lui semblait. Demain serait assez tôt pour redevenir plus pragmatique et pour satisfaire une Françoise qui aurait pris un peu de recul entre-temps. Elle avait raison sur un point : elle ne devait pas le laisser en contrôle de tout cet argent. De toute évidence, il avait besoin d'enca-drement, mais il n'était pas prêt à le reconnaître. Il rêvait à tout ce qu'il pourrait faire, maintenant qu'il serait riche. Ce combat s'annonçait rude entre eux, et Maxime n'avait pas envie d'y assister et encore moins d'être pris à partie.

La fin de semaine arriva et les deux pugilistes étaient prêts. Ils s'étaient préparés en fourbissant les armes chacun de leur côté. Jacques avait additionné les coûts de son projet : fondations, puits, appareil de chauffage, ventilation, réfrigérateur pour entreposer les bulbes et une cabane pour travailler et recevoir les clients. Françoise ferait valoir l'hypothèque qu'elle avait assumée seule et l'argent qu'elle devait à sa mère et l'évaluation approximative des coûts qu'engendrerait la fin des travaux – information que lui avait fournie son père. Avec ces arguments de poids, ils étaient prêts à l'affrontement. Françoise attendit au déjeuner pour aborder le sujet.

— Alors Jacques, as-tu eu le temps de calculer tes besoins pour réaliser ton projet ?

— J'ai une idée assez précise du coût à plus ou moins dix pour cent…

— Ce fut plus facile pour moi. Nous avons une hypothèque de 25 000 $ avec la Caisse et nous en devons 5 000 à ma mère. Mon père a évalué les travaux à 15 000 $, ce qui inclut la réfection de la toiture. Nous sommes déjà rendus à 45 000 $…

— De mon côté, j'évalue mes besoins à 35 000 $ avec un fonds de roulement de 10 000 $ pour la première année.

— Comme tu peux le remarquer, l'argent fond comme neige au soleil… il ne reste qu'un malheureux 10 000 $ pour parer à toutes surprises désagréables comme un bris de fournaise, de chauffe-eau ou d'appareils électriques. Je plaide pour que nous placions ce 10 000 $ en cas de coups durs et pour que nous soyons tous deux signataires avant de pouvoir y toucher, répliqua Françoise.

— Je ne suis pas d'accord ! C'est moi qui ai souffert et je considère que cet argent me revient de droit. Je raye l'hypothèque et je paie les rénovations, il me semble que c'est suffisant, non ?

— Qu'est-ce que tu veux en faire ? Le dilapider ?

— Cet argent-là m'appartient, Françoise, et je ne sais pas ce que je veux en faire, mais peu importe… je ne veux plus vivre en quêteux et si j'ai envie de faire quelque chose, je veux pouvoir le faire sans quémander ni demander la permission à qui que ce soit. Je ne suis pas un enfant, tout de même…

— D'accord, mais paieras-tu ton écot au même titre que moi ou Maxime ?

— Si ça ne prend que cela pour te satisfaire, pourquoi pas ?

La conversation se termina abruptement, car Françoise n'était pas enchantée par sa conclusion. Elle avait au moins sauvé l'essentiel, pensa-t-elle. Un paiement en moins et la maison enfin transformée en un lieu habitable. L'argent était déjà dépensé sans qu'ils aient reçu quoi que ce soit de la compagnie d'assurances. Ils avaient une confiance presque aveugle en Me Arsenault.

Comme prévu, le chèque arriva au bureau de Guy Arsenault. Jacques fit un chèque de 25 000 $ à l'avocat, puis se rendit à la caisse populaire Boivin pour le déposer. Il garda 1 000 $ comme argent de poche, pour faire un peu comme son père Émile. Il décida de s'acheter une camionnette. Il se rappelait que son père avait eu un Ford et que c'était un véhicule fiable. Il trouva un Ford 100 4x4 de 1973. Il régla l'achat sans plus tarder et repartit avec la camionnette en direction du café Louis. Il voulait se retrouver parmi ses amis et leur offrir une tournée pour fêter l'événement. Arrivé devant l'immeuble, il se gara pour que tous puissent admirer sa rutilante camionnette. Avant qu'il ne quitte le garage, on l'avait astiquée et nettoyée de fond en comble.

— T'as vu mon *pick-up*, Nick?

— C'est vrai qu'il est beau, mais pourquoi un *pick-up*?

— J'ai des projets!

— Quel genre de projets? demanda Nick.

— Il est trop tôt pour en parler, mais je te le dirai le moment venu. Apporte de la bière à tout le monde, car j'ai le cœur à la fête!

Nick servit de la bière à tous les habitués, qui étaient peu nombreux vu l'heure. Jacques prit une table en vitrine et avala une bonne rasade de houblon. Bientôt, il vit le notaire Trudel arriver. Il le héla et lui offrit un scotch St. Léger.

— Comment vas-tu, Jacques? J'ai su par Guy qu'il avait réglé ton problème d'assurances à ta satisfaction.

— Je suis passé à son bureau cet avant-midi et il m'a remis le chèque. Je peux dire qu'il a été drôlement efficace. J'ai voulu rayer l'hypothèque de la maison, mais il y avait une pénalité assez élevée si je payais avant l'échéance. Je crois que je vais remettre l'argent à Françoise pour lui permettre de dormir en paix. Je me suis acheté un *pick-up*, il est juste là devant l'entrée.

— Ouais! À ce que je vois, tu n'aimes pas que ça niaise! C'est pour ton projet de serre?

— Exactement, et de plus, je finirai de rénover la maison!

— C'est drôle que tu me dises ça parce que je vais faire de même avec la mienne. J'ai bien peur que ça me coûte cher, parce que j'engage des artistes qui vont créer un environnement unique au monde…

— J'ai des projets plus terre à terre que toi, mais j'ai bien l'intention de me payer la traite moi aussi…, répondit Jacques.

— Envisages-tu de passer ton barreau malgré tout? Ce ne serait pas une mauvaise idée d'avoir ça dans ta poche en cas de coups durs.

— Je n'ai vraiment plus le goût d'être avocat, même si Guy me prenait dans son cabinet. Mon accident a changé mes priorités dans la vie. Je n'ai pas pour objectif de me crever pour la gagner. Elle est trop fragile…

— Prendrais-tu une autre bière?

— Oui, mais c'est moi qui paie!

Jacques passa la soirée à fêter sa bonne fortune. Quand il rentra chez lui, il était passablement éméché. Maxime était déjà couché, mais Françoise faisait la correction de devoirs tout en se demandant où il pouvait bien se trouver. Quand elle entendit l'arrivée d'un véhicule, elle regarda par la fenêtre et aperçut Jacques. Que faisait-il avec une camionnette? Juste à le voir claudiquer, elle savait qu'il avait bu plus que d'habitude. Elle retourna à ses corrections, n'ayant pas envie de discuter avec un ivrogne. Jacques vint la rejoindre à l'étage après avoir signé un chèque de 45 000 $ pour couvrir l'hypothèque, le prêt de sa belle-mère et les rénovations.

— Je me suis acheté un *pick-up* parce que je sais qu'il me sera très utile bientôt. Voici un chèque qui devrait te rassurer. Quant à ce soir, j'ai fêté l'événement, mais dès demain, je me mets très sérieusement au travail. Je vais essayer de me trouver un homme pour m'aider. Je prévois me rendre aux serres Harnois, à Saint-Thomas-d'Aquin, pour voir leurs produits.

— Il manque les 10 000 $ à déposer dans un compte sans droit de retrait à moins de deux signatures ! Les aurais-tu oubliés ?

— Oui, effectivement ! Je te fais le chèque tout de suite…

Jacques s'exécuta sur-le-champ. Comme le ton de Françoise n'invitait pas à la discussion, il laissa le chèque sur la table de la bibliothèque et redescendit au salon pour se bourrer une pipe de cannabis. Pendant qu'il fumait, il pensait à ses amis et à ceux parmi eux qui étaient sans travail. Puis il fut foudroyé par une image : Dennis ! Grand et costaud et pourvu qu'il ne manque pas de psychotropes, il était l'homme de la situation. Jacques se limitait à la consommation de cannabis depuis un bon moment, mais il n'hésiterait pas à consommer de la mescaline ou du LSD, que la douleur fût aiguë ou non. Il se promit de le contacter dès le lendemain par l'entremise de Maxime. Il s'endormit à nouveau sur son *lazy-boy*. Quand il se réveilla à l'aube, il fit ses ablutions matinales et se prépara du café. Quand il fut prêt, il s'en versa une grande tasse et alla le boire sur la galerie, bien assis sur sa chaise berçante, tout en regardant l'endroit où il envisageait de construire sa serre.

Il ne lui restait qu'un détail à régler à cet effet et seul un sourcier pouvait lui donner la réponse. Y avait-il une source d'eau tout près ? Jacques chercha dans sa mémoire s'il connaissait quelqu'un qui maniait la baguette de noisetier. Il pensa à s'informer auprès de son père, âgé maintenant de soixante-dix-huit ans. Depuis qu'il était à la retraite, il était plus avenant avec ses proches et il aurait sûrement quelqu'un à lui suggérer. Maxime, son petit-fils, était devenu très proche de lui, alors qu'il détestait son grand-père quand il était enfant. Émile n'était plus tout à fait le même homme, même s'il buvait toujours autant. Jacques demanderait à Maxime de conduire Émile jusqu'à la ferme. Maxime l'amenait souvent à Stanbridge East chez son frère Aimé, maintenant veuf. Émile aimait se faire balader dans la petite MGB rouge décapotable, mais cette fois-ci, Maxime l'amènerait chez son plus jeune fils, Jacques, car il n'y avait que les vieux pour croire encore à cette méthode archaïque pour trouver une veine d'eau.

— Bonjour Maxime! C'est une très belle journée, ne trouves-tu pas?

— C'est vrai que le soleil est magnifique et j'ai dormi comme un loir.

— Qu'est-ce que tu as au programme aujourd'hui?

— Rien de bien particulier sinon profiter du beau temps dans ma décapotable.

— As-tu une idée pour rejoindre Dennis? Je voudrais lui offrir du boulot.

— Je le joins toujours par l'entremise de sa mère. Je peux l'appeler, si tu veux. Dis donc, tu t'es offert un beau *pick-up*!

— Avec les plans que j'ai en tête, il sera très utile. De plus, j'ai gardé une crainte depuis l'accident, je préfère donc rouler avec un plus gros véhicule que la petite Austin que j'avais à ce moment-là. J'ai même un peu de difficulté avec ta MGB et Dieu sait à quel point j'ai aimé ce genre de véhicule… j'ai un autre service à te demander et ça concerne mon père. Je ne veux pas me rendre chez lui et faire face au questionnaire de ma mère. Je l'aime beaucoup, mais je n'ai pas la tête à répondre à ses questions. Peux-tu aller chercher mon père ?

— Pourquoi ton père ? demanda Maxime.

— Je veux lui demander s'il connaît un sourcier !

— Ce que je peux faire, c'est lui demander s'il connaît un sourcier et te donner l'information.

— Ouais, tu as raison ! Ce ne sera guère mieux si je me retrouvais avec mon père ici alors que j'ai à discuter avec Dennis de mon projet.

— Il me semble que tu fais bien du mystère pour rien ! J'ai plein de trucs à régler aujourd'hui.

— D'accord, oublie ça, mais pose-lui la question, Max ! J'ai fait du café, si tu en veux, sers-toi !

Jacques donna un coup de fil à Dennis, qui dormait toujours à cette heure-là. Il demanda alors à sa mère de rappeler Jacques Robichaud dès qu'il se réveillerait parce que ce dernier avait du travail pour lui. Il se versa du café et se fit deux rôties. Au même moment, Françoise descendit pour se rendre au travail.

— Où est Jacques? demanda-t-elle.

— Il boit son café sur la galerie! C'est une journée magnifique…

— Comment est-il?

— Il a l'air bien et il a plein de projets en tête. J'aime bien le voir comme ça! répondit Maxime.

— Tant mieux, mais j'ai toujours peur qu'il s'emballe!

— Après avoir passé quelques années à ne rien faire, ça peut être normal, mais si tu le surveilles de près, tu devrais être en mesure de voir venir ses excès.

— Je ne suis pas sa mère, mais sa femme et, de toute façon, ce rôle ne m'intéresse pas du tout. J'ai d'autres chats à fouetter à l'école.

— Moi aussi j'ai autre chose à faire, mais je suis prêt à l'aider dans la limite de mes capacités. J'ai postulé pour quelques postes, mais le voyage m'attire encore énormément.

— J'aimerais ça, être libre comme toi et m'envoler à la découverte du monde, mais ma réalité est tout autre, répondit Françoise.

— La liberté, c'est un choix et il y a toujours un prix à payer. Ce n'est pas si facile de vivre sans attache. La société nous pousse à vivre en clan entouré d'amis et de collègues prêts à nous aider chaque fois que la tristesse nous envahit, dit Maxime.

— Il faut que je me dépêche sinon je vais être en retard… Bonne journée !

Françoise attrapa son sac, embrassa Jacques rapidement et disparut au volant de sa voiture. Se sauvait-elle ? s'interrogea Maxime. Il termina son déjeuner, car il devait partir à son tour.

— Je t'appellerai si j'ai le nom d'un sourcier, d'accord ?

— D'accord ! répondit Jacques. Bonne journée !

Maxime se dirigea vers la maison de sa mère Monique, qui était voisine de celle de son grand-père. Il alla saluer sa mère, qui était toujours aussi heureuse d'avoir de ses nouvelles et qui regrettait de ne pas le voir plus souvent. Il ne voulait pas lui faire de chagrin en lui annonçant qu'il se préparait à partir pour un long voyage à travers les États-Unis, le Mexique, l'Amérique centrale, puis l'Amérique du Sud. Il fallait qu'il parte ou qu'il se trouve un emploi, car le pécule qu'il avait amassé durant son dernier voyage au Maroc s'écoulait trop rapidement. Il ne savait pas s'il pourrait refaire le trafic de devises qui avait été si rentable auprès des membres de l'ACDI (Agence canadienne de développement international). Il avait la bougeotte, ce qui risquait d'inquiéter sa mère. Après une brève conversation avec elle, il se rendit chez son grand-père pour se renseigner à propos d'un sourcier. Il le trouva dans son garage, en train de se bercer.

— Salut pépère! Comment ça va aujourd'hui?

— Ça va comme c'est mené! Ça veut dire que ça va assez ben… Qu'est-ce que tu fais dans les parages?

— J'avais une petite question pour toi. Je suis à la recherche d'un sourcier et je me suis dit que tu devais sûrement connaître les meilleurs…

— J'en connais ou j'en connaissais, parce que ceux que je connais sont pas mal vieux ou déjà morts. Le meilleur, c'était le père Messier, mais il a certainement quatre-vingt-dix ans sonnés. Il restait pas loin d'icitte, sur le chemin de Quesnel, juste en haut de la côte, sur le Button. J'ai pas entendu dire qu'y était mort.

— On pourrait aller le voir?

— Si tu veux, c'est juste à côté.

— Allons-y! lança Maxime.

Émile monta dans la petite décapotable et donna les directives à Maxime pour se rendre chez le père Messier. Ils furent sur place en moins de deux et ils descendirent de l'auto. Un vieil homme sortit de la maison, se demandant qui pouvaient bien être ces visiteurs.

— Père Messier, c'est Émile Robichaud pis mon p'tit-fils Maxime ! Me replacez-vous ?

— Qui tu dis ?

— Émile Robichaud, de la rue Sainte-Rose !

— Oui ! Oui ! Je me rappelle de toé. Que me vaut l'honneur ?

— Mon p'tit-fils a besoin d'un sourcier pis j'ai pensé à vous tout de suite ! Vous étiez le meilleur dans le temps et j'me suis dit que ça se perdait pas…

— J'suis quasiment rendu sourd pis aveugle ! Ça fait ben longtemps que je ne me suis pas servi de ma branche de noisetier. Elle est toujours accrochée dans la remise.

— Ça vous tente-tu de vous réessayer ?

— Comment ? demanda le père Messier qui, à l'évidence, n'entendait plus rien.

— Ça vous tente-tu de vous réessayer ? cria Émile.

— Ben oui ! m'a dire comme c'te gars, ça se perd pas !

— Combien vous chargez ?

— Tu me donneras ce que tu veux si c'est correct pour toé.

— Quand est-ce que ça vous adonne ?

— N'importe quand, ça fait pas de différence, répondit le père Messier.

— Aussi bien régler ça tout de suite, mais il faudrait que je te ramène chez toi et que je revienne le chercher, dit Maxime à son grand-père.

— Ça me dérange pas! J'peux même m'en retourner à pied…

— T'es certain?

— Ben oui, c'est juste une p'tite marche de santé! Embarque le père Messier à ma place pis ça va être ben correct!

Maxime était mal à l'aise de ne pas ramener son grand-père, mais en effet, ce n'était pas loin. Le père Messier eut de la difficulté à monter à bord de la petite décapotable tant le siège était bas. Une fois à bord, il tenait son chapeau, de peur qu'il parte au vent. Il tenait sa baguette d'une main et son chapeau de l'autre. Heureusement, le parcours n'était pas très long pour se rendre à la ferme de Jacques et Françoise. Jacques fut très surpris de voir Maxime arriver avec un vieillard. Il se leva pour les accueillir.

— Salut Jacques, je te présente M. Messier, le meilleur sourcier de la région, mais il faut que tu parles fort parce qu'il est pratiquement sourd. Une fois rendu chez le grand-père, je me suis dit qu'on pouvait régler ça tout de suite. Qu'en penses-tu?

— D'accord! Bonjour monsieur Messier, j'ai besoin d'un puits dans ce coin-là de la prairie, dit Jacques en lui montrant l'emplacement où il prévoyait dresser sa serre et en hurlant presque.

— On va regarder ça! répondit le père Messier en tenant sa baguette devant lui.

Le vieil homme marcha en direction de l'emplacement désigné, guidé par sa baguette qui semblait avoir une vie propre. Tout à coup, la baguette vibra, attirée par le sol. Jacques et Maxime qui le suivaient furent franchement étonnés. Le père Messier arpentait le terrain tout en regardant les réactions de sa baguette jusqu'au moment où il s'arrêta pour pointer l'endroit où le signal avait été le plus fort.

— C'est ici qu'il y a la plus grosse veine. Vous ne manquerez pas d'eau si vous creusez ici, c'est certain!

— Ça pourrait aller parce que c'est à peine à six ou sept mètres de l'entrée de la serre. Je vous dois combien pour ce service? demanda Jacques.

— Tu me donnes ce que tu veux parce que c'est un don que j'ai et je n'ai pas le droit d'en faire le commerce...

— Est-ce que 20 $ ça vous irait?

— Dix dollars seraient suffisants...

— Prenez ces 20 $! Ça me satisfait parfaitement, monsieur Messier, dit Jacques.

Maxime ramena le père Messier chez lui et il était fier d'avoir contribué à régler le problème de Jacques en deux temps trois mouvements. Il détestait tout ce qui traînait en longueur. Entre-temps, le grand Dennis avait rappelé Jacques. Ce dernier lui expliqua ce qu'il attendait de lui. Dennis accepta l'offre. Il mentionna qu'il serait à la ferme à 13 heures pour parler plus en détail du projet. Dennis correspondait exactement au type de personne dont Jacques avait besoin, parce qu'il était enthousiaste et travaillant ; de plus, la nouveauté l'emballait. À 13 heures, il était là.

— Salut, Jacques ! Comme ça, tu as de gros projets ?

— Ouais ! Je veux construire une serre de plantes médicinales ou autres si le marché n'est pas assez gros au début.

— C'est un beau projet ! Où veux-tu la mettre en place ? demanda Dennis.

— Ce matin, j'ai eu la visite d'un sourcier et il a trouvé une grosse veine d'eau juste à l'endroit où j'ai planté un piquet. Il faut dresser la serre le plus près possible de cette source. Il faut aussi prévoir un stationnement pour la clientèle sans empiéter sur le chemin existant.

— Quelle dimension elle aura, ta serre ?

— J'avais pensé à trente pieds sur soixante pieds, mais il faudrait aller voir le fabricant Harnois à Saint-Thomas-d'Aquin, près de Joliette. Il aura certainement des suggestions ou des choix à nous offrir.

— Quand est-ce qu'on y va ?

— Demain ! Aussi bien battre le fer pendant qu'il est chaud…

— Pas de problème ! Il faudrait partir assez tôt.

— On se rejoint ici à 7 heures et on déjeunera en route, suggéra Jacques.

— Parfait ! Qu'est-ce qu'on fait pour le reste de la journée ?

— On pourrait aller s'acheter une caisse de bières ?

— J'ai de la mescaline, en veux-tu ? demanda Dennis.

— Un n'empêche pas l'autre… qu'en penses-tu ?

— T'as ben raison !

Dennis sortit deux gélules de mescaline, en avala une et donna l'autre à Jacques, puis tous les deux partirent en quête d'une caisse de bières. Quand ils revinrent, la mescaline avait déjà commencé à faire effet. Ils se sentaient très bien et se mirent à visualiser l'emplacement de la serre. Jacques fouilla dans la remise à la recherche d'un rouleau de corde, d'un galon à mesurer, d'une équerre et de quelques piquets pour délimiter le futur emplacement de la serre. Ils déroulèrent la corde selon la longueur et la largeur voulues, puis Jacques vérifia le trécarré. Après quelques ajustements, ils avaient une bonne idée de la surface requise pour creuser le puits et pour aménager le stationnement en fonction de la serre et de la maison.

Après tous ces efforts et ces calculs, les deux compagnons retournèrent s'asseoir sur la galerie et s'ouvrirent chacun une bière. Ils contemplèrent leur travail en silence tout en savourant leur bière. Jacques était étonné qu'il puisse avoir conservé son pouvoir de concentration malgré la mescaline. De toute évidence, Dennis n'avait pas été affecté lui non plus.

— Ton stock est vraiment bon, Dennis ! J'avais l'impression d'être plus allumé que normalement.

— C'est vraiment de la bonne poudre à prendre à petites doses, mais si on exagère, l'effet sera contraire et notre comportement deviendra erratique. Je ne crois pas que c'est ce que tu souhaites, répondit Dennis.

— Tu as raison, mais j'en voudrais quand même si tu peux m'en procurer. J'aurais un petit budget pour ce genre de trucs.

— Il n'y a aucun problème, et le gars qui me le vend a aussi des champignons.

— Je suis preneur, mais il faudrait être discret devant Françoise parce que je ne tiens pas à me faire enguirlander pour des détails, tu comprends ?

— C'est la tombe…

— Donc, demain on se rend à Saint-Thomas et j'espère y trouver ce que je veux.

— C'est un produit québécois et donc adapté au climat. Je suis bien curieux de voir la ventilation et le chauffage. J'en connais un qui chauffe au bois et c'est une maudite job…

— Moi, ce sera à l'huile même si ça coûte plus cher. Je n'ai pas l'intention de me lever en pleine nuit pour aller bourrer la fournaise.

— Je pense comme toi. Sortir en pleine nuit dans un froid sibérien, c'est vraiment déprimant… Une dernière bière et j'y vais si je veux mettre la main sur mon *pusher*. T'en veux pour combien ?

— Cent piastres, est-ce que c'est correct ?

— Tu vas en avoir pour un bon boutte…

Le lendemain, ils prirent la route pour Saint-Thomas. Dennis conduisait pendant que Jacques étudiait la carte routière. Ils trouvèrent sans difficulté l'entreprise qui fabriquait les serres. Il y avait plusieurs modèles et celui qui plut à Jacques était modeste, mais suffisant pour un novice. Le prix lui convenait, et il avait emporté avec lui les plans de la réception et de l'aire de travail afin que ni l'une ni l'autre n'empiètent sur la partie consacrée à la production. Jacques avait noté les dimensions exactes des fondations. Il voulait une livraison pour la semaine suivante. Avant de partir, il fit un chèque pour régler le montant de la serre. Jacques était satisfait, mais en même temps un peu inquiet, car il voyait son pécule fondre plus vite que prévu.

— Il va falloir qu'on soit sérieux d'ici à ce qu'on reçoive la serre, dit-il. Il faut que j'appelle un puisatier dans les plus brefs délais. J'espère qu'il n'aura pas à creuser trop profond…

— Arrête de t'en faire, Jacques! Ça va bien aller, tu vas voir. J'ai déjà fait des fondations auparavant sur une dalle de deux pieds à trois pieds de profondeur sur un solage de huit pouces et c'est suffisant.

— On va suivre la directive du puisatier à la lettre. Comme ça, on n'aura pas de problème.

— Comme tu veux! *You're the boss!*

— D'habitude, ces gens-là ont une longue expérience. Pourquoi prendraient-ils des risques? fit remarquer Jacques.

— Tu as raison! Ce ne serait pas à leur avantage.

Dès le lendemain, le puisatier et le conducteur de l'excavatrice reçurent un appel. Dennis loua un niveau dont se servent les arpenteurs pour être bien sûr que la fondation serait à la bonne place. Ce type de travail était très difficile pour Jacques. Ses os le faisaient toujours souffrir en raison des muscles qui s'étaient atrophiés. Heureusement, Dennis s'y connaissait en fondation et quand la bétonnière arriva, il était prêt à prendre les choses en main. Ce fut un travail lent, mais l'important était qu'il soit bien fait. Une semaine plus tard, la serre était installée, l'eau du puits raccordée, et il ne restait que l'électricité à brancher. Jacques était exténué, mais Françoise l'encouragea à persister. Elle était fière de lui et elle le lui faisait sentir en lui proposant des massages. Ils firent même l'amour, et Jacques avait l'impression que la hache de guerre était enterrée pour toujours.

Sans l'aide et l'encouragement de Dennis, Jacques aurait abdiqué, car c'était au-dessus de ses forces. Quand les premières plantes furent installées sur les tables dont la surface était un treillis métallique, Jacques comprit l'ampleur de sa bêtise. Il réalisa qu'il serait l'esclave de milliers de plantes. Il n'avait pas droit à l'erreur, et il y avait tout un monde entre la théorie et la pratique. Il se plongeait tous les soirs dans la lecture de livres botaniques ou autres pour essayer de comprendre les maladies qui pouvaient attaquer ces jeunes plants sans parler des acariens qui pouvaient envahir une serre en un rien de temps. Jacques avait développé une connaissance profonde de la botanique et de l'horticulture. Françoise voyait enfin une activité qui pourrait générer non seulement un revenu, mais aussi un travail pour occuper Jacques de façon constructive, mais ce qu'elle ne voyait pas, c'était que la tâche se révélait trop exigeante pour Jacques.

Pendant un certain temps, tout fonctionna rondement et la clientèle était au rendez-vous, mais il était crevé à la fin de ses journées. Françoise aidait Jacques du mieux qu'elle pouvait, tout en continuant à enseigner. À la fin de l'automne, Jacques était exténué. Il ne pouvait pas recourir à de l'aide extérieure, les revenus qu'il tirait de sa serre ne justifiant pas une telle dépense. Il se remit à boire et à consommer toutes les drogues qu'on pouvait lui procurer. Les clients le trouvaient de plus en plus étrange et tiquaient quand ils voyaient une bière ou une bouteille de vin traîner çà et là. Il était souvent d'une saleté repoussante et parfois ses propos devenaient incohérents. Un soir, il se vida le cœur auprès de Françoise.

— Je ne suis plus capable de sentir les clients ! À les écouter parler, ils en connaissent plus que moi et ça, je ne le prends pas. J'ai foutu une cliente dehors ce matin parce qu'elle voulait négocier le prix d'un poinsettia et d'un cyclamen. Il aurait fallu que je lui donne une des deux plantes. J'aime mieux les laisser crever plutôt que de les donner.

— Jacques ! Il faut que tu te reprennes en main au plus vite. Tu pues l'alcool et tu sens le cannabis à lever le cœur. Quand as-tu pris une douche pour la dernière fois et changé de vêtements ? Je peux te le dire : ça fait plus d'une semaine. Même moi tu me fais fuir…

— Occupe-toi de la serre dans ce cas-là parce que moi, j'en ai plein le cul de faire des courbettes. Avoir su ce que je sais maintenant, la serre n'aurait jamais existé.

— Le problème, c'est qu'elle existe et que tu as englouti 30 000 $ dans cette aventure-là ! Je t'avertis : si tu laisses tomber ton activité, tu peux aussi bien faire ta valise et te trouver un logement à Granby. Je n'en peux plus de t'endurer. Un homme si intelligent qui se laisse abattre pour un rien, je ne te comprends plus.

— Tu sais que je ne marcherai jamais sous la menace. Je te ferai remarquer que je suis autant chez moi que toi.

— Ta serre ne rapporte pas d'argent et c'est à peine si elle paie l'huile pour la chauffer. Ça ne va plus du tout !

— Arrête de me rebattre les oreilles avec la même chanson ! Je n'en peux plus de tes reproches, madame la parfaite...

— Tu m'écœures, Jacques ! Quand je te vois, je crois voir ton père, mais lui au moins il a pour excuse d'être illettré alors que toi, tu as de la culture, un bac en droit et un autre en histoire. Comment peux-tu te laisser aller à la fainéantise avec un tel bagage ? Il y a quelque chose qui ne tourne pas rond dans ta tête...

Jacques se réfugia dans le silence et, ce soir-là, il ferma la serre pour ne plus jamais y remettre les pieds. Quand on lui demandait ce qu'il advenait de sa serre, il répondait qu'elle était en dormance comme les vivaces en hiver, mais en réalité, il avait laissé mourir les plantes par esprit de vengeance. Il ne bougeait plus de son *lazy-boy*, fumant du cannabis toute la journée et prenant d'autres drogues qu'il pouvait s'acheter, car il avait caché un peu d'argent dans ses tiroirs. Il attendait le moment propice pour s'en aller, malgré l'impatience de Françoise de le voir déguerpir au plus vite.

Chapitre 11

Pour Françoise, ce fut la goutte d'eau qui fit déborder le vase. Elle l'expulsa, même s'il résistait à cette éviction. À force de harcèlement, Jacques finit par se trouver un appartement, un beau logis qui devint rapidement crasseux en raison de sa grande paresse. Bien qu'il lui restât encore de l'argent, il vivait du bien-être social. Il fabriquait son vin dans le salon et, pour ce faire, il s'était procuré cinq ou six touries. Ce vin qui fermentait empestait tout l'immeuble. À côté des touries qui longeaient le mur, il avait entassé tous ses livres qu'il était allé chercher à la ferme. Il avait aussi rapporté son *lazy-boy*, qui tombait en ruine, et sa chaise berçante. Il avait réussi à se trouver un vieux frigidaire, un poêle et un grabat.

Jacques vivait comme un clochard et dépendait de ses anciens amis. Il était d'une saleté répugnante, mais n'avait rien perdu de sa verve qui lui valait une bière de temps à autre. Quand il s'écroulait, intoxiqué par ses drogues, il y avait toujours une âme charitable pour le raccompagner chez lui. Ceux qui l'avaient connu auparavant le prenaient en pitié. Un soir qu'il était complètement ivre, il sortit du bar et tenta de démarrer son *pick-up*. Comme sa camionnette était manuelle, il échappa la pédale d'embrayage au démarrage, emboutissant l'auto garée devant lui. Il tenta de faire marche arrière, mais en reculant, il frappa l'auto derrière lui. Paraissant insensible aux dommages qu'il venait de causer, il s'engagea tant bien que mal sur la rue Principale, ignorant les feux de circulation qu'il croisa le long de son trajet. Une fois stationné dans la cour de son immeuble, il coupa le moteur et vomit sur lui, puis s'endormit dans sa vomissure.

— Monsieur Robichaud! demanda le policier qui cognait dans la vitre, monsieur Robichaud, réveillez-vous!

— Il est complètement ivre et, en plus, il a vomi sur lui! signala l'autre patrouilleur. Qu'est-ce qu'on fait de lui? Devrait-on appeler les ambulanciers?

— Je pense que c'est la seule chose à faire, car il est dans un état comateux. Heureusement qu'il a vomi, sinon il ne se serait probablement jamais réveillé ce matin…

— C'est bon, j'appelle les ambulanciers, et on lui fera prendre une prise de sang une fois rendu à l'hôpital. Je vais aussi appeler une dépanneuse pour amener sa camionnette à la fourrière. Il y a suffisamment d'indices sur les deux pare-chocs pour prouver que c'est bien lui qui a embouti les deux autos sur la rue Principale.

— Est-ce qu'on devrait tenter d'identifier le tenancier qui l'a laissé prendre la route dans cet état?

— Il était stationné en face de la rue Saint-Joseph! Il pouvait aussi bien sortir de la taverne centrale ou de la taverne nationale et peut-être même du café Louis, mais il ne semble pas être le type de client du café Louis. On oublie ça!

Dès leur arrivée, les ambulanciers l'allongèrent sur une civière et Jacques vomit à nouveau, ce qui les fit maugréer. Pour eux, il y avait une différence entre un accidenté de la route et un ivrogne qui vomissait dans leur véhicule. Les policiers promirent aux ambulanciers qu'ils seraient à l'hôpital aussitôt que la dépanneuse aurait embarqué la camionnette à la fourrière. Une fois à l'hôpital, un policier fouilla dans ses poches. Jacques avait gardé l'adresse de la ferme sur son permis de conduire et sur l'enregistrement du véhicule. Il appela donc à la ferme.

— Bonsoir madame, connaissez-vous Jacques Robichaud? demanda le policier.

— Oui! C'est mon mari, mais il n'habite plus avec moi, répondit Françoise, endormie.

— Savez-vous où il habite?

— Pourquoi toutes ces questions? A-t-il eu un accident ou un malaise? demanda Françoise, de plus en plus nerveuse.

— Un peu des deux, madame! Pour l'instant, il est soupçonné d'avoir embouti deux autos et d'avoir commis un délit de fuite. Il vient d'être transporté à l'hôpital, il était dans un état comateux causé par la consommation d'un cocktail d'alcool et de drogue!

— Est-ce que sa vie est en danger?

— Je ne crois pas parce qu'à l'hôpital, on vient de lui faire un lavement d'estomac. Il aura sûrement un mal de bloc quand il se réveillera, surtout quand il réalisera qu'il est dans le trouble, répondit le policier.

— Moi, monsieur l'agent, je m'en lave les mains et vous ne m'avez pas contactée. Qu'il se démerde !

C'était on ne peut plus clair ! Françoise ne voulait rien savoir de son ex-mari ivrogne. Le policier comprenait sa réaction, il aurait réagi de la même manière s'il avait été à sa place. Pour l'heure, il fallait mettre un policier de garde au chevet de Jacques Robichaud et attendre qu'il soit suffisamment lucide pour le conduire au poste et lui faire subir un interrogatoire. Il serait probablement libéré sur parole, mais il n'en était pas moins dans le pétrin. Le personnel de l'hôpital semblait le connaître, ce qui intrigua le policier.

— Comment se fait-il que tout le monde le connaisse ?

— Il a passé plus d'un an alité sous traction ! expliqua l'infirmière qui était de garde. Elle lui fit un résumé de tout ce qu'il avait dû faire et endurer pour retrouver un semblant de vie.

— C'était un accident de voiture ?

— Il se rendait au travail quand un automobiliste l'a frappé de plein fouet ! Cet homme-là est un miraculé…

— Il ne semble pas avoir réussi sa réinsertion sociale. Il a plutôt l'air d'une loque ! répondit-il.

— Que voulez-vous ? Il vit sur du temps emprunté…

Le policier ne saisissait pas très bien ce qu'elle entendait par là, mais il eut un élan de compassion pour Jacques Robichaud après cette conversation. Au matin, Jacques fut surpris de se réveiller sur un lit d'hôpital. Au début, il crut à un cauchemar et referma les yeux. Quand il rouvrit les paupières, il comprit qu'il était bel et bien dans un centre hospitalier, sans toutefois se souvenir des raisons qui l'avaient amené dans cet hôpital. Il remua ses membres et constata qu'il n'avait rien de brisé, mais il avait une soif terrible. Il portait une jaquette qui lui rappelait de mauvais souvenirs et se demandait où étaient ses vêtements.

— Comment vous sentez-vous ce matin ? lui demanda le policier.

— J'ai très mal à la tête et je n'ai aucun souvenir d'avoir été hospitalisé.

— Vous allez être accusé d'ivresse au volant et de délit de fuite puisque vous avez frappé deux véhicules stationnés le long du trottoir. Je vous laisse vous habiller. Après, je vais vous amener au poste pour une mise en accusation. J'ai l'impression qu'on va vous libérer et que vous pourrez retourner chez vous, lui répondit le policier.

— Où sont mes vêtements ?

— Il faudrait demander à l'infirmière. Ils n'étaient pas propres puisque vous vous êtes vomi dessus.

— Sacrament!

L'infirmière se présenta et prit sa pression. Elle lui donna deux cachets d'aspirine pour réduire son mal de tête et l'informa que ses vêtements étaient à la buanderie et qu'elle allait s'assurer qu'ils étaient lavés. Elle revint avec un sac de vêtements propres. Jacques les enfila en vitesse. Il tendit ensuite les bras au policier pour qu'il le menotte. Normalement, il aurait dû lui passer les menottes derrière le dos, mais comme l'homme ne semblait pas être une menace, il se contenta de les lui mettre devant. Ils firent le voyage jusqu'au poste et furent accueillis par son coéquipier. Ce fut la prise d'empreintes et de photo, avec un matricule inscrit au bas du cliché le montrant de face et de côté. Puis le chef arriva et le libéra comme prévu. Jacques n'habitait pas très loin et entreprit de se rendre, rue Drummond, à pied. Sur son chemin, il croisa la taverne de l'hôtel Windsor, non loin du poste. Il surpassa sa tentation d'y entrer, mais ne put résister à la deuxième lorsqu'il se trouva en face de la taverne de l'hôtel Granby. Il en franchit le seuil et se commanda une draffe. Il sentit passer la première, mais la deuxième coula naturellement. Il se sentait revivre chaque fois qu'il en calait une. Après avoir bu pour 2 $ de bières, il était à moitié ivre. N'ayant pas sa canne, il se rendit aux toilettes en titubant. Le serveur, qui le vit chanceler, n'avait pas l'intention de le laisser quitter les lieux, même à pied. Voyant que Jacques ne ressortait pas des latrines, il décida d'aller voir ce qui se passait.

— Est-ce que ça va ? demanda-t-il.

— Ça va aller ! répondit Jacques.

— Es-tu certain ? Tu sembles mal en point.

— J'ai glissé par terre, mais j'ai pu me relever, et je te dis qu'il n'y a pas de problème, répliqua Jacques.

— Je veux te voir avant de retourner auprès de mes clients.

Jacques ouvrit la porte. Le serveur constata qu'il s'était vraiment fait mal. Ses lunettes étaient cassées et il saignait du nez, bien que chaque narine fût bourrée de papier de toilette. Il avait aussi une légère blessure sur le nez. Le serveur en conclut qu'il s'était cogné la figure contre la céramique, près des urinoirs. Il se rendit compte aussi qu'il avait uriné dans son pantalon.

— Je ne peux pas te laisser partir comme ça ! Je vais te payer un taxi qui va te reconduire jusqu'à ta porte. Tu restes où ?

— Juste à côté, sur la rue Drummond, fit Jacques.

— Attends-moi ici et éponge-toi le nez avec d'autres papiers pour arrêter le saignement ! T'es-tu rendu compte que tu avais pissé dans tes culottes ?

— J'avais trop envie et après m'être retrouvé par terre avec le nez cassé, je n'ai pas pu me retenir plus longtemps.

— Je vais aller chercher la serpillière pour laver le plancher. Et je t'appelle tout de suite un taxi.

Jacques tenta de se laver la face pour effacer les preuves de sa chute. Il enfouit ses lunettes abîmées dans la poche de son manteau et il tenta d'enlever les papiers qu'il avait enfoncés dans ses narines. Il réussit à les retirer sans provoquer de saignement. Il avait le nez très sensible, et sans ses lunettes, sa vue n'était que masse embrouillée. La première chose qu'il ferait en arrivant chez lui, ce serait de les réparer, pensa-t-il. Ce n'était vraiment pas sa journée ! Le serveur revint avec la serpillière pour absorber l'urine et le sang qui maculait le plancher.

— Le taxi t'attend à l'arrière du stationnement. Fais attention à toi et couche-toi un peu, je suis certain que ça va te faire du bien.

— Merci bien ! Je te revaudrai ça…

— Ce ne sera pas nécessaire ! Fais juste attention à la quantité de bière que tu peux supporter, répliqua le serveur, content de se débarrasser d'un client problématique.

Sur ce, Jacques quitta les toilettes et sortit à l'extérieur.

— Où est-ce qu'on s'en va ? demanda le chauffeur de taxi.

— Pas très loin, sur la rue Drummond, je te ferai signe quand on y sera !

— D'accord !

Quand ils furent à proximité, Jacques montra au chauffeur de taxi l'immeuble dans lequel il habitait. Ce dernier immobilisa son véhicule juste devant l'entrée et lui demanda s'il avait besoin d'aide.

— Je pense que je vais être correct !

— T'es certain ?

— Certain !

Le chauffeur l'observa se diriger vers l'immeuble d'un pas incertain et remarqua que l'allée était glacée. Il sortit de son taxi pour voler au secours de son client. De toute façon, l'hôtel le payait pour rendre ce genre de service, et il était suffisamment costaud pour soutenir un gringalet comme Jacques. Il lui prit le bras et l'amena jusqu'à la porte. Une fois là, il attendit que Jacques lui donne ses clés, mais ce dernier ne les trouvait plus. Il fouilla dans toutes ses poches, puis finit par les dénicher. Le chauffeur prit le trousseau de clés et déverrouilla la porte. Après avoir aidé Jacques à entrer dans le logis, il déposa les clés sur la table. Il jeta un coup d'œil à l'appartement et le trouva très sale. Aussi décida-t-il de repartir sans tarder et salua aimablement Jacques. Ce dernier essaya de se déchausser, mais sans succès, et se rendit avec bottes et manteau dans sa chambre. Il se laissa choir sur le lit et sombra dans un sommeil profond.

Françoise, qui était malgré tout inquiète, appela Dennis et lui raconta l'appel qu'elle avait reçu en pleine nuit. Dennis fit quelques recherches et on lui confirma, au poste de police, qu'il avait été relâché tôt le matin. Il alla frapper chez Jacques, mais n'obtint aucune réponse. Il se promit de revenir en fin de journée pour s'assurer que tout allait bien. Vers 18 heures, Dennis cogna de nouveau à sa porte tout en l'appelant. N'ayant aucun écho de son appel, il tourna la poignée et poussa la porte. Il garda ses bottes vu la malpropreté des lieux. Il se dirigea vers la chambre et trouva Jacques, qui ronflait, étendu sur le dos, avec son manteau et ses bottes. Il le secoua doucement.

— Jacques! Jacques! Réveille-toi!

— Qu'est-ce qui se passe? Le feu est pris?

— Non! C'est moi, Dennis. Je suis passé au début de l'après-midi, mais tu n'as pas répondu. Cette fois-ci, j'ai tourné la poignée et j'ai réalisé que ce n'était pas barré. C'est Françoise qui m'a appelé ce matin. D'après la police, tu aurais fait un *hit and run*. Est-ce que c'est vrai?

— Je ne me souviens plus de rien, mais il me semble que j'étais à la taverne ce matin et que je suis revenu en taxi, mais c'est flou dans ma tête… Où sont mes lunettes?

— Je ne les vois pas! Elles sont peut-être dans tes poches? Vérifie donc pour voir, avant que je fasse le tour de l'appartement.

Sortant lentement des brumes, il se rappela qu'il les avait brisées et mises dans les poches de son manteau. La monture était cassée et les vitres tellement sales qu'on ne pouvait pas déterminer si elles étaient égratignées ou non.

— Là, je suis vraiment dans la merde ! Sacrament, je ne vois rien sans mes lunettes.

— As-tu du *tape* électrique et de la colle contact ? Je pourrais te les réparer temporairement, l'encouragea Dennis.

— J'ai tout laissé mes outils, et la colle et le *tape*, à la ferme. Il va falloir que j'y retourne pour ramasser toutes mes affaires…

— Ce ne sera pas pour demain. Ton *pick-up* est à la fourrière municipale et ton permis est suspendu jusqu'à ce que tu passes devant le juge. Pour tes lunettes, je pense que j'ai ce qu'il faut dans le coffre de mon auto. Attends-moi, je reviens !

Jacques essaya de se lever. Tout son corps était endolori. Ses anciennes blessures le faisaient souffrir. Il n'y avait que les opiacés pour endormir sa douleur, mais il n'en avait pas. Il chercha désespérément son sac de cannabis. Malgré sa vue médiocre, il le trouva. Dennis revint avec le ruban électrique et tenta de fixer ses lunettes. Jacques put voir mieux une fois le verre lavé. Le pantalon qu'il portait sentait l'urine, mais Jacques ne semblait pas indisposé par l'odeur. La faim le tenaillait.

— Est-ce qu'on pourrait aller manger quelque part ? J'ai tellement faim que je crois que je mangerais mes tripes…

— Il faudrait que tu prennes une douche avant de faire quoi que ce soit. Ça va te faire du bien et te sortir de ta torpeur…

— D'accord, mais à condition que tu m'attendes. N'en profite pas pour te sauver quand j'ai besoin de toi! Quelle heure est-il?

— Dix-neuf heures et des poussières… moi aussi j'ai faim!

Jacques se défit de ses habits pestilentiels et prit une douche qui lui fit le plus grand bien. Il se sentait soudainement ragaillardi, ce qui stimula sa mémoire. Par contre, il ne trouvait pas très réjouissantes les images qui commencèrent à affluer à son esprit. Il se rhabilla et apprécia avoir des vêtements propres sur lui. Même rafraîchi, il ne payait pas de mine avec sa barbe clairsemée et ses cheveux trop longs. Porter des lunettes lui faisait mal en raison de sa blessure ouverte sur le nez. Il aurait aimé avoir un diachylon. Vivant dans le plus grand dénuement, il n'avait même pas ce produit essentiel qu'on trouvait dans les foyers. Entre-temps, Dennis s'était roulé un joint et attendait patiemment que Jacques soit prêt. En regardant l'appartement, il en conclut que ça aurait pu être un bel endroit où vivre, à condition d'y faire un minimum d'entretien. Lui qui était un grand lecteur considéra comme un sacrilège la pile de livres poussiéreux qui gisaient au centre du salon.

— Je suis prêt! déclara Jacques.

— Allons-y! Qu'as-tu le goût de manger?

— Quelque chose de bon et de pas trop cher !

— Chez Belval, peut-être ?

— Pourquoi pas ?

Ils se dirigèrent vers l'auto de Dennis, et Jacques se demanda quand il pourrait récupérer son *pick-up*, car en plein cœur de l'hiver, ce ne serait pas une sinécure de se déplacer. Il n'était plus un adepte de la marche depuis son accident, et par temps humide, la douleur devenait intolérable. Dennis trouva à se garer dans le stationnement municipal, à l'arrière du restaurant.

— Je pense qu'on va avoir une grosse bordée de neige avant longtemps. Le ciel est lourd et il me semble que c'est moins froid, mentionna Dennis.

— Je n'ai pas besoin de regarder le ciel pour savoir que c'est plus humide et qu'il va neiger. J'ai tellement mal aux os qu'il faut que je trouve de la morphine ou de l'opium au plus vite. La douleur est tellement intolérable que je voudrais disparaître de la surface de la Terre. Je passe ma vie à combattre cette hostie de douleur-là et j'en ai ras-le-bol. Quand je suis saoul et *stone* en même temps, je ressens quand même de la douleur, mais j'ai l'impression d'être hors de mon corps et je regarde ma vieille carcasse avec un désintéressement absolu.

— Je n'ai jamais pensé que tu pouvais souffrir autant, Jacques ! Barry ou Jimmy en ont peut-être, mais je ne comprends pas que ton médecin ne te propose rien pour te soulager.

— Je n'ai plus de médecin et le dernier parlait de douleurs fantômes. Pour lui, le problème serait d'ordre psychologique. Je m'en contrebalance que ce soit dans ma tête, j'ai mal quand même. Pourquoi penses-tu que j'ai besoin de me geler autant ? Ce n'est pas normal de souffrir le martyre…

— Écoute, Jacques ! Je ne comprends rien à tout ça, mais si tu veux que je te trouve de la dope, je peux essayer. Ça peut être des produits pharmaceutiques, non ?

— N'importe quoi qui m'enlèvera la douleur sera bienvenue.

— Tu ne penses pas que ça pourrait être causé par ta consommation d'alcool ?

— Si je bois autant, c'est pour calmer la douleur. C'est un cercle vicieux…

— T'as jamais pensé à une cure de désintoxication ?

— Ne recommence pas avec ça ! Je ne veux rien savoir des psys, et oublie tout ça ! Je vais m'arranger avec mes problèmes…

— Calme-toi, Jacques! T'es donc bien à cran… j'ai juste soulevé l'idée. Ce n'est pas une raison pour pogner les nerfs. J'essaie de t'aider. Mangeons, dit Dennis, on verra après. OK?

— Je m'excuse d'être aussi à pic, mais disons que j'ai eu de meilleures périodes dans ma vie! N'oublie pas de faire sortir mon *pick-up* de la fourrière parce que je pense que ça coûte vingt piastres par jour.

— On ne peut rien faire avant demain, mais je n'oublierai pas. Promis!

— Une chance que t'es là, parce que je ne peux plus compter sur Françoise, elle est vraiment en colère après moi, s'indigna Jacques.

— Il faut que tu la comprennes, Jacques! Se faire réveiller en pleine nuit par la police pour se faire dire que tu as commis un délit de fuite, toi-même tu serais exaspéré. Mets-toi à sa place, fit remarquer Dennis.

— La police n'avait pas à l'appeler! répondit Jacques, frustré.

— Rien de tout cela ne serait arrivé si tu avais fait ton changement d'adresse!

— Changeons de sujet parce que ça me déprime de parler de ça…

Dennis en avait plus qu'assez des problèmes de Jacques. Mais, par amitié, il était prêt à l'aider. Après le souper, ils se rendirent chez Barry, qui habitait dans le rang Papineau. Comme il s'y trouvait, il put vendre à Jacques de l'opium d'assez bonne qualité, mais cher : 400 $. Dennis resta surpris de voir Jacques posséder autant d'argent liquide sur lui et de le voir glisser sur la table d'aussi grosses coupures. Il soupçonna Jacques, sous ses allures de mendiant, d'avoir de l'argent caché dans ses tiroirs. Il savait qu'il faisait pression sur Françoise pour qu'elle vende la ferme afin de bénéficier de la part qui lui revenait, mais Françoise n'était pas pressée de vendre. Dennis le reconduisit chez lui, tout en lui promettant de sortir sa camionnette de la fourrière dès le lendemain. Il lui expliqua qu'ils devaient être trois, puisque son permis était suspendu. Si Jim était disponible, c'est lui qui ramènerait sa camionnette jusque sur la rue Drummond.

Lorsque Dennis arriva chez lui, Françoise lui avait laissé un message. Elle voulait qu'il la rappelle, peu importe l'heure. Malgré l'heure tardive, il composa son numéro.

— Bonsoir Françoise, je m'excuse d'appeler aussi tard, mais tu m'as demandé de te rappeler, alors me voilà…

— Je te remercie de l'avoir fait, car je voulais absolument avoir des nouvelles de Jacques. On ne peut pas avoir vécu ensemble aussi longtemps sans s'inquiéter de l'autre, mais avoue qu'il a fait de belles bêtises.

— Je suis d'accord avec toi. Mais je me demande si la grande responsable n'est pas la douleur qui ne semble jamais vouloir le quitter. J'ai trouvé un homme défait qui souffrait le martyre. Il a besoin d'aide !

— Je suis d'accord avec toi, mais il tente toujours d'abuser de moi chaque fois que je veux l'aider. C'est malheureux à dire, mais il faudra que je mette encore plus de distance entre nous deux. Je veux qu'il me considère comme son amie, et non pas comme son ex-épouse. Je veux bien lui prêter de l'argent, mais il ne faudrait pas qu'il sache que ça vient de moi.

— Demain, je vais récupérer son *pick-up* à la fourrière. Ma crainte, c'est qu'il s'en serve même si son permis est suspendu pour trois mois, mentionna Dennis.

— S'il s'enfonce plus profondément dans des problèmes, il n'y a rien qu'on puisse faire pour lui...

— Je lui ai parlé d'une cure de désintox, mais il m'a envoyé promener et il ne veut rien savoir des psys non plus, répliqua Dennis.

— Laissons-le aller. On verra s'il se reprend en main ou s'il préfère descendre jusqu'au fond du baril. Là-dessus, je te souhaite une bonne nuit et tiens-moi au courant s'il y a du nouveau.

— Tu peux compter sur moi. Bonne nuit, Françoise.

Dennis n'avait pas l'impression de trahir son ami Jacques, mais de l'aider et de le protéger contre lui-même. Après avoir raccroché, Françoise se demandait comment Jacques avait bien pu en arriver là. Maintenant, il n'était que désastre et autodestruction. Elle savait que peu de gens auraient traversé l'épreuve qu'il avait vécue sans en sortir affaibli, mais elle l'aurait cru plus fort mentalement. Elle l'avait toujours considéré comme une espèce de génie, mais elle n'avait pas perçu la fissure chez lui. Elle avait toujours vu que l'ombre d'Émile se cachait dans les replis de sa personnalité. Il avait cette tendance à l'alcoolisme qui avait pris de l'ampleur à la suite de sa consommation de drogues, légères au début, psychédéliques par la suite, puis dures après son accident. Aujourd'hui, elle éprouvait de la pitié pour lui. C'était bien triste, pensait-elle, pendant que le sommeil la fuyait. Quel gaspillage de talents! Pouvait-il surmonter sa déchéance physique? Elle se demandait s'il n'aurait pas été préférable qu'il décède, plutôt que de vivre cette lente descente aux enfers… Elle s'endormit sur cette pensée.

Dennis se présenta, comme prévu, chez Jacques avec Jimmy. Il était déjà debout, buvant du café et fumant sa pipe bourrée de cannabis. Il semblait avoir récupéré après avoir pris une cuite de deux jours. Dennis le trouva d'une maigreur presque cadavérique, mais la lueur qui scintillait dans ses yeux lui confirmait qu'il se sentait d'attaque à récupérer son *pick-up*.

— Salut Jimmy! Merci de me donner un petit coup de main aujourd'hui. Tu as bien ton permis dans tes poches? Parce qu'ils vont te le demander avant de te laisser partir avec mon *truck*.

— *Don't worry, Jacques! I've got it all…* t'es-tu en forme, toé?

— Autant que je peux l'être! Allons-y…

— Habille-toi chaudement parce qu'il fait un froid de canard. J'espère que ton *pick-up* va démarrer.

— J'ai des câbles si jamais il devenait capricieux, mentionna Jacques.

— Je n'ai vraiment pas le goût de me geler les doigts à manipuler des câbles. Mais soyons positifs, il va démarrer au quart de tour, dit Dennis.

Après s'être rendus au poste de police pour régler quelques papiers et le remisage de son véhicule, ils se rendirent à la fourrière, qui était gérée par la dépanneuse. Ce dernier leur ouvrit la barrière sur la foi d'une autorisation délivrée par la police. Jacques voyait sa camionnette pour la première fois depuis son arrestation. Il regarda de près les dommages qu'avait subis son véhicule. Sa manœuvre malhabile ferait les annales du café Louis pendant longtemps. Le pare-choc avant portait des marques de peinture rouge, et celui d'en arrière des marques de peinture noire.

— À ce que je vois, je ne les ai pas manqués ni l'un ni l'autre, déclara Jacques en éclatant de rire. C'est clair que je ne devais pas avoir l'espace nécessaire pour sortir pour que j'en frappe deux !

— Il ne lui reste qu'à démarrer sans toussoter, lança Dennis.

— Laisse-moi m'en charger parce qu'il peut être capricieux parfois, dit Jacques entre deux hoquets.

— Je ne suis pas certain que ce soit une bonne idée, s'interposa Jimmy.

— Je ne le conduirai pas, je veux juste le démarrer, sacrament, Jimmy !

Jacques prit place au volant, alluma les lumières brièvement puis donna deux coups d'accélérateur avant de tourner la clé de contact. La camionnette démarra en frissonnant. Jacques lâcha un cri de victoire, mais attendit que le moteur soit chaud avant de céder sa place à Jimmy. Ce dernier ramena le véhicule et Jacques au bercail, puis Dennis ramena Jimmy chez lui. Jacques se retrouva donc seul chez lui. Il se mit à vérifier l'état du vin dans ses touries. Deux d'entre elles ne montraient aucune activité de fermentation. Il décida de goûter à ce vin avec l'aide d'une pipette. À force d'y goûter, il avait bu presque deux litres en quelques heures. Une fois ivre, il bourra sa pipe d'opium. Après quelques inhalations, l'effet ne se fit pas attendre : il sombra rapidement dans une profonde torpeur. Plus rien n'avait d'importance, il avala une dernière pipette de vin avant de s'endormir dans son *lazy-boy*.

Le lendemain, il se rendit compte qu'il n'avait presque plus de nourriture ni de café. L'idée de prendre son *pick-up* pour s'approvisionner lui traversa l'esprit, mais il en connaissait trop les risques. Il se contenta de reprendre du vin dans la tourie déjà entamée. Il but un autre litre avant de sentir la faim le tenailler. Sachant que l'opium calmait la faim, il en mastiqua une boulette avant de s'étendre sur son lit. Il ne prit pas la peine de se déshabiller, car il ne faisait qu'une petite sieste. Il fut soudain réveillé par des coups frappés à la porte. Après avoir crié qu'il venait, il se leva de peine et de misère et se rendit jusqu'à la porte. En l'ouvrant, quelle ne fut pas sa surprise d'y apercevoir Françoise.

— Qu'est-ce que tu fais ici ?

— Je voulais constater par moi-même dans quel état tu étais ! Est-ce que je peux entrer ? demanda-t-elle.

— Bien sûr, j'étais couché…

— Jacques, tu m'inquiètes. Je sais que ça ne me regarde plus, mais c'est plus fort que moi. Tu es tellement maigre qu'on pourrait penser que tu as le cancer.

— Je ne te ferai pas ce plaisir, Françoise !

— Tu crois que je t'en veux ou que je te hais, mais ce n'est pas le cas… j'ai de la compassion pour toi.

— J'en ai rien à branler de ta pitié de merde! répondit-il, agressif.

— Pourquoi es-tu aussi brutal envers moi? Tu sais que je t'ai beaucoup aimé, mais que ce n'était plus possible entre nous. On se serait détruit mutuellement si on avait continué à vivre ensemble.

— Pourquoi es-tu ici, alors? Nous n'avons plus rien à nous dire! Tu m'as vu, je respire toujours. Tu peux retourner chez toi maintenant.

— J'ai un acheteur pour la ferme et je voulais te consulter. Il m'offre 125 000 $, une fortune! Avec la moitié de cet argent, je peux m'acheter un joli cottage dans un beau quartier de Granby. Et toi, qu'est-ce que tu feras avec la tienne?

— Je ne sais pas! Je verrai quand je l'aurai en poche.

— Ne sois pas si cynique, Jacques! Je ne mérite pas ton mépris. Tu pourrais toi aussi repartir du bon pied si tu le voulais. Je ne veux que ton bien, et tu le sais…

— Excuse-moi, Françoise! Avec tous les malheurs qui s'abattent sur moi en ce moment, je ne peux même pas m'offrir le luxe de m'approvisionner en nourriture.

— Tu peux aller au magasin en taxi ou avec un ami, et si tu as besoin d'un peu d'argent, je peux toujours t'en avancer.

— Je ne veux pas de ta charité, merci quand même !

— Je serai toujours là si tu as besoin de moi, parce que tu as été l'homme de ma vie.

Ces dernières paroles ébranlèrent Jacques. Françoise se rendit compte qu'il était très ému. Elle avait les yeux embués elle aussi et comprit qu'il était temps de partir. Aussitôt qu'elle eut refermé la porte et qu'il entendit ses pas s'éloigner, il avala une autre boulette d'opium. C'est alors qu'il put mesurer la profondeur de son désarroi et à quel point il avait raté sa vie. Il aurait dû mourir lors de ce terrible accident. Il se versa un autre verre de vin pour oublier sa faim, sa vie, et s'endormit dans son *lazy-boy*. Il rêva à son passé pas si lointain quand il avait connu Françoise et sa première nuit d'amour avec elle.

Chapitre 12

Quand le printemps arriva enfin, Jacques était au plus mal. À part les rares visites de Dennis et de Jimmy, celui-ci le fournissant en drogue et celui-là l'aidant à faire son épicerie, il vivait en ermite ou comme un ours en hibernation. Il mangeait très peu, buvait sa piquette, mangeait son opium et fumait de la feuille de cannabis que les producteurs jetaient. Les consommateurs s'étaient raffinés en ne fumant que la fleur.

— Je n'ai jamais trouvé l'hiver si long, Dennis !

— Tu ne sors jamais de chez toi non plus, Jacques. Il faut que tu bouges ta carcasse ! L'autre soir, j'ai rencontré Bernard Trudel. C'est un gars qui t'aime bien. Il me racontait les bons moments que vous aviez eus ensemble. Tu devrais te forcer pour sortir un peu. T'es blême, tu fais peur !

— Je vais retrouver mon permis au mois de mai, et la ferme va être vendue et payée. Là, ça va être le temps de sortir ! En attendant, je fais le mort…, déclara Jacques.

— C'est de cela que tu as l'air, d'un mort ! Les gars commencent à s'inquiéter. Qu'est-ce que je réponds ?

— Dis-leur que ce ne sera plus très long et que je vais recommencer à hanter le café-terrasse et le café Louis. Je n'ai plus une cenne et j'attends mon chèque du bien-être. Les armoires sont vides au point que j'ai dû manger des spaghettis avec du ketchup, répondit Jacques.

— Veux-tu que je te prête un peu d'argent en attendant?

— Ce ne sera pas nécessaire. Je devrais recevoir mon chèque bientôt.

— C'est comme tu veux! Si tu as besoin de quoi que ce soit, tu sais où me rejoindre…

Jacques avait menti. Il avait toujours de l'argent caché dans ses tiroirs, mais c'était son secret. Il tenait cette manie d'Émile, son père. Depuis quelque temps, il avait commencé à réduire sa consommation d'opium et de vin volontairement. Il regardait sa pile de bouquins qui trônait au centre du salon et il l'avait surnommée son cimetière littéraire. Il en tirait un livre au hasard à l'occasion, mais il le rejetait par terre dès qu'il réalisait qu'il se rappelait l'avoir lu. Dans ses résolutions, il avait décidé de fréquenter à nouveau la bibliothèque municipale de Granby, pour nourrir son esprit de nouvelles connaissances.

Jacques avait reçu une carte postale de Maxime qui revenait de son voyage autour du monde. Il était en Colombie et s'apprêtait à quitter ce pays pour aller au Panama. Il avait l'intention d'être au Québec au plus tard en mai ou en juin. Jacques avait pris conscience que le temps passait et qu'il était temps qu'il sorte de sa torpeur. Après le départ de Maxime,

Jacques habitait encore à la ferme, avec Françoise. Ça faisait déjà deux ans qu'il était en voyage, et un an que Jacques habitait en ville. Il réalisa qu'il avait perdu la notion du temps et qu'on était rendu en 1977. Quel gâchis! Comment avait-il pu gaspiller sa vie à ce point? Il fallait qu'il se reprenne en main, car ce n'était pas une vie ce qu'il vivait, mais l'enfer! Valait mieux mourir plutôt que de continuer ainsi. Cette dépendance aux opiacés, cette saleté de drogue, il devait y mettre fin, mais comment? Il pensa à contacter Françoise pour trouver un peu d'encouragement et de compassion. C'était la seule personne à qui il pouvait s'ouvrir sans honte. Elle l'avait soutenu après son accident, jusqu'à ce qu'il dérape complètement. Sont-ce les remords qui lui faisaient consommer autant d'opium, d'alcool? Pourquoi avait-il détruit sa vie ainsi? Il devait appeler Françoise, car il avait peur de se suicider. Elle serait de bon conseil. Cette fois, il était prêt à l'écouter.

— Françoise! C'est moi. J'ai besoin d'aide. Peux-tu venir, s'il te plaît?

— Je suis là dans quinze minutes!

— Merci énormément! Si tu savais…

— Ne fais pas de bêtises, j'arrive tout de suite.

Jacques était soulagé, mais à la fois honteux d'avoir à supplier Françoise, non pas pour l'aider financièrement, mais moralement. Sans qu'il eût à prononcer de mots, il savait qu'elle avait compris. Telle une femme de parole, elle arriva chez lui plus tôt que prévu. Elle avait craint qu'il se suicide, c'est pourquoi elle avait fait vite. Quand il lui ouvrit la porte, elle le prit dans ses bras et l'étreignit non pas comme une maîtresse, mais comme une grande amie qui serait là pour lui pendant toute sa vie. Jacques n'avait pas ressenti une telle tendresse depuis fort longtemps, mais il ne devait pas confondre empathie et désir charnel. Pour cette raison, elle se détacha de lui, l'invitant à s'asseoir à la table de cuisine.

— Jacques! Ne me fais plus une telle peur, car j'aurais pu avoir un accident ou blesser quelqu'un… Qu'est-ce qui ne va pas?

— Ma vie n'a plus de sens! Tout ce que je fais de mes journées, c'est de bouffer de l'opium, boire de la piquette et fumer de la feuille de *pot* dont personne ne veut. Quand l'opium ne fait plus effet, je tombe dans une dépression profonde qui m'oblige à en avaler une autre boulette sinon c'est l'effondrement total et un retour amer à la réalité, répondit-il.

— Je ne veux pas que tu t'énerves, mais je crois que ce serait bon pour toi que tu suives une cure de désintoxication. Il y a plein d'endroits qui traitent les dépendances à l'alcool et à la drogue. Tu connais le chanteur Jean Lapointe? J'ai lu qu'il avait suivi une cure à Ivry-sur-le-Lac, à Sainte-Agathe. Pourquoi n'irais-tu pas là? Ça peut durer deux semaines ou plus, mais c'est toi qui décides si tu veux y rester autant de temps ou pas.

— C'est loin !

— Je peux aller te reconduire quand tu veux et aller te rechercher sur un simple appel ! Tu es totalement libre de quitter le centre quand tu veux…

— Qu'est-ce qu'on fait de mes douleurs ?

— Ils vont trouver un moyen de les soulager, ne t'en fais pas !

— Tu crois que c'est la bonne solution ?

— Oui, et en plus, ils vont te remplumer. Tu as toujours été mince. Mais aujourd'hui, tu es tout simplement trop maigre.

— D'accord ! Quand peut-on y aller ?

— J'appelle demain matin. S'il y a de la place, je t'y mène tout de suite. Pendant ton absence, je vais ranger ton appartement et faire un gros ménage.

— Tu vas toucher à mon cimetière littéraire ?

— Tu parles de ta montagne de livres ? Que dirais-tu si je les rangeais sur des planches qui ne me servent pas à la ferme ? Ça deviendrait une bibliothèque au lieu d'un cimetière…

— Merci pour ton initiative. Quant au centre, tu peux faire les démarches parce que je suis rendu au point où j'ai peur de moi ! avoua Jacques.

— Je te rappelle demain matin et prépare-toi à un petit voyage qui sera bénéfique.

Françoise le serra dans ses bras pour lui insuffler du courage et partit. Elle souhaitait de tout cœur qu'il soit accepté, puis se consola en pensant qu'il devait y avoir un service d'urgence pour les gens en crise. Elle appellerait en arrivant à la maison et c'est ce qu'elle fit. Il y avait effectivement un service d'urgence ouvert jour et nuit pour accueillir les clients en rechute, mais on promit de la rappeler dès le lendemain en ce qui concernait le cas de Jacques. Françoise se sentit mieux. Aurait-il pu faire un geste irréparable? C'est ce qu'elle craignait le plus. Elle tenta de s'endormir, mais l'image de son visage émacié revenait la hanter.

Pour effacer cette vision, elle se concentra sur les améliorations qu'elle pourrait apporter à l'appartement de Jacques avant qu'il ne revienne de sa cure, dans la mesure où il supporterait cette épreuve. Aurait-il même la force de la traverser? Rien n'était moins sûr, car il s'était affaibli moralement depuis ce terrible accident qui leur avait coûté leur vie de couple. Elle s'endormit après avoir fait l'inventaire de ce qu'elle avait à la ferme pour agrémenter son appartement.

Jacques avait peur de ce qui l'attendait, mais il devait trouver le courage nécessaire pour reprendre sa vie en main. Il fallait qu'il s'investisse dans un autre projet. Jimmy lui avait laissé un magazine américain dans lequel on parlait de la nouvelle technologie qui allait envahir la planète: c'était l'informatique ramenée au niveau personnel. Il retrouva le magazine et relut l'article qui parlait de la compagnie Commodore et de l'ordinateur PET 2001, mais on annonçait surtout la venue de l'ordinateur VIC-20 et du langage Basic dans un futur rapproché. Avant de partir pour le centre de désintoxication, il faudrait qu'il se procure tous les magazines spécialisés qui parlaient du VIC-20 et du langage informatique Basic. La tabagie Williams, sur la rue Principale, devait bien en avoir sur ses rayons. Il prit une dernière boulette d'opium afin de sombrer lui aussi dans le sommeil.

Au milieu de l'avant-midi, Françoise reçut un appel du directeur du centre d'Ivry-sur-le-Lac. Appelée sur l'intercom, elle interrompit son cours et se retira pour y répondre.

— Oui, bonjour !

— Madame Poulin ?

— C'est bien moi !

— Bonjour ! Je suis Richard Sabourin, le directeur de la maison Querbes. L'intervenant du soir m'a laissé une note concernant un certain Jacques Robichaud. Ce monsieur souffrirait de polytoxicomanie, principalement d'une dépendance à l'opium et à l'alcool, c'est bien ça ? Pourrais-je connaître votre relation avec cet homme ?

— Je suis son ex-épouse et j'ai reçu son appel hier. J'ai vite compris son désarroi! Nous avions déjà parlé de désintoxication, mais cette fois, il est prêt et c'est pour cette raison que je vous ai contacté.

— Nous avons une place pour lui, mais pouvez-vous m'expliquer son cheminement personnel?

— C'est une longue histoire. Mais pour vous résumer sa vie, c'est un surdoué qui a fait son droit, puis un bac en histoire, et qui travaillait pour un organisme communautaire quand un accident a failli lui coûter la vie. Résultat : reconstruction esthétique et hospitalisation de presque deux ans sous morphine, et douleurs interminables.

— C'est bon, j'ai compris! Ce n'est vraiment pas un cas isolé, malheureusement… Financièrement?

— Il vit de l'aide sociale.

— Quand pouvez-vous être ici?

— En fin de journée…, répondit Françoise.

— On vous attend!

Françoise avertit la direction de l'école qu'elle serait absente jusqu'au lendemain en après-midi. Elle appela Jacques et l'avisa de préparer sa valise, car elle serait chez lui dans trente minutes. Il semblait décidé à partir. Quand elle arriva à son appartement, il avait déjà bouclé sa valise. Elle contenait des vêtements de rechange pour une journée, un peigne, une brosse à dents… C'était tout.

— Il faudrait que j'arrête chez Williams en passant. J'ai besoin de quelques revues que j'espère bien trouver sur place.

— Pas de problème ! Ils t'attendent en fin de journée, alors nous avons amplement de temps devant nous, et en plus, tu connais le trajet… tu te souviens de l'hôtel La Sapinière ? La toute première fois ?

— Ne me parle pas d'un passé qui me paraît si lointain aujourd'hui, ça me bouleverse !

— Excuse-moi, je n'ai vraiment pas réfléchi avant de parler !

— C'est correct, mais ce sont des zones sensibles qui me rappellent trop mon échec !

Françoise était confuse. Elle savait trop bien qu'elle avait commis une bévue en parlant du passé glorieux qu'ils avaient vécu ensemble. C'était l'équivalent de gratter le bobo alors qu'il se préparait à vivre l'enfer. Elle se stationna devant la tabagie, pendant que Jacques chercherait les revues qui l'aideraient à passer à travers une période difficile de sa vie. Elle fuma une cigarette pour se calmer et se demanda si Jacques avait pensé à se faire une réserve de cigarettes puisqu'il ne pourrait pas avoir recours à ses feuilles de *pot* pour calmer ses douleurs. Au moment où elle s'apprêtait à quitter son véhicule pour aller vers lui, elle le vit sortir de la tabagie avec un sac assez volumineux pour contenir des cartouches de cigarettes.

— As-tu trouvé ce que tu cherchais ?

— Je crois bien ! Je ne suis pas certain à cent pour cent, mais je vais commencer avec ça. Je ne sais même pas si je serai en état de lire ou s'ils me laisseront lire.

— Pourquoi t'empêcheraient-ils de lire ? Il n'y a rien de malsain dans la lecture…

— Ne joue pas à la naïve, Françoise ! Tu sais très bien qu'il y a toujours eu des manuscrits à l'Index depuis que les bouquins existent. Rassure-toi, ce ne sont pas des *Playboy* ou des *Penthouse*, mais plutôt ma future passion. Fini le temps des granolas et des fleurs qui pourrissent !

— Je ne veux pas discuter de ce sujet ! répondit Françoise, qui n'avait pas encore digéré le geste de Jacques concernant la serre.

— Libre à toi, mais moi je me tourne vers l'avenir et je prévois que ce sera la prochaine révolution, c'est-à-dire le monde virtuel. J'ai acheté un magazine qui parle de Steve Jobs, un homme qui est déjà multimillionnaire parce qu'il a créé un ordinateur personnel en 1976. C'est un visionnaire et je vais tenter de suivre son cheminement.

— Tu veux devenir millionnaire ?

— Non ! Je veux juste suivre ce courant de pensées révolutionnaires. Ce sont les œuvres de Frank Herbert ou d'Isaac Asimov qui deviennent réalité.

— Tu parles de science-fiction, Jacques ! Ce n'est pas encore la réalité…

— On verra ! On verra ! dit-il d'un air suffisant.

Françoise revoyait le gourou qui sommeillait en Jacques et elle eut peur. Ce ne serait pas une guérison s'il revenait à cette époque, avec des armes encore plus sophistiquées que celles qu'il contrôlait déjà à ce moment-là. Elle avait été certes fascinée, mais s'était vite aperçue que ses paroles n'étaient que du vent. S'il avait mis ce talent à bon escient, il aurait pu faire un professeur d'histoire mémorable ou un plaideur redoutable, mais la vie l'avait dirigé ailleurs. Pendant qu'elle conduisait, Françoise repensait au passé et ne comprenait pas vraiment ce qui l'avait fait choisir Jacques plutôt que Serge, puis elle pensa à Lauretta, sa belle-mère. C'était une femme cultivée qui avait dû être très jolie dans sa jeunesse. Comment avait-elle pu finir avec Émile, un rustre illettré ? Françoise se demanda si elle n'avait pas été victime du même sortilège, cette attirance incompréhensible qui l'avait terrassée elle, mais aussi sa belle-mère.

— Dis-moi Jacques, as-tu déjà essayé de comprendre pourquoi ta mère s'était retrouvée avec ton père ?

— Drôle de question, mais je peux tenter d'y répondre. D'après la légende, elle l'avait rencontré au *Brome Fair* et il l'avait séduite, puis il l'avait revu dans une pommeraie et c'est là qu'elle avait perdu sa virginité. Avait-elle cédé par rébellion puisque ses parents lui avaient trouvé un jeune homme prometteur de son milieu? Je ne pourrais pas le dire avec certitude, mais une chose est certaine, elle a beaucoup souffert d'avoir choisi mon père qui s'est avéré être une brute.

— Mais aujourd'hui, elle semble heureuse, non?

— Heureuse est un bien grand mot. À soixante-dix ans, elle a accepté son sort. Tu sais que la majorité des humains finissent par aimer leur bourreau au bout d'un certain temps. Ma mère partage sa vie avec son bourreau depuis cinquante ans. Si elle le perdait, je suis certain qu'elle ressentirait un vide immense même si ce n'est qu'un vieil ivrogne mal léché…

Françoise pensa aux paroles que Jacques venait de prononcer et se demandait s'il avait fait le parallèle entre lui et son père. Sûrement pas puisque Jacques était tout le contraire d'un illettré, mais pour le reste, il lui ressemblait beaucoup. D'ailleurs, après mûre réflexion, tous les fils d'Émile avaient quelque chose du père même s'ils s'en défendaient âprement. Les filles avaient été épargnées, mais encore, elles avaient souffert comme Lauretta. Françoise n'était pas certaine pour Nicole, mais n'avait aucun doute concernant Monique, qui avait été hantée toute sa vie à cause de Jean-Pierre.

— Je crois qu'on arrive bientôt, je viens de voir la pancarte qui annonçait Sainte-Agathe dans quinze kilomètres. C'est beaucoup plus rapide par l'autoroute, mais c'est beaucoup moins intéressant que la route 112.

— On pourrait faire une halte à Sainte-Agathe pour manger quelque chose. J'ai faim ! déclara Jacques.

— Comme tu veux ! J'ai d'ailleurs moi-même une petite fringale. On a le temps, il est à peine 15 heures…

Ils entrèrent dans le village et trouvèrent une belle petite auberge au bord du lac des Sables. Ils s'arrêtèrent pour se restaurer et pour se dégourdir les jambes. Jacques semblait ressentir des douleurs, car Françoise le surprit à grimacer. Elle se demandait comment il pourrait atténuer ses douleurs une fois sa cure terminée. Une chose à la fois, se dit-elle. Elle se demandait par contre s'il résisterait jusqu'à la fin de sa cure et s'il ferait celle de quatorze ou de vingt-huit jours. Françoise croyait que tout dépendrait de la rigueur du programme, Jacques étant intolérant à la bêtise et aux bondieuseries. Ils mangèrent avec appétit, ce qui surprit Françoise de voir Jacques dévorer son assiette.

— Tu as retrouvé ton appétit, à ce que je vois ?

— C'est comme le dernier repas du condamné, il en laisse rarement dans l'assiette…

— Tu n'es pas condamné, tu es volontaire !

— C'est une façon de parler car je ne sais pas ce qui m'attend au bout de la route, mais ce ne sera certainement pas une partie de plaisir.

— Je sais que tu es capable de traverser cette épreuve haut la main. J'ai confiance en toi !

— Je suis bien heureux que tu me fasses confiance à ce point, mais moi, je ne suis sûr de rien…

— Aie confiance en toi et tu verras que tout se passera bien !

— Je l'espère !

Avant de quitter les lieux, Françoise se renseigna sur la route à suivre pour se rendre à la maison Querbes. L'aubergiste lui donna les indications exactes. Grâce à lui, ils trouvèrent facilement la route. Plus ils approchaient de l'endroit, plus ils sentaient une certaine nervosité s'emparer d'eux. Françoise avait peur que Jacques renonce au dernier moment, tant elle le voyait s'agiter sur son siège. Finalement, ils prirent l'allée qui menait au pavillon. Elle coupa le moteur et sortit de l'auto, espérant que Jacques en ferait autant. Il regarda le bâtiment à travers le pare-brise comme s'il essayait de rassembler son courage, puis ouvrit la portière. Françoise se sentit soulagée et alla vers lui pour le serrer dans ses bras afin de lui donner le dernier élan de courage nécessaire pour franchir la porte du centre de désintoxication. Elle lui prit le bras et se dirigea vers l'entrée. Une fois devant le centre, Jacques s'arrêta.

— Je crois que je vais faire le restant seul, Françoise! Tu peux attendre dans l'auto si tu veux. Si je ne suis pas ressorti au bout de quinze minutes, c'est que je ferai mon temps!

— Tu es certain que tu ne veux pas que je t'accompagne à l'intérieur?

— Ça fait partie de ma vie privée rendu là, et je tiens à te remercier sincèrement d'avoir semé le germe me signifiant que j'avais besoin d'aide. Tu avais raison!

Et Jacques franchit le seuil, la laissant seule à l'extérieur. Elle sentit des larmes couler doucement sur ses joues. Elle s'appuya sur son auto et alluma une cigarette pour se donner un peu de contenance. Elle attendit pendant quinze minutes, puis reprit le volant pour retourner chez elle. Elle était bouleversée comme si elle avait abandonné son enfant aux portes d'un orphelinat. Les larmes coulèrent encore longtemps en silence. Elle avait fermé la radio et n'entendait plus que le bruit de la circulation. C'était propice à la réflexion. Elle se sentait vidée émotivement. Elle comprenait qu'elle serait toujours liée à cet homme, peu importe ce qui arriverait dans le futur. Elle était liée à lui jusqu'à la mort même si, un jour, elle refaisait sa vie avec un autre homme, mais rien n'était moins sûr...

Jacques resta vingt-huit jours dans ce havre. Il n'aurait pas pu dire havre de paix, car il avait assisté à toutes sortes de crises durant son séjour et il avait beaucoup souffert lui-même, mais il avait traversé l'épreuve avec courage et détermination.

Il avait dévoré les revues qu'il avait apportées et qui traitaient du monde de l'informatique, et il avait compris que c'était la nouvelle voie qui s'ouvrait à lui. Françoise était revenue le chercher et elle l'avait retrouvé dans une forme splendide. Il avait un peu engraissé, et son visage n'avait plus cette apparence émaciée. Il avait rasé sa barbe clairsemée et avait l'air plus jeune que son âge. Honnêtement, il était sans âge.

— Comment te sens-tu ? lui demanda Françoise.

— On ne peut mieux. J'ai appris l'importance de vivre une journée à la fois et de ne pas vouloir recommencer à zéro quand on a déjà accompli une partie du long trajet vers la rémission. Est-ce le bon mot ? J'hésite entre apaisement ou accalmie, parce que le combat n'est jamais fini.

— Je te reconnais comme je t'ai toujours aimé, lança Françoise, qui comprit le malentendu que ses paroles pouvaient créer aussitôt qu'elle les eut prononcées.

— C'est vrai que je me sens bien, mais il faut que je surveille la douleur pour ne pas laisser m'envahir par elle. Je sais maintenant quels sont les médicaments qui ne seront pas dangereux pour moi. Il faut que j'en parle aux médecins.

— Je suis très contente pour toi et souhaitons que ça dure. En passant, ton neveu Maxime est revenu de son voyage et il est presque méconnaissable. Il a la barbe et les cheveux blonds blanchis par le soleil. Il a le teint mat des Arabes ou je ne sais trop. Il est plutôt mince et il a beaucoup de succès avec les femmes à cause de son petit côté exotique. Une de mes collègues est complètement pâmée, mais lui semble plutôt indifférent. Je ne m'en mêle plus…

— J'ai hâte de le revoir! Ça fait bien deux ans qu'il est parti? Il doit en avoir des choses à raconter depuis le temps qu'il est en voyage! Je connais tous ces pays, leur population, leur régime politique, leur principale source de revenus, et cetera, mais je ne suis jamais sorti du Québec. C'est étrange, ne trouves-tu pas?

— C'est étrange, en effet, mais tu auras peut-être la chance de voyager, car il y a un gros paquet d'argent qui t'attend chez le notaire Trudel. La moitié de la ferme qui te revenait de droit.

— C'est vrai! J'avais oublié ce détail…

— J'ai pris l'initiative d'aménager ton appartement, mais j'ai respecté son caractère masculin. Dennis a filtré tout ton vin et il l'a même embouteillé.

— Ça c'est vraiment bien! Merci à vous deux, mais peut-être que je ne m'y reconnaîtrai pas, moi qui suis si brouillon?

Jacques était content, et son retour commençait sous les meilleurs auspices. Françoise était rayonnante. Il lui prit l'idée de la séduire, mais il chassa vite cette pensée qu'il jugea malsaine. Elle faisait partie du passé, d'une autre vie et c'était bien ainsi. Françoise assumait parfaitement le rôle d'amie auquel elle tenait tant pour que sa vie soit équilibrée. Jacques avait retrouvé sa libido qui était disparue depuis longtemps, il n'aurait pas su dire quand exactement. Pouvait-il espérer reconquérir une femme un jour? Il faudrait qu'il refasse sa garde-robe et Maxime serait parfait pour le guider dans sa démarche tout en évitant les collets montés.

— Je crois que je vais m'acheter un ordinateur Apple dès que j'aurai touché mon argent. Ce n'est pas un investissement énorme, quelques milliers de dollars tout au plus, incluant toute la littérature technique sur le sujet.

— Peut-on parler de littérature quand on parle de manuels techniques, Jacques?

— Écoute! Je ne veux pas m'enfarger dans les fleurs du tapis, mais je sais qu'on dit littérature technique ou scientifique. Littérature n'est pas réservée qu'aux poètes et aux romanciers.

— Tu as raison et j'ai tort! Ça me rappelle tellement nos premiers arguments, mentionna Françoise.

— Pour revenir à l'informatique, j'ai un langage à apprendre qui s'appelle le Basic. Quand j'aurai compris ce langage, je pourrai commencer à programmer et c'est la clé du monde informatique.

— Tu pourrais me parler en Chinois que je ne comprendrais pas plus et je m'en excuse.

— Tu n'as pas à t'excuser, Françoise ! À peu près personne ne comprend ce monde virtuel, mais je te jure que d'ici peu l'informatique créera une révolution permanente.

Le reste du voyage fut silencieux. Jacques appréciait le paysage et Françoise se contentait d'être heureuse de le voir si détendu. Elle avait cru en sa désintoxication et elle avait gagné son pari. Elle avait senti que Jacques avait posé sur elle un regard amoureux et elle en fut flattée. Elle avait même ressenti une certaine chaleur aux creux de ses reins qui confirmait qu'elle le désirait encore, mais ce n'était peut-être pas conseillé de se laisser dominer par cet instinct. Elle ne voulait pas courir le risque de le perturber. Il pourrait s'imaginer qu'elle effaçait tout et qu'ils pouvaient repartir à zéro.

Finalement, ils arrivèrent à Granby et elle se rendit directement à l'appartement de Jacques. Françoise espérait qu'il aimerait son nouveau chez-lui. Ils montèrent l'escalier, elle déverrouilla la porte, puis elle lui remit les clés. Jacques franchit le seuil et fut frappé par l'odeur de propreté qui embaumait son logis. Tout lui parut plus clair qu'auparavant. Il y avait cette odeur qu'il n'arrivait pas à déterminer, mais en voyant le pot-pourri sur la table, il comprit. Il fit le tour des pièces et tout était d'une propreté impeccable. Il entra dans sa chambre et vit que Françoise avait posé une toile à la fenêtre et des rideaux plein jour qu'il reconnut parce qu'ils venaient de la ferme. Il remarqua des petits bibelots ici et là ainsi qu'une grande photo encadrée de la ferme. Il posa les yeux sur son lit et se pencha pour respirer sa fraîcheur. Ses yeux étaient remplis de joie et d'amour pour Françoise.

— Pourquoi t'es-tu donné tant de peine pour moi ? dit-il les yeux embués.

— Parce que je voulais te rendre heureux !

Il la prit dans ses bras et l'enlaça fermement, il lui caressa le dos et osa descendre jusqu'à ses fesses. Françoise ne pouvait pas être insensible à ses caresses et releva la tête pour l'embrasser. Jacques répondit à son baiser avec passion et libéra une de ses mains pour lui caresser les seins qu'il avait toujours aimés chez elle. Françoise se laissa entraîner dans cette volupté tout en sachant qu'elle le regretterait aussitôt. Cela faisait trop longtemps qu'elle n'avait pas eu de sexe et elle se déchaîna. Ils se déshabillèrent mutuellement, jetant à gauche et à droite les vêtements qu'ils enlevaient. Elle voulut prendre le contrôle, mais Jacques la fit tomber sur le lit et entreprit des préliminaires endiablés.

À partir de cet instant, tout devint flou ! Après avoir atteint l'orgasme simultanément, ils se retrouvèrent étendus côte à côte, à bout de souffle. Quand la griserie s'estompa, la gêne s'accentua. Françoise voulut parler, mais Jacques la retint en lui mettant un doigt sur la bouche pour lui signifier de se taire. Au bout d'un certain moment, il prit la parole.

— Merci, Françoise! Ne t'en fais pas, car je le prends pour un très grand cadeau qui n'aura pas de conséquence pour le futur. C'est toujours aussi délicieux, mais j'ai commis trop d'erreurs pour qu'il suffise d'effacer le tableau d'un revers de main pour tout recommencer. Tu vois, je lis dans tes pensées et je veux te dire que ton amitié m'est trop précieuse pour risquer de la perdre. Je te remercie pour tout ce que tu as fait pour moi et ce ne sera jamais assez.

— J'avais besoin de cette réconciliation autant que toi et tu es toujours aussi bon amant, ce qui ne gâche rien. Je suis contente que tu considères notre amitié comme plus importante que tout le reste. Je vois les choses de la même façon que toi, ce qui ne veut pas dire que nous n'aurons plus jamais de sexe ensemble. Il faudra que le hasard soit au rendez-vous, mais tu seras toujours mon ami.

— Tout est bien qui finit bien! lança Jacques, la mine réjouie.

— Oui, tu as raison! Tout est bien qui finit bien… je vais prendre une petite douche, si tu le permets.

— Bien sûr! Le bain est si blanc que j'ai pensé que tu l'avais changé. Tu sais où sont les serviettes? C'est moi qui devrai me familiariser avec mon nouvel environnement, au bout du compte.

— Ce ne sera pas si difficile, tu verras! Je me sauve sous la douche.

Jacques resta étendu sur le lit, savourant ces moments de plénitude. Il ne serait pas triste quand elle partirait. Il la reverrait et elle l'inviterait certainement à visiter sa nouvelle maison. Une nouvelle vie qui s'amorçait, mais il serait occupé à se surveiller de près. Il n'avait pas faim, mais le lendemain, il allait regarnir ses armoires et son réfrigérateur et recommencer à vivre normalement. Quand Françoise émergea de la salle de bain, elle était cachée seulement par la serviette qu'elle avait enroulée autour de ses seins. Il la trouvait toujours aussi désirable, mais chassa cette pensée troublante. Pendant qu'elle se rhabillait, il se glissa sous la douche et ressortit avec une serviette autour de la taille.

— Peux-tu me dire où je pourrais rejoindre Maxime ? J'aimerais le revoir le plus tôt possible, j'aurais besoin de ses services. Je veux refaire ma garde-robe, qui est franchement démodée et usée. Je suis certain qu'il me serait de bon conseil, dit Jacques.

— C'est une bonne idée, mais je ne suis pas certaine de l'endroit où il se trouve. Par ailleurs, je sais qu'il vit temporairement chez une copine. J'ai son numéro à la maison, je t'appellerai pour te le donner… ah, j'oubliais que tu n'avais le téléphone ! Je vais l'appeler pour toi. Bon retour à la maison, et je t'invite avec Maxime à venir chez moi quand tu veux. Donne un coup de fil avant pour être certain que j'y sois.

— D'accord! Merci pour tout encore une fois et n'oublie pas d'appeler Max. Il ne perd jamais de temps celui-là pour retomber sur ses pattes.

Françoise s'en fut et Jacques se rhabilla. Il eut l'idée de se faire une liste de priorités : récupérer le chèque chez le notaire, faire une liste d'épicerie, renouveler sa garde-robe et s'acheter un ordinateur Apple. Cependant, il n'était pas certain de pouvoir le trouver à Granby. Il jeta un œil à la bibliothèque que Françoise avait créée avec des planches de grange et des blocs de ciment. L'effet était assez bien réussi. De plus, il pouvait facilement retrouver n'importe quel titre qu'il aurait envie de relire. Il trouva une cinquantaine de bouteilles de vin dans une garde-robe. Dennis les avait séparées en lots selon la variété : merlot, cabernet-sauvignon, chiraz et pinot. Il ne savait pas si le vin serait buvable, mais il avait un approvisionnement assez important.

Le lendemain, quelqu'un cogna à sa porte, c'était Maxime.

— Salut Max! Je viens d'arriver. J'ai hâte que tu me racontes tes aventures. Est-ce que tout s'est bien passé?

— Jacques! J'avais vraiment hâte de te voir aussi.

Jacques était content de constater l'empressement de Maxime à le revoir. Il lui raconterait son séjour en désintoxication, et Maxime lui relaterait son long voyage à travers les Amériques jusqu'à la Terre de Feu. Ils passeraient une belle soirée, mais ils n'auraient sûrement pas le temps de tout se dire en si peu de temps… Peu importait, ils avaient tout le temps pour se revoir aussi souvent qu'ils le désiraient. Jacques se sentait joyeux parce que son retour se passait franchement bien. Son séjour à la maison Querbes n'aurait pas été vain. Il reconnut aussitôt l'énergie de son neveu. Ils se firent l'accolade, puis s'observèrent comme pour s'apprécier.

— Tu as bonne mine malgré tout. J'ai même l'impression que tu as rajeuni, non ?

— Je pourrais en dire autant de toi, Max ! Tu as une gueule de bourlingueur ou de métèque, comme tu préfères… Tu as le teint mat de ta mère, mais en plus foncé…

— Je n'ai presque jamais remonté la capote durant tout le voyage. J'ai pris l'eau quelques fois durant le voyage. Et toi, tu as fini en désintox que Françoise m'a dit ?

— C'est toujours à cause des douleurs provoquées par mon accident. J'étais rendu à manger de l'opium comme Poe dans *Les fleurs du mal*. Ça te donne une idée à quel point j'étais rendu loin. Je n'avais pas le choix, sinon j'allais crever d'un arrêt du cœur ou je me serais flingué.

— Tu as aussi touché plein de fric que Françoise m'a dit ! Tu peux repartir du bon pied avec ça, si tu ne fais pas de conneries…

— J'aimerais que tu me donnes un coup de main pour me saper un peu mieux ! Tu as toujours su t'habiller correctement, avec des habits passe-partout.

— C'est vrai que rafraîchir ta garde-robe ne sera pas un luxe. Je ne t'ai jamais vu porter un jeans et ce n'est pas cher. Avec cinq cents piastres, tu peux faire un sacré bout de chemin…

— J'aime bien porter un veston pour son côté pratique et pour y mettre plein de trucs dans les poches. Les femmes ont des sacoches, elles…

— En été, un veston ce n'est pas l'idéal, mais tu peux porter quelque chose de léger sur un t-shirt, une veste safari à manches courtes, par exemple. Je te verrais assez bien là-dedans. Il y a les maisons spécialisées comme Tilley qui vendent des vêtements de qualité presque infroissables, mais ça coûte la peau des fesses.

— Je suis prêt à dépenser 1 000 $ pour quelque chose qui me distinguera de la masse, fit remarquer Jacques.

— On peut aller faire un tour à Montréal si tu veux. Ma MGB tient le coup, même si elle a un peu perdu de son lustre.

— C'est une bonne idée ! Je veux acheter un ordinateur Apple, mais je doute qu'on puisse en trouver à Granby…

— Je ne pourrais pas te dire, car je n'y connais rien, mais on peut chercher. Je suis disponible encore pour quelque temps.

— Qu'est-ce que tu veux dire, pour quelque temps ?

— J'ai encore la bougeotte et je pense que je vais me rendre dans l'Ouest parce qu'il y a plus d'opportunités qu'ici !

— Tu viens juste de revenir !

— Ça fait trop de fois que je pars depuis les cinq dernières années. J'ai la piqûre du voyageur !

— Il faut que je règle l'histoire du notaire pour toucher mon fric. Dès que ce sera réglé, je serais prêt à monter à Montréal !

— Tu n'as qu'à me faire signe…, répondit Maxime. Il faut que je me sauve parce que j'ai plein de petits trucs à régler, mais je suis disponible pour toi. J'ai tellement de choses à te dire… salut Jacques !

— Salut Max ! Je vais me faire installer le téléphone parce que je me rends compte que c'est tout un aria de me rejoindre et pour moi de communiquer avec le reste de la planète, moi qui embarque dans le futur…

Jacques était déçu que Maxime reparte aussi vite, mais il respectait sa décision. Au fond, il l'enviait d'être libre comme l'air. Pourquoi ne pouvait-il pas avoir accès à cette liberté ? Tous ses projets le clouaient dans une ville, que ce soit Granby ou ailleurs, il avait besoin de racines pour se sentir bien. Il avait eu raison de traiter Maxime de métèque. Il était bien partout sauf chez lui. Il était bien déraciné. Pourtant, il ne devait pas disposer des mêmes moyens financiers que lui.

Avant que Maxime retourne vaquer à ses occupations, ils avaient pris le temps de discuter de choses et d'autres, de ce qui s'était passé depuis son départ de la ferme, puis de la vente de celle-ci. C'était un grand pan de sa vie qui était derrière lui, une véritable épopée qui disparaissait avec la ferme. Les deux étaient nostalgiques de cette époque où le partage était la norme. Ils s'étaient trouvés fous d'avoir creusé la cave à la pelle, sous l'égide de Jean-Guy, qui agissait comme maître d'œuvre. Tout le monde s'était fié à lui et lui faisait confiance. Personne n'avait craint que ça s'écroule ou que ça s'affaisse, car au bout du compte, cette excavation fut une réussite. Ils se rappelaient les fêtes en plein air autour d'un feu de camp et le grand festin qu'ils se faisaient. Cette époque reviendrait-elle un jour ? Ils en doutaient…

Avant que Maxime ne parte, Jacques lui offrit quatre bouteilles de vin qu'il boirait à sa santé, et ils se promirent de mettre le cap sur Montréal aussitôt que Jacques aurait réglé son histoire d'argent, ce qui ne saurait tarder. Toute la fin de semaine fut consacrée à rendre sa vie dans son logement plus agréable. Il avait repris goût à se concocter des repas réguliers. Quand la douleur se faisait sentir, il prenait de l'aspirine 222. Il avait aussi pris la décision de ne boire d'alcool qu'en compagnie de personnes, jamais en solitaire.

Après avoir fait son épicerie, il arrêta à la tabagie pour fouiller tous les magazines technologiques. Il trouva quelques revues intéressantes et les acheta. Il fallait qu'il nourrisse son esprit, car l'oisiveté était le plus grand piège, lui avait-on mentionné à la maison Querbes. On lui avait suggéré de faire des siestes aussi souvent qu'il le pourrait, pour permettre à son corps de récupérer après le sevrage difficile qu'il venait de vivre. Évidemment, on lui avait fortement suggéré de bien s'alimenter. Avant sa désintoxication, il fréquentait volontiers le petit restaurant El Toro, le casse-croûte qu'il y avait à même l'hôtel Granby. Au menu du jour le midi, c'était de la cuisine familiale, mais il y avait aussi des hamburgers, des hot-dogs, etc. Il aimait bien Arthur et sa femme Marielle. Tous deux se partageaient le travail avec le sourire, et la nourriture était toujours excellente. Ils étaient comme des rayons de soleil pour Jacques et il ne voyait pas pourquoi il se priverait d'un moment aussi agréable de la journée en leur compagnie, sachant qu'il serait très occupé à étudier son nouveau projet. Avant d'entreprendre ses lectures, il s'était étendu pour faire une petite sieste. Tout compte fait, il se réveilla trois heures plus tard. Il n'avait pas réalisé qu'il avait besoin de tant de repos.

Le lendemain matin, il appela son ami le notaire Trudel, qui fut heureux d'entendre sa voix.

— Bonjour Bernard! D'après Françoise, j'ai de l'argent qui dort dans ton compte en fidéicommis, pas vrai?

— Salut Jacques, comment vas-tu? Oui, Françoise dit vrai. J'ai un beau chèque à te remettre, j'ai simplement besoin de quelques signatures. J'ai hâte de te voir parce qu'il me semble que ça fait longtemps que je ne t'ai pas vu. Peux-tu venir au bureau en fin d'avant-midi? On pourrait aller dîner ensemble.

— C'est une excellente idée, mais j'aimerais mieux éviter le Grec de chez Louis!

— On peut aller au Petit Suisse si tu préfères ?

— On verra ! À quelle heure m'attends-tu ?

— Disons 11 h 30 !

— Je serai là ! À plus tard, donc…

— Parfait !

Une fois la question de l'argent réglée, il ne voulait pas s'attarder davantage, car il voulait déposer cet argent à la caisse. Il espérait que le directeur, Uldège Legris, ne gèlerait pas les fonds parce qu'il en avait besoin rapidement, du moins une petite partie. Un chèque issu d'un compte en fidéicommis, c'était du solide. Jacques se présenta donc au bureau du notaire à l'heure prévue.

— Salut Jacques ! Tu as vraiment bonne mine. Je ne sais pas si une cure aurait le même effet sur moi ! En tout cas, j'ai l'impression que tu as rajeuni de dix ans…

— Merci, Bernard, j'apprécie le compliment ! Concernant le café Louis, si je ressens un malaise à l'idée d'y retourner, c'est que je suis sorti des lieux trop saoul pour conduire et je me suis quand même mis au volant de mon *pick-up*, ivre comme je l'étais. C'est par la suite que je me suis retrouvé en désintox.

— Ne t'en fais pas pour si peu, Jacques ! Premièrement, ce n'était pas des clients de la place. Deuxièmement, tout le monde a bien ri, car il y a des gars qui ont fait pire que ça. C'est une bagatelle, n'en fais pas tout un plat !

— Tu crois ?

— Si je te le dis ! Allons-y et tu verras bien…

— Je ne resterai pas longtemps parce que je veux déposer le chèque aujourd'hui, tu comprends ?

— Ça adonne bien, car j'ai beaucoup de boulot ces jours-ci.

Jacques et le notaire entrèrent au café Louis. Ils furent salués par les habitués de la place, par une brochette d'avocats ainsi que par des gens issus de tous horizons. Jacques fut rassuré par cet accueil, et le notaire l'entraîna à une table, au fond du restaurant. Après avoir consulté le menu du jour, Bernard commanda une bouteille de vin, mais Jacques se contenta d'une eau minérale. Il ne voulait pas s'exposer inutilement, sachant qu'il avait hérité de son père ce goût démesuré pour l'alcool. Il devait donc être extrêmement prudent s'il ne voulait pas rechuter.

— Tu es devenu sage, Jacques ?

— Disons que je fais plus attention ! J'ai retenu quelques leçons de mon séjour dans le nord.

— Je comprends! Moi-même je trouve que je bois trop, mais heureusement, le lendemain tout revient à la normale. Dis-moi, as-tu des projets que tu veux réaliser avec tout cet argent?

— Rien de bien gros, mais je pense à vendre mon *pick-up* et à m'acheter une auto plus récente, mais pas nécessairement neuve. Ensuite, je veux m'acheter un ordinateur Apple et étudier les possibilités de ce marché en pleine expansion.

— Je ne connais rien aux ordinateurs! Je croyais que ce n'étaient que les multinationales qui se servaient de ce type d'appareil.

— Il y a une véritable révolution qui se prépare avec l'arrivée des ordinateurs personnels, répondit Jacques.

— Je te souhaite beaucoup de succès dans ta démarche, je sais que tu as toujours été intelligent comme un singe…

— Je ne sais pas si je dois prendre ça comme un compliment, mais disons que oui! J'aime l'inédit, les nouveautés, et je crois que les ordinateurs personnels en font partie.

— Tu sais que je ne voulais pas t'insulter, mais venant d'un gros colon de Fugèreville, je ne dois pas te surprendre.

— Tu as du talent pour déguiser les insultes en compliments. Ça doit être un trait de caractère du Témiscaminguc…

— C'est ça! Je savais que tu comprendrais vite, ha! ha!

— Écoute, Bernard, je dois absolument y aller ! On se reprend bientôt…

— Salut Jacques ! On se revoit bientôt…

Jacques avait hâte d'être à la caisse populaire pour déposer son chèque. Une fois sur place, il demanda à voir le directeur Legris. Il dut attendre quelques minutes avant de le voir apparaître à la réception.

— Bonjour monsieur Legris ! Je veux déposer un gros chèque et m'assurer que les fonds seront disponibles dès aujourd'hui. Ce chèque vient du compte en fidéicommis du notaire Trudel.

— Ça ne pose pas problème ! Désirez-vous faire un retrait tout de suite ?

— Oui ! Je voudrais 2 000 $, j'ai quelques achats à faire à Montréal, demain.

— Mme Savard va préparer votre dépôt et aussi votre retrait partiel. C'est toujours un plaisir de vous servir, monsieur Robichaud.

Jacques prit les 2 000 $ en coupures de 50 $ et il quitta l'établissement avec le sourire aux lèvres. Il avait toujours trouvé réconfortant de sentir son portefeuille bien rempli. Il se rappelait que son père traînait toujours une grosse liasse d'argent dans ses poches, et quand il était jeune, il était très impressionné par cette démonstration de richesse. Il retourna chez lui, mais avant, il appela Maxime pour savoir s'il était toujours disposé à faire une expédition dans la métropole. Ils se fixèrent rendez-vous à 9 heures le lendemain matin. Par la suite, Jacques fit une courte sieste de vingt minutes. Il était fier d'avoir résisté à la tentation de savourer un verre de vin au dîner. Il reprit le magazine qui parlait du langage Basic (*Beginner's All-purpose Symbolic Instruction Code*). L'acronyme disait bien ce que c'était : Code d'instruction symbolique multi-usage du débutant en informatique. C'était tout ce qu'il voulait apprendre le plus rapidement possible. Ce langage lui paraissait simple avec ses commandes Go to, If then, Let, Next, Run, etc. Il croyait que ce serait un jeu d'enfant à apprendre, un jeu cependant très répétitif.

Jacques prit une pause pour se préparer un sandwich et un verre de lait. Il en profita pour feuilleter *La Voix de l'Est* et pour y rechercher un véhicule usagé à prix raisonnable. Il trouvait très agréable de ne plus se sentir restreint financièrement. Il aurait pu s'offrir une auto neuve, mais il gardait un goût amer de la serre qu'il avait dû abandonner en plein hiver. Cet échec avait été la cause de l'éclatement de son mariage. Il fallait qu'il chasse ces pensées négatives dès qu'elles s'emparaient de lui. Durant sa cure, on l'avait conscientisé au sujet de la puissance de ses pensées et avisé de l'importance de les contrôler. Il devait reconnaître que ce ne serait pas gagné d'avance parce qu'il traînait un lourd bagage de conneries en commençant par la serre…

Plutôt que de combattre les pensées qui l'assaillaient, Jacques préféra prendre une douche. En sortant de la salle de bain, il alluma la vieille télé que Françoise avait apportée durant sa cure, mais il n'y avait rien d'intéressant. Il referma l'appareil, alla s'étendre sur son lit et repensa au charmant cadeau que Françoise lui avait fait. Jamais il n'aurait pu imaginer qu'il lui referait l'amour un jour. En acceptant de se donner, elle avait réveillé sa libido. Étant donné toutes les blessures qui marquaient son corps et qui lui faisaient douter de son charme, il se demandait si une occasion comme celle-là se représenterait prochainement. Il chercha le sommeil, qui fut long à venir.

Des coups à la porte le réveillèrent. C'était Maxime puisque Jacques n'avait pas la réputation d'être un lève-tôt.

— Salut Jacques ! Je te réveille ?

— Oui, mais ça va ! Quelle heure est-il ?

— Il est 7 h 30.

— Tu as bien fait de me réveiller ! Je t'offre le déjeuner au El Toro ?

— Pourquoi pas ? Je suis de retour dans trente minutes.

— C'est bon ! Je serai en bas.

Jacques s'étira longuement pour chasser la douleur qui voulait l'envahir. Il se leva, avala deux aspirines 222 avec un jus d'orange, se rasa et s'aspergea le visage à l'eau froide pour bien se réveiller. Il retourna dans sa chambre et observa sa garde-robe qui ne l'inspirait plus du tout. Il était content d'investir un peu d'argent dans son habillcment, en se disant que ce ne serait pas un luxe. Par dépit, il sortit une chemise et un pantalon informe ainsi que son éternel veston en velours côtelé usé aux coudes. Il mit ses vieilles chaussures et pensa à augmenter le budget consacré à sa tenue. Quand il fut prêt, il regarda l'heure, il lui restait dix minutes avant le retour de Maxime. Il alluma une cigarette et descendit tranquillement l'escalier. Sa cigarette n'était pas entièrement grillée lorsqu'il reconnut le son de la MGB de Maxime. La capote était abaissée, malgré la fraîcheur de l'air ambiant.

— En forme ?

— Ça va !

— Pas plus que ça ?

— Je vais très bien, ne t'en fais pas ! J'ai juste hâte d'être mieux fringué, mais on devrait régler une partie du problème dès aujourd'hui, pas vrai ?

— J'ai trouvé les adresses pour les vêtements et pour une boutique qui vend du Apple. Je peux te dire que ce n'était pas facile à dénicher, même à Montréal…

— Je ne suis pas surpris, Max, parce que c'est tellement nouveau sur le marché.

— J'ai vraiment hâte de voir cette bibitte-là !

— Moi, j'ai hâte de déjeuner !

— C'est une nouveauté ! Je ne me rappelle pas que tu aies eu de l'appétit le matin à l'époque de la ferme.

— C'est une «séquelle» de ma cure que j'apprécie beaucoup.

Max se gara devant l'hôtel Granby et ils entrèrent dans le lobby en se dirigeant vers le restaurant.

— Salut Jacques ! Comment vas-tu ? lui demanda Arthur, le restaurateur.

— Très bien ! Je te présente mon neveu Maxime.

— Ton neveu ?

— Le fils de ma sœur aînée, Monique !

— Oui, je me rappelle ! Elle est mariée avec Paul Tremblay, c'est bien ça ?

— Tout à fait ! On est un peu pressés, car on s'en va à Montréal pour la journée. Moi, je prendrais un bon café avec deux œufs et du bacon.

— Et toi Maxime ?

— La même chose, mais j'ajouterais des bines si vous en avez ?

— Aucun problème ! répondit Arthur.

Marielle leur apporta deux tasses de café fumant et salua Jacques comme s'il était un client régulier. Peu de temps après, elle leur servit le déjeuner. Les deux compagnons mangèrent avec appétit, mais Maxime remarqua que Jacques dévorait littéralement son déjeuner. Il pensa qu'à ce rythme, Jacques se remplumerait vite et que c'était très positif. Ils quittèrent l'endroit assez rapidement et filèrent en direction de Montréal par l'autoroute 10. Rendus dans la métropole, ils discutèrent de l'ordre dans lequel ils visiteraient les magasins.

— Est-ce qu'on peut débuter par l'ordinateur? demanda Jacques.

— Bien sûr! C'est même mieux puisque la boutique spécialisée en informatique se trouve dans l'ouest, près de Décarie et du Métropolitain. Après on pourrait se rendre chez Tilley par la rue Saint-Denis. Il y a plein de boutiques branchées aussi sur la rue Sainte-Catherine. Ça vaudrait peut-être la peine.

— Je connais le Quartier latin pour y avoir flâné dans les bars quand j'étais étudiant et aussi quand j'écrivais pour la CSN, mais je n'ai jamais mis beaucoup d'accent sur l'habillement, comme tu l'as sûrement constaté, mentionna Jacques.

— On approche de la boutique informatique…

Maxime tenta de changer de voie pour ne pas manquer la sortie, mais il dut couper une voiture décidée à rester dans la sienne. L'automobiliste klaxonna rageusement, le poing en l'air. Maxime, riant, lui fit un doigt d'honneur et emprunta la rue qui les mena devant le commerce. Le magasin ne payait pas de mine, car c'était plus un entrepôt qu'un commerce de détail. Une fois à l'intérieur, ils furent accueillis par un anglophone. Jacques demanda dans la langue de Shakespeare l'ordinateur Apple qu'il désirait. Quand il l'eut devant lui, il l'examina sous toutes les coutures. C'était vraiment celui qu'il voulait et le prix correspondait. Par contre, la boutique ne disposait d'aucun manuel pédagogique, à part le manuel d'instruction qui accompagnait l'ordinateur.

— Savez-vous où je peux trouver des livres sur le langage Basic?

— Je crois que chez RadioShack on pourrait trouver ça, sinon à l'Université McGill ou au Dawson College. Jacques acheta l'ordinateur convoité, soit 850 $. Après être sortis de l'entrepôt, ils rangèrent l'ordinateur dans le coffre de l'auto et reprirent la rue par laquelle ils étaient venus. Maxime repéra une cabine téléphonique. Il freina, laissa tourner le moteur, arracha le bottin puis repartit aussitôt.

— Qu'est-ce que tu as fait là, Max? T'es malade…

— On a besoin d'un bottin et nous n'avons pas le temps de nous attarder dans cette cabine quand on ne sait pas exactement ce qu'on cherche. Pendant que je conduis, tu peux fouiller dans les Pages Jaunes s'il n'y a pas le mot ordinateur écrit en gros ou un titre annonçant un commerce ou même RadioShack, répliqua Maxime.

— T'es assez vite, mais un peu vandale ! lança Jacques en riant.

Jacques n'avait pas ressenti cette joie de vivre depuis longtemps. Il avait déjà digéré le prix de l'ordinateur et il ne lui manquait qu'un manuel sur le langage Basic pour satisfaire ses besoins qu'il trouva chez RadioShack. Après, il eut tout le loisir de s'acheter des vêtements à la mode, durables et avec du style, des vêtements qui résisteraient à l'épreuve du temps. Assez rapidement, il trouva ce qu'il voulait grâce aux conseils judicieux de Maxime. Il changea son éternel veston en velours côtelé pour un veston Tilley couleur sable. Il trouva aussi quelques chemises qui lui plaisaient beaucoup même si les prix étaient élevés. Il acheta pour la première fois de sa vie un jeans Levis. Il ne trouva pas de chaussures, mais pensa plutôt à des bottes de cowboy. Il savait où en trouver à Granby. La boutique Irwin en avait tout un assortiment, ce qui mit fin à leur magasinage. Tenaillés par la faim, ils optèrent pour une terrasse rue Saint-Denis, en plein cœur du Quartier latin.

— On a couvert du terrain aujourd'hui ! mentionna Maxime.

— Je n'aurais jamais cru faire tous ces achats aujourd'hui. Je me sentais pris d'une frénésie que je ne contrôlais plus. Si j'avais été millionnaire, ton auto aurait été trop petite pour contenir tous mes achats, mais je ne le suis pas et je suis satisfait.

— La boutique Tilley m'a vraiment fait capoter! Quelle belle variété de produits. Je me promets d'y retourner, mais il faut que je me contrôle. Je peux toutefois me permettre une gâterie de temps à autre.

La serveuse s'approcha de leur table avec deux menus, et Maxime commanda une bière en fût avant même de consulter la liste des plats. Jacques fit de même et Maxime le regarda, cherchant à comprendre son intention.

— Es-tu certain que c'est une bonne idée, Jacques?

— Ma cure est terminée et c'est l'opium que je ne dois plus consommer, pas la bière…

— C'est toi qui sais, mais ça me désole d'être celui qui t'aura incité à boire ta première bière.

— Ce n'était qu'une question de jours avant que je recommence, ne t'en fais pas avec ça! Ce n'est pas une vie d'être sobre tout le temps…, dit Jacques pour rassurer Max.

— J'aurais préféré ne pas être témoin, mais il est trop tard maintenant…

Après le repas, ils reprirent la route vers Granby. Le voyage de retour se fit dans le silence, comme si Maxime en voulait à Jacques. Une fois devant l'immeuble de son oncle, Maxime l'aida à monter ses achats à son appartement, puis partit sous prétexte qu'il avait des choses à terminer avant la fin de la journée. Jacques le remercia, même s'il voyait que quelque chose n'allait pas. Aussitôt que Maxime fut parti, Jacques ouvrit la boîte qui contenait son ordinateur. Il alluma l'appareil et se mit à suivre les instructions. Il décida d'ouvrir une bouteille de vin, afin de savoir s'il était buvable. Un premier verre lui prouva qu'il était bon. Au deuxième verre, il le trouva excellent. Tout en lisant les instructions, il vida la bouteille.

Il en ouvrit une deuxième, même s'il se sentait légèrement euphorique, et son désir de boire fit éclater le barrage qu'érigeait sa volonté. Ce soir-là, il se coucha ivre et oublia même d'éteindre son ordinateur. Le lendemain, à son réveil, il regretta d'avoir autant bu en raison de son terrible mal de tête. Il se doucha et enfila ses nouveaux vêtements. Il réalisa qu'il lui manquait aux pieds les bottes qu'il s'était promis d'acheter. N'ayant pas faim, il se rendit au stationnement par l'arrière de l'édifice. Il vit dans quel état lamentable se trouvait son *pick-up*. Il le démarra avec l'intention de magasiner un nouveau véhicule. Il avait très soif, et pensa qu'une bière l'étancherait et effacerait à la fois sa migraine. Il fit un arrêt à la taverne de l'hôtel Windsor et prit une seule bière, puis continua sa route en direction de la caisse populaire, car il était presque à court d'argent. Il retira à nouveau 2 000 $, puis se rendit à la boutique Irwin, où il trouva les bottes de cowboy qu'il recherchait. Il les aima tout de suite, car les talons le grandissaient de deux pouces. Il ne lui restait plus qu'à se procurer un véhicule usagé et ses achats seraient terminés.

À midi, il n'avait encore rien trouvé, mais la soif le torturait. Il décida d'arrêter à l'hôtel Lemonde parce qu'on y servait des repas pour les travailleurs.

— Pour vous, monsieur ?

— Deux draffes et le spécial du jour, s'il te plaît ! répondit Jacques.

— Parfait ! Je vous apporte les draffes tout de suite.

Jacques vit le serveur revenir avec ses deux consommations, et il avait très hâte d'y tremper les lèvres. Le repas n'avait plus vraiment d'importance, mais il fit l'effort d'en avaler une petite bouchée. Il régla l'addition et reprit sa recherche. Il tomba sur le véhicule qui lui convenait, un Mercury Monarch 1975 quatre portes, une grosse berline. Depuis son accident, il ne voulait plus de petites automobiles. Le Monarch affichait solidité et confort. Jacques acheta cette voiture en se débarrassant de son *pick-up* dans l'échange. Après avoir conclu la transaction, il se retrouva au café chez Louis pour fêter l'événement. Sa volonté de ne plus boire en avait pris un coup, mais sa détermination à se tenir loin des opiacés résistait encore. Ce soir-là, il but tellement qu'il tenait à peine debout. Ce sont de bons Samaritains qui le ramenèrent chez lui. Il s'endormit dans sa voiture et fut réveillé le matin par les voisins qui se rendaient au travail. Il était courbaturé et eut de la difficulté à regagner son appartement. Une fois à l'intérieur, il se laissa choir sur son lit et replongea dans le sommeil.

Chapitre 13

Jacques était de nouveau mal en point et Françoise, malgré ses efforts, ne put rien faire pour l'aider. C'étaient des fêtes qui se succédaient, mais il n'avait pas retouché à la morphine ni à l'opium, seulement au chanvre. Il avait réussi à se trouver une maîtresse, qui resta dans sa vie tant qu'il eut de l'argent. Elle était jolie, même charmante, et elle le comblait de bien des façons. Elle était cultivée en plus d'être dévoyée, ce qui plaisait à Jacques. Qu'elle fût la femme d'un avocat ou la maîtresse d'un juge ou les deux à la fois, tout cela n'était que plus excitant pour lui. Elle lui racontait sa vie tout en fumant son *pot* et en buvant son alcool ; de surcroît, elle l'acceptait tel qu'il était. Pourvu qu'il la baise était tout ce qui lui importait.

Entre-temps, Maxime avait quitté le Québec pour travailler en audiovisuel à l'Université d'Edmonton. Il avait aussi décroché un poste à titre de directeur technique au théâtre français pendant que sa conjointe, comédienne, assumait aussi le rôle d'assistante administrative. La vie était généreuse dans l'Ouest du pays, mais ce bonheur fut vite gâché par une mauvaise nouvelle : la disparition prochaine de sa mère. Il retourna au Québec pour être à son chevet. Monique eut un regain d'énergie en apercevant son fils. Maxime resta deux semaines à son chevet, mais dut retourner à Edmonton pour tenir ses engagements. Il avait eu le temps de revoir Jean-Pierre et Jacques. Ce dernier avait sombré au plus profond de l'abîme. Il ne prit jamais la peine d'aller visiter sa sœur Monique. C'était peut-être mieux ainsi, car cette dernière aurait sûrement été désolée de le voir dans cet état de déchéance.

Finalement, Monique fut emportée par la maladie et Maxime dut revenir pour les funérailles. Certains amis rendirent les derniers hommages à sa mère décédée beaucoup trop jeune. Maxime s'attrista, cependant, de l'absence de Jacques. Il retourna à Edmonton très affecté par cette disparition. Sa conjointe s'efforça de ranimer sa joie de vivre.

Après quelques années, Maxime revint au Québec avec sa conjointe et leur magnifique bébé. Ils s'installèrent dans la magnifique ville qui les avait vus naître. Pour Jacques, les choses n'allaient plus aussi bien et sa dégénérescence prit fin quand le cancer vint frapper à sa porte. Jacques avait développé, au fil des ans, le cancer de la langue. L'oncologue voulait lui couper la langue jusqu'au filet et l'ouvrir d'une oreille à l'autre pour enlever les métastases qui se trouvaient sur la mandibule. On devrait, pour cela, lui extraire toutes les dents, et il ne pourrait plus se nourrir qu'à l'aide d'une paille. Le plus étrange, c'est qu'il accepta cette réalité sans montrer de signes de désespoir.

— J'ai vu pire, Max !

— Tu ne peux pas avoir vu pire, Jacques, sacrament! Le cancer, ce n'est pas un accident, lança Maxime, horrifié. Ça peut revenir n'importe quand… Tu ne trouves pas que la mort de ma mère est suffisante pour la famille?

— Bon, d'accord! Disons que je n'ai pas vu pire, mais qu'il y a pire que ça dans la vie! Ça te va comme ça? répondit Jacques.

— Tu ne pourras plus parler et c'est tout ce que ça te fait?

— Un de mes plus grands vices a été de parler à tort et à travers. Ce n'est qu'un juste retour du balancier! Je serai limité à réfléchir un peu plus avant d'écrire ma pensée…

Françoise eut pitié de lui et le logea gratuitement chez elle. Miraculeusement, Jacques passa au travers de cette épreuve, mais n'en tira aucune leçon. Il était triste à voir, méconnaissable tant il ressemblait à un gnome, mais il n'était pas malheureux pour autant. Maxime lui donna son ordinateur PC, devenu obsolète pour lui. À cause de sa vie de débauche, il n'avait jamais dépassé le cap du Basic et son vieil Apple était caduc. Mais, en peu de temps, il devint un expert dans la recherche, car il y passait ses journées, soit du lever jusqu'au coucher.

— Jacques! J'aimerais que tu te ramasses un peu. La maison est imprégnée de ton odeur et ça ne sent pas la rose.

J'aimerais aussi que tu te fasses plus discret quand je reçois des invités, hommes ou femmes, lui lança Françoise, qui le trouvait envahissant.

Comme Jacques ne pouvait plus se faire comprendre, il écrivit : « Tu n'as qu'à m'enfermer dans un placard et me libérer quand ils seront partis ! »

— Ne sois pas arrogant, s'il te plaît ! Avec tout ce que je fais pour toi, tu devrais au moins être poli… Où est passée ta maîtresse qui te jouait le grand jeu ? Quand tu n'as plus eu un sou, elle t'a laissé tomber et tu as rappliqué ici en criant famine. Moi, l'idiote, je t'ai ouvert la porte de ma maison et tu te comportes en maître des lieux… ça ne peut plus durer, Jacques !

Jacques écrivit sur son calepin qu'il en avait ras-le-bol d'être considéré comme de la merde et qu'il partirait dès qu'il le pourrait. Françoise n'était pas dupe de ses menaces à l'emporte-pièce et décida d'en parler à Maxime à la première occasion. L'amant de Françoise et ses amies étaient de plus en plus mal à l'aise de fréquenter sa maison. La vie devenait intolérable et c'était sans compter que, lorsqu'il essayait de s'exprimer dans ses moments de colère, il aboyait plus qu'il ne parlait, ce qui le mettait encore plus en furie. Quand elle eut Maxime au bout du fil, il s'enquit tout de suite de la situation financière de Jacques. Françoise lui répondit qu'il n'avait plus aucune source de revenus connue.

— Je peux faire les démarches pour qu'il obtienne sa rente de personne handicapée, ce qui serait déjà un pas dans la bonne direction, mais pour cela, il me faut son consentement. Crois-tu qu'il serait disposé à m'écouter ? demanda Maxime.

— Il est tellement têtu que je ne saurais dire, mais je t'en prie, essaie au moins ! répliqua Françoise.

— Je vais tenter de lui obtenir une place dans un HLM. Il y a sûrement des lofts disponibles, car c'est un cas de compassion et, de plus, Jacques n'est pas un cas lourd.

— S'il habite seul, non. Mais il en sera un pour ses voisins quand il écoutera sa musique à crever les tympans. C'est à croire qu'en perdant la voix, il a perdu l'ouïe aussi…

— Je verrai ce que je peux faire, mais je dois d'abord lui parler. S'il ne veut pas, je perds mon temps.

— Je vais menacer de l'expulser de la maison, il sera peut-être plus réceptif à ta proposition, surtout si tu lui exposes les avantages de vivre dans ce genre d'habitation, mentionna Françoise, qui voyait en Maxime une porte de salut.

Maxime alla chez Jacques, après avoir été bien renseigné sur les possibilités de ce dernier d'obtenir sa pension d'invalidité et le logement à prix modique pour à peine vingt-cinq pour cent de sa pension. C'était honnête. Maxime pensa même que son oncle pourrait obtenir des compensations rétroactives pour pouvoir se meubler correctement. Il ne savait pas ce que Jacques avait bien pu faire du mobilier de son ancien logement de la rue Drummond, celui que Françoise avait décoré quand il était en cure de désintoxication. Aujourd'hui, il n'avait plus rien, sinon son vieil ordinateur Apple et le vieux PC désuet de Maxime.

Il frappa à la porte de son oncle. Ce dernier lui ouvrit sans savoir qui venait lui rendre visite.

— Salut Jacques ! On te voit de moins en moins, qu'est-ce que tu fais de bon ?

— Pas grand-chose ! écrivit Jacques sur son calepin.

— Je dois me faire opérer pour des hernies discales très bientôt et j'avais songé à vivre ma convalescence en Floride. Ça te dirait de m'accompagner ? Ma femme travaille et ne peut pas venir.

— Je n'ai pas un rond ! gribouilla Jacques.

— Ça ne coûte rien ! J'ai déjà loué la villa et que je sois seul ou qu'on soit deux ou trois, ça ne change rien. De plus, je n'ai pas le droit de prendre l'avion, selon le chirurgien qui va m'opérer. Je dois donc y aller en auto… j'aimerais ça que tu viennes avec moi !

— Et la nourriture ?

— Tu manges comme un oiseau, ne me fais pas rire !

— Je ne suis jamais allé aux États !

— Raison de plus pour venir, Jacques! Un mois dans le Sud quand on se les gèle ici...

— Je ne peux pas refuser, écrivit Jacques.

— Super! Ce sera formidable, tu verras, et tu vas prendre des couleurs aussi.

— Pendant que je suis là, as-tu pensé à demander ta pension d'invalidité?

Jacques secoua la tête négativement.

— Veux-tu que je m'en occupe? Tu serais fou de laisser passer de l'argent auquel tu as droit. Tu pourrais être surpris du montant que tu pourrais toucher, en comptant les arrérages.

Jacques écrivit: «Tu penses?»

— Non seulement je pense, mais je suis certain! Il faut que tu sortes de ton marasme, Jacques, et au plus vite. Ce n'est pas sain ce que tu vis en ce moment. Françoise a un chum, et cette situation ne peut pas durer éternellement. Il faut que tu te retrouves chez toi et que tu aies la paix dans un beau loft lumineux pour presque rien...

La physionomie de Jacques changea du tout au tout quand il entendit le mot *loft*. Il écrivit: «HLM? Françoise au courant?»

— Pas du tout ! Tout ça est spontané : le voyage, la pension, l'HLM. Arrête ta paranoïa, sacrament ! Te sens-tu victime d'un complot ? Décroche, Jacques… Tu es mon oncle et mon chum bien avant Françoise, ton ex. J'ai même pensé à ton frère Marcel. Il n'en mène pas large, lui non plus, avec son cancer de la prostate et l'AVC qu'il vient de faire. On devrait partir tous les trois pour la Floride, je suis sûr qu'il embarquerait dans le projet. Qu'est-ce que t'en dis ?

Jacques sembla réfléchir un moment. Maxime était certain qu'il pensait à Marcel et que si ce dernier était de l'aventure, ce ne pouvait pas être un piège ni un complot. Jacques secoua la tête, comme s'il déplorait le fait de ne pouvoir s'exprimer autrement.

— Dis-le, Jacques. Je suis certain qu'après un mois, Marcel et moi on va comprendre ce que tu dis, je te le garantis. On va s'aiguiser les oreilles et toi, tu vas faire des efforts d'articulation.

Jacques fixa Max droit dans les yeux et le regarda longuement comme s'il voulait s'assurer de sa sincérité. Se pouvait-il que ce neveu un peu fou veuille l'aider à ce point ? Au bout d'un moment, il baissa la tête et lui fit signe que oui. Maxime avait agi ainsi pour aider Françoise, mais aussi pour mettre fin à une situation intenable pour tous les deux. Quand Françoise serait au courant de la nouvelle, elle serait moins impatiente à l'égard de Jacques, puisqu'elle allait bientôt voir la lumière au bout du tunnel…

Maxime fut opéré plus tôt que prévu grâce à une astuce de son chirurgien.

— Présente-toi en ambulance à l'hôpital une journée où je suis de garde et je te passerai en priorité ! Il faudrait que tu sois vraiment malchanceux pour que ça ne se fasse pas la journée même, mais je te garderai de toute façon.

— J'arriverai mercredi, doc, et à la grâce de Dieu !

— Tu n'auras pas à t'inquiéter de Dieu, tout se passera en douceur. Il faut que tu t'attendes à passer la fin de semaine à l'hôpital. Peut-être que tu sortiras samedi, si tout va bien.

— Je suis prêt et je connais ta cote chez les neurochirurgiens. Il n'y en a qu'un autre qui ait ta cote et il travaille au Jewish Hospital. Il faut que tu sois un artiste du bistouri cette fois-ci, doc.

— Je suis un artiste et n'en doute jamais !

— C'est ce que mon chum Pélo m'a dit aussi et je lui fais vraiment confiance.

— Plus qu'à moi ?

— Disons que c'est un plus dans mon appréciation.

— On peut dire que tu es honnête, en tout cas.

— Toujours, doc ! À mercredi prochain, alors…

— À mercredi !

Les choses semblaient se mettre en place. Maxime avait loué la villa du premier décembre jusqu'au Premier de l'an. Il ferait une brève convalescence à sa maison et il avait une totale confiance en son assistante administrative, qui veillerait sur son commerce comme si c'était le sien. Maxime avait compris qu'une employée bien payée avait peu de chance de le quitter pour un concurrent ou de piger dans la caisse. Il serait en contact quotidien avec elle pour s'assurer que tout allait bien. Il la récompenserait au retour.

Françoise attendait avec impatience le départ de Jacques. Pour sa part, Maxime n'avait pas chômé. Il avait rempli les papiers pour régulariser la pension de Jacques, il avait fait signer un formulaire par l'oncologue et par Jacques, puis il avait pris rendez-vous avec la directrice des immeubles HLM, qu'il connaissait personnellement. Il ne lui demandait pas de faveur, mais que justice soit faite. Maxime avait convié Jacques à ce rendez-vous, mais ce dernier ne se présenta pas le jour venu. Maxime se mit en colère et faillit tout laisser tomber.

— Qu'est-ce que tu foutais, Jacques? C'était un rendez-vous important, et monsieur se permet d'avoir la gueule de bois et de ne pas répondre à la porte parce qu'il cuve son vin !

— Je m'excuse, mais je n'ai rien entendu ! écrivit Jacques sur son calepin.

— Je ne sais pas dans quelle galère je me suis embarqué, mais je n'ai plus le temps de niaiser, je me fais opérer mercredi et ça ne peut pas être reporté. Je vais appeler Micheline et lui dire que tu étais malade, ce qui n'est pas loin de la vérité, et tenter d'obtenir un rendez-vous en fin de journée. Tu es mieux d'être là cette fois-ci, ou dis-moi tout de suite que tu n'es plus intéressé. Tu peux rejoindre les clochards si tu préfères, mais les nuits sont déjà très fraîches en cette période de l'année…

— Je serai ici, promis! écrivit-il.

Maxime était hors de lui et s'il ne s'était pas retenu, il lui aurait botté le derrière. Il avait l'impression que le cas de Jacques était une cause perdue d'avance et que ce dernier ne lui en serait jamais reconnaissant. Il eut finalement cette rencontre avec la directrice des immeubles HLM. Quand elle vit Jacques, elle comprit qu'il était dans le besoin et en fouillant dans sa liste de logements, elle en vit un qui ferait peut-être l'affaire.

— J'aurais un logement qui se libérerait dans le courant du mois parce que le locataire, vu son état, sera transféré dans un CHSLD. Le logement aurait besoin d'être rafraîchi, peut-être même peinturé, mais il serait disponible pour le premier janvier. Seriez-vous intéressé? C'est un rez-de-chaussée au coin des rues Saint-François et Robinson. L'arrière donne sur un espace vert et il est très éclairé.

— Comme il a désespérément besoin d'un logement, je crois qu'il fera son affaire. Est-ce qu'on pourrait le visiter?

Je peux demander à un homme chargé de la maintenance d'ouvrir pour vous. Ce n'est vraiment pas grand, mais tout est inclus : les appareils électriques, la table, le lit. Si vous avez des biens personnels pour compléter le décor, libre à vous…

— Veux-tu aller le visiter, Jacques ?

— Ce n'est pas la peine ! écrivit-il dans son calepin.

— Tu es certain ? demanda Maxime.

Jacques acquiesça de la tête.

— Il le prendra ! répondit Maxime.

— Parfait, je vous le réserve ! Vous savez que le prix du loyer est de vingt-cinq pour cent de votre pension. Le chauffage et l'électricité sont inclus. Ce sera l'appartement numéro huit, rue Saint-François.

— Il ne touche pas de pension pour l'instant, mais ce détail devrait être réglé sous peu. Je te remercie sincèrement pour toute l'aide que tu nous as accordée, Micheline, déclara Maxime.

— Quand c'est fondé comme c'est le cas de M. Robichaud, nous sommes capables de flexibilité, comme tu peux le constater.

— Je te remercie énormément, Micheline ! Je savais que tu étais une femme de cœur et je viens d'en avoir la preuve.

Après être sortis du bureau, ils se dirigèrent vers l'auto de Maxime, la mine réjouie. Une fois assis dans l'auto, Jacques montra à Maxime le mot qu'il venait d'écrire dans son calepin : téteux !

— Je l'ai fait pour toi ! Allons voir de quoi a l'air ce fameux appartement. J'ai déjà livré *La Voix de l'Est* dans cet édifice, mais je ne sais pas si c'était déjà des HLM à l'époque.

Maxime se stationna devant l'édifice et sortit de sa voiture pour inspecter les lieux. Le devant n'avait rien de particulier et il entreprit de se diriger vers l'arrière. L'endroit ressemblait à un parc assez grand, avec une allée et des mangeoires d'oiseaux, entouré de logements. Il y avait des bancs publics, et la porte des locataires du bas donnait sur l'extérieur. Les chaises en plastique qui s'y trouvaient devaient leur appartenir. Maxime regarda à l'intérieur de l'appartement par la grande fenêtre. Le logement était aussi exigu qu'une petite chambre de motel, avec cuisinette et salle de bain, et ne devait pas mesurer plus de quatre cents pieds carrés. Un grand lit aurait été trop large pour cet espace étriqué, mais il eut cette réflexion que Jacques serait en contact avec la nature.

— Qu'est-ce que tu en dis ?

Jacques acquiesça par un signe de tête.

— Je pense qu'une fois installé, tu composeras avec l'espace… Bon! Retournons chez Françoise, car j'ai encore beaucoup à faire. Es-tu satisfait? C'est ce qu'il y a de plus important dans tout cela, ne crois-tu pas?

Jacques hocha la tête pour signifier son approbation. Maxime fut satisfait de sa réponse et le reconduisit chez Françoise. À l'avant-veille de son opération, il se sentait un peu nerveux. Une opération comme celle-là n'était pas banale: corriger les vertèbres lombaires un et deux et le sacrum. Aurait-il besoin de plaques pour soutenir sa colonne? L'opération serait-elle un succès? Beaucoup de questions sans réponse, mais il avait confiance que tout irait bien.

Le mercredi matin, il appela l'ambulance qui le transporta à l'hôpital Brome-Missisquoi-Perkins, à Cowansville. Le docteur Dubuc l'attendait à l'urgence et le fit monter à l'étage, à la salle d'opération. Quand Maxime se réveilla dans la salle de réanimation, il chercha du regard quelqu'un qui pourrait le renseigner sur son état de santé. C'est alors qu'il vit apparaître le chirurgien.

— Tout s'est bien passé! Nous n'avons pas eu besoin de quincaillerie supplémentaire pour que ce soit un succès. D'après moi, dans moins d'un mois, tu es un homme neuf! Tu n'auras plus besoin de changer de position toutes les demi-heures.

— Pas d'avion, je sais, mais je descends en Floride pour ma convalescence, les pieds dans le sable.

— C'est un excellent exercice marcher dans le sable, répondit le chirurgien.

Le samedi, il obtint son congé. Une fois chez lui, Maxime contacta Marcel après que ce dernier eut consulté Jacques. Tous deux étaient partants pour l'aventure qu'il leur offrait gracieusement. Ils levèrent les voiles peu de jours après.

Maxime avait mal évalué cette aventure et faillit revenir à Montréal par avion deux semaines plus tôt que prévu, abandonnant les deux frères à leur sort et à leurs querelles, Marcel cherchant à faire prévaloir son droit d'aîné sur Jacques tout en ayant du mépris pour lui. À force de réflexion, il en vint à la conclusion que si les invités ne s'entendaient plus, ils n'avaient qu'à plier bagage. Une chose était certaine, il regrettait d'avoir pris l'auto de Marcel plutôt que la sienne.

Le voyage se termina sur une note amère, mais il y avait du positif pour Jacques. Son petit appartement était prêt et frais peinturé. Maxime l'aida à transporter ses maigres biens dans son nouveau logis. Il ne manquait qu'une prise Internet pour qu'il soit comblé. Maxime lui promit qu'elle serait installée dès que la période des fêtes serait terminée et que le travail reprendrait chez le câblodistributeur. Il y avait une autre note positive à ce voyage : Maxime commençait à comprendre Jacques lorsqu'il parlait. Cela demandait seulement un peu d'attention.

— À bientôt, Jacques ! Si tu as besoin de quoi que ce soit, appelle-moi.

— Je te remercie pour tout, Maxime ! Tu arrêtes quand tu veux et tu seras toujours le bienvenu.

— Je vais revenir ! Aimerais-tu avoir une plante décorative ou une toile ?

— Comme tu veux, mais je n'ai pas beaucoup de place ! fit remarquer Jacques.

Maxime avait hâte de reprendre sa routine. Son dos allait mieux, mais il ressentait une fatigue latente causée par la mésentente de ses deux oncles et par cette promiscuité trop grande pour un type comme lui. Il s'était frotté à l'égocentrisme de Marcel et avait hâte de se retrouver avec des gens normaux.

Chapitre 14

Maxime avait repris le travail avec joie. Son assistante avait réussi à tenir les rênes de l'usine avec succès et à réduire les comptes clients de plus de trente jours, ce qui le ravit. Il lui accorda une bonne augmentation pour la récompenser de son excellent travail. Il pourrait dorénavant changer sa routine de travail. À l'avenir, il ne travaillerait que quatre jours par semaine et prendrait un mois de congé tous les trois mois pour voyager. Il avait vu le côté éphémère de la vie durant son séjour en Floride. Pendant qu'il avait encore la santé pour voyager, c'est ce qu'il ferait.

Un jour, Maxime reçut la visite de Françoise. Elle s'inquiétait pour Jacques.

— Que se passe-t-il ? demanda Maxime.

— Jacques agit très étrangement depuis quelque temps. Il tient désormais tous les stores fermés. J'y suis allée à la suite d'une confidence d'Alain. Apparemment, il avait cogné à sa porte pour lui rendre visite. Jacques a relevé le store et quand il a vu qu'il s'agissait d'Alain, il a laissé retomber le store sans ouvrir la porte. Alain était estomaqué.

— Es-tu certaine qu'il n'y avait pas de différends entre eux ?

— Alain m'assure que non, mais ce n'est pas le premier à me raconter ce genre de chose. Son frère Yvan m'a dit qu'il avait entendu de la musique et vu du mouvement à l'intérieur de l'appartement un jour qu'il vint lui rendre visite. Il aurait cogné assez fort, mais Jacques n'a jamais répondu…

— Depuis qu'il n'a plus le téléphone, je t'avoue qu'il n'est pas facile à joindre. J'appelle chez son voisin quand je veux lui parler, mais ce n'est jamais instantané. Il finit toujours par me rappeler.

— J'y suis retournée hier et il m'a ouvert la porte, mais l'odeur était écœurante ! Il y avait deux touries de vin qui mûrissait dans un coin, et un relent de pourriture dominait tout le reste. J'ai pensé que c'étaient ses poubelles et il y avait effectivement deux gros sacs de déchets appuyés sur le mur sans être fermés. C'était épouvantable !

— Je n'ai aucun contrôle sur lui, Françoise, mais je crois que sa sœur Nicole pourrait l'aider. Tout le monde s'entend avec elle ! C'est un cœur sur deux pattes, cette femme-là !

— Je sais, mais va-t-elle accepter de s'occuper de son frère ?

— Si elle ne réussit pas, personne ne le pourra !

— Peut-être qu'il veut tout simplement mourir et en finir avec la vie ? suggéra Françoise.

— Si tu veux mon avis, son cerveau commence à délirer, il n'est plus sain d'esprit comme autrefois, et il n'y a pas grand-chose que l'on puisse faire s'il décide de se fermer au monde. C'est son droit le plus strict et on ne peut quand même pas le faire enfermer contre sa volonté. N'oublie pas qu'il est juriste de formation et qu'il déboutera même les psychiatres. Il n'est dangereux pour personne sinon pour lui, mais ça reste à prouver…

— Quel gâchis! Une intelligence si supérieure qui ne sert à rien d'autre qu'à jouer avec son ordinateur pour y faire toutes sortes de recherches, exprima Françoise.

— Il cherche peut-être une réponse.

— Une réponse à quoi? On voit bien que son esprit s'égare et qu'il n'est plus ancré dans la réalité. Une personne saine ne vit pas comme lui.

— S'il fallait qu'on enferme tous les gens qui agissent bizarrement, il faudrait construire vingt asiles de la grosseur de Louis-Hippolyte-Lafontaine, et ça ne suffirait même pas! Tant que ses délires ne dérangent pas les autres, on ne peut rien faire. Les ailes psychiatriques de tous les hôpitaux sont pleines.

— Je ne peux pas rester là les bras ballants à ne rien faire pendant qu'il se détruit lentement.

— Veux-tu l'affronter? Mais n'oublie pas que tous ceux qui vont se mesurer à lui deviendront ses ennemis à jamais. Il n'aura de pardon pour personne. Je préconise comme solution d'appeler sa sœur Nicole. On verra si elle réussit à faire quoi que ce soit, ne serait-ce que le ménage. Je suis prêt à payer ce qu'il faut si elle y parvient.

— Merci, Maxime, pour tes précieux conseils et je crois que je vais lui donner un coup de fil. Je vais voir ce qu'elle en pense et si elle accepte de voir Jacques, je te tiendrai au courant.

Françoise téléphona à Nicole et cette dernière accepta de rencontrer Jacques. Elle croyait qu'elle serait capable de communiquer avec lui. Quand elle se présenta chez lui, Jacques reconnut la voix de sa sœur et lui ouvrit la porte. Elle le trouva très malade et très faible. Il ressemblait en tous points à la description qu'en avait faite Françoise et elle essaya de le raisonner.

— Jacques, à quand remonte ta dernière visite chez le médecin ?

— Je ne vois plus mon médecin depuis longtemps, je n'en ai pas besoin !

— Tu avais sûrement des suivis médicaux avec l'oncologue ?

— Oui, mais c'était à l'hôpital Charles-Lemoyne, à Longueuil. C'est trop loin !

— Tu n'avais qu'à m'appeler et je me serais fait un plaisir de t'accompagner, répliqua-t-elle.

— Je n'ai pas de téléphone !

— Il y a sûrement un voisin qui en a un ?

— Je ne veux déranger personne, répondit Jacques.

— Comment fais-tu pour t'approvisionner ?

— La fille d'un voisin m'apporte le nécessaire en même temps qu'elle le fait pour son père.

Nicole avait de la difficulté à comprendre son frère et elle le faisait répéter souvent, ce qui avait le don de l'irriter.

— Jacques, tu n'as pas l'air en santé ! Acccpterais-tu qu'on fasse une prise de sang pour en avoir le cœur net ?

— Pourquoi ?

— Tu as le teint tellement pâle que tu dois souffrir de carence vitaminique. Tu es tellement maigre, t'es-tu pesé récemment ?

— Penses-tu que je peux engraisser en me nourrissant au broyeur, Nicole ?

— C'est pour ça que je veux que tu acceptes que je m'occupe de toi. Je ne veux pas perdre mon p'tit frère…

— D'accord, mais tu me laisses tranquille après ça.

— Tu ne voudrais pas que je fasse ton ménage ? Je peux sortir tes poubelles et laver ta vaisselle. Tu serais beaucoup mieux dans un appartement propre et moi, ça me donnerait une occasion de te voir plus souvent. Je t'aime, tu sais…

Elle prit une grande inspiration et poursuivit :

— Pourquoi ne t'assois-tu pas dehors, prendre l'air frais pendant que je nettoie un peu ici dedans ? Fais-moi plaisir, je t'en prie…

Jacques fut ému de l'attention que sa sœur lui portait. Il savait qu'il était malade, mais craignait de connaître la vérité. Il était presque certain que le cancer récidivait parce qu'il n'avait presque plus d'énergie. La douleur dans ses os avait presque disparu et ce n'était pas de très bon augure pour lui. Il s'était habitué à cette vieille canaille qui l'avait harcelé pendant si longtemps. Il ressentait une espèce de vide maintenant que cette douleur était presque absente. Contrairement à ce que tout le monde croyait, il ne buvait presque plus et il ne fumait que de la feuille de marijuana, mais il toussait tellement qu'il espaçait les inhalations de joints. Le matin, il ouvrait son ordinateur, se faisait du café et souvent se recouchait dans la position de fœtus, déjà fatigué. Il ne sortait presque plus dehors. Nicole avait l'intention de changer cette routine, de lui secouer les puces. Il l'écouta pour lui faire plaisir. Il ne voulait pas de conflit avec sa sœur si aimante qui avait eu son lot d'épreuves tout en gardant un cœur pur.

Jacques devait cesser de fuir la vérité. Une fois dehors, il ne souhaitait plus du tout mourir quand il sentit la fraîcheur de l'air lui caresser le visage. C'était encore du bonheur quand il se blottit dans sa couverture pour le tenir au chaud. L'envie de revivre son enfance lui prit soudainement. À travers la lunette de ses souvenirs, elle lui paraissait encore douce. Les images défilèrent et il se revit dans les bras de sa sœur Nicole lorsqu'elle le berçait. Elle avait quatre ans de plus que lui. Il se rappela aussi sa grande sœur Monique, maintenant décédée. Elle était de dix ans son aînée et fut pratiquement sa mère, car il était le bébé de cette nombreuse famille. Il prit conscience qu'il avait encore le goût de se faire bercer même s'il était vieux. Il avait encore besoin de cette tendresse même s'il savait que c'était impossible.

Après quelques heures à frotter dans tous les recoins, Nicole avait réussi à transformer ce taudis en quelque chose d'habitable. Elle n'avait pas lavé le lit parce qu'elle ne savait pas où se trouvaient la laveuse et la sécheuse ; quand elle voulut le demander à Jacques, elle se rendit compte qu'il dormait emmitouflé dans un édredon, alors que la température oscillait autour de vingt et un degrés Celsius. Elle était tout en sueur, mais contente du travail accompli. Elle dut se résoudre à réveiller Jacques, parce qu'il y avait encore des détails à régler. Elle le secoua doucement et il ouvrit les yeux. Il n'avait pas l'impression d'avoir dormi, mais deux heures s'étaient écoulées comme un battement de cils. Il avait tellement adoré sa rêverie que cela le mit de bonne humeur. Pour lui, sa sœur Nicole était comme son ange gardien. Il se leva finalement de sa chaise berçante et entra pour constater la tornade de fraîcheur qui avait changé son logis. Nicole était souriante de voir son visage étonné, mais elle avait besoin de confirmations sur certains points.

— Comment tu trouves ton appartement ?

— Très bien, vraiment! J'ai rêvé que tu me berçais, tu t'imagines? Tu devais avoir quatre ou cinq ans et j'étais un tout petit bébé. Je ne pensais pas qu'on pouvait avoir des souvenirs à un âge aussi jeune.

— Moi, je me rappelle t'avoir bercé quand tu étais enfant pour permettre à maman et à Monique de préparer le souper.

— C'était très agréable, et je crois que je me suis endormi en pensant que tu me berçais. Quelle folie!

— Ce n'est pas de la folie, mais de vrais souvenirs! Pour passer aux choses sérieuses, me permets-tu de faire les démarches pour te faire examiner? Ce n'est peut-être pas grand-chose, peut-être un manque de fer, mais ça me rassurerait si on voyait un médecin.

— Je ne peux rien te refuser, Nicole, mais j'ai un mauvais pressentiment. Je crois que c'est le cancer qui récidive…

Nicole éclata en sanglots. Elle ne pouvait pas accepter ce verdict. Elle avait le cœur brisé juste à y penser. Jacques tenta de la réconforter en lui disant que ce n'était qu'une impression et qu'il pouvait faire erreur. Ce n'était peut-être que de l'anémie. Elle s'accrocha à cette idée, qui n'était pas fatale.

— Il faut que nous en ayons le cœur net le plus tôt possible, lança Nicole.

— Je te donne carte blanche, Nicole! Mais je veux que tu sois la seule à t'en mêler. Je ne veux pas que Françoise intervienne. Elle a refait sa vie et ce qui me concerne ne la regarde plus, ni les autres d'ailleurs.

— Je commence les démarches en rentrant chez moi. Je reviens te voir dès que je t'ai pris rendez-vous et j'en profiterai pour faire ton lavage.

— Comme tu veux, Nicole, et merci pour tout!

— À bientôt, mon frère!

Jacques fut surpris qu'elle l'appelle son frère et surtout qu'elle pleure à l'idée qu'il puisse mourir. Il avait ressenti la même tristesse chez Françoise, mais il lui en voulait d'avoir refait sa vie. Puis, après mûre réflexion, il se trouva stupide d'en tenir rigueur à son ancienne femme, car elle l'avait sans cesse soutenu tout au long de sa vie. Il avait perçu une amitié sincère lors de ses dernières visites, qui ressemblait à de l'amour, cet amour même qu'elle avait longtemps éprouvé pour lui. Il avait tout gâché en brandissant son accident comme cause de son malheur. En vérité, il savait que c'était la paresse qui l'avait entraîné vers le fond. Il reconnaissait s'être adonné à la drogue par plaisir au début, puis par obligation à la suite de son accident. Pourquoi avait-il ajouté l'alcool à sa consommation de stupéfiants? C'est ce cocktail explosif qui avait anéanti le peu de volonté qu'il lui restait.

Quand il faisait le bilan de sa vie, Jacques était triste. Il avait raté sa vie et pourtant il était né avec des talents exceptionnels, il était peut-être même le plus intelligent du clan Robichaud. Il était le seul de la famille à être bachelier, pour le plus grand bonheur de sa mère. Il avait même obtenu deux baccalauréats, un en droit et un autre en histoire. Durant une période de sa vie, on l'avait considéré comme un génie, car il était un orateur hors pair. Ses admirateurs l'adulaient comme un prince, comme un gourou, et il s'en était enorgueilli. Les réponses aux questions qu'on lui posait lui venaient facilement. Lorsqu'il ne le savait pas, il improvisait tout simplement. Il avait adoré ce rôle d'homme phare, mais c'était à la même époque où avaient commencé les problèmes avec Françoise. Il s'était éloigné d'elle parce qu'elle ne le vénérait pas comme tous ces flagorneurs. Françoise avait tenté de le revoir depuis qu'elle le savait très malade, mais il n'avait pas osé lui répondre. Il avait honte de lui chaque fois qu'il se plongeait dans ses souvenirs et qu'il pensait à elle.

Nicole revint chez lui en lui annonçant qu'elle avait obtenu un rendez-vous au CLSC pour le jeudi suivant. Elle voulut lui couper les cheveux et les quelques poils follets qui avaient résisté à la chimiothérapie. Jacques semblait indifférent à sa proposition, mais tenait à garder sa barbe clairsemée au menton. Nicole fit selon son désir, et le résultat lui donna un air comparable au professeur Tournesol sauf que ce dernier avait tous ses cheveux. Elle avait fait le lavage pour le rendre présentable. Après avoir refait le lit, elle suspendit ses chemises et ses pantalons sur des cintres. Jacques revit son vieux veston qu'il avait acheté avec Maxime à la boutique Tilley en même temps que son ordinateur Apple. Ça faisait des lustres…

Il avait limité la consommation du vin qu'il fabriquait à un grand verre par jour sauf exception. Bientôt, les touries de ce vin imbuvable seraient vides, mais il ne se sentait plus la force d'en refaire. Déjà, Nicole avait lavé une tourie dans laquelle il ne restait que du moût. Jacques ne prenait plus la peine de filtrer son vin avant de le boire. Il le tirait avec une pipette pour éviter le moût le plus possible, mais c'était un vin trouble que personne d'autre que lui n'aurait pu ingurgiter.

Le jeudi fatidique arriva. Nicole s'était présentée plus tôt chez Jacques, au cas où il aurait changé d'idée. Il était là, à l'attendre patiemment, prêt à connaître son verdict. Il avait mis ses plus beaux vêtements, même s'ils étaient trop amples pour lui, et portait son veston fétiche qui camouflait un peu sa maigreur. Il se leva pour suivre Nicole, mais cette dernière lui fit signe de se rasseoir.

— Nous ne sommes pas si pressés que ça, Jacques ! Je suis arrivée plus tôt au cas où tu aurais eu besoin d'aide. As-tu ta carte d'assurance maladie avec toi ?

— J'ai tout ce qu'il faut ! Accepterais-tu d'arrêter à la SAQ au retour ? Je ne veux plus boire de ce vin infect qui reste dans la tourie. J'achèterais un gallon de rouge.

— Je ne sais pas si on peut encore trouver des gallons à la SAQ, mais je sais qu'on trouve des viniers de quatre litres. On vérifiera si tu veux, d'accord ?

— D'accord !

— Comment te sens-tu ce matin ?

— Bien ! Je suis prêt…

— Ce ne sont que des prises de sang, comme tu le sais.

— Pas de problème !

— On n'aura les résultats que la semaine prochaine.

— Je sais !

— Tu es tellement calme que tu m'impressionnes, Jacques !

— Je n'ai pas peur des résultats, quels qu'ils soient. Je rêve de ma vie tout le temps même quand je suis éveillé et je vois ça comme un signe…

— Tu m'inquiètes quand tu parles comme ça. Ce n'est pas nécessairement négatif ! mentionna Nicole.

— Je ne vois rien de négatif !

— Allons-y !

Nicole sortit la première. Jacques ferma la porte à clé derrière lui. Il monta à bord de l'auto compacte de sa sœur sans dire un mot et se laissa conduire jusqu'au CLSC. Une fois dans la salle d'attente, il attendit qu'on l'appelle. Ce fut bientôt son tour. Il rencontra une femme médecin. Elle vérifia ses signes vitaux. Le pouls était faible alors que le cœur s'emballait. Elle écouta ses poumons, puis elle examina ses pupilles, explorant les secrets de son corps. Elle avait remarqué l'absence de dents causée par son cancer de la langue. Elle regarda attentivement l'intérieur de sa bouche, puis, se rassoyant, elle lui demanda quand il avait vu un médecin pour la dernière fois.

— Je ne me rappelle plus ! Ça fait longtemps…

— Avez-vous eu des suivis depuis votre cancer ?

— Pas vraiment, trop loin !

— Vous aimez jouer avec votre vie ? lui demanda-t-elle, le trouvant laconique.

— Pas important !

— Pourquoi êtes-vous ici ?

— Ma sœur !

— Où est votre sœur en ce moment ?

— Dans la salle d'attente !

La médecin appela Nicole Robichaud à l'interphone et celle-ci fut dans le bureau en moins de deux. Elle prit place sur la chaise que lui indiquait la médecin.

— Pouvez-vous m'expliquer pourquoi cet homme se retrouve dans mon bureau dans cet état?

— Cet homme, c'est mon frère. J'ai reçu un appel de son ex-épouse parce qu'il ne répondait plus à la porte alors qu'elle savait qu'il était chez lui. Je me suis donc rendue sur place et il m'a laissée entrer quand il a reconnu ma voix. Quand j'ai vu dans quel état il était, je l'ai convaincu de rencontrer un médecin, répondit Nicole, contrite.

— Et vous, monsieur Robichaud? Tentez-vous de vous suicider?

— Pas d'importance!

— Vous allez peut-être y réussir! À première vue, vous souffrez d'anémie aiguë. L'infirmière vous prélèvera des échantillons de sang pour analyse. Je vous injecterais volontiers du fer, mais je crains que les effets secondaires soient trop grands. Ce qu'il vous faut, c'est une transfusion de sang. Je vais vous donner une ordonnance, que vous apporterez à l'hôpital en sortant d'ici. Non! Oublions la prise de sang par l'infirmière! Je vais appeler à l'hôpital et demander un bilan de santé complet, c'est urgent! Vous allez l'accompagner?

— Oui! Je serai avec lui aussi longtemps qu'il le faudra, docteure. Je l'amène tout de suite, mais est-ce que je devrai faire la queue?

— À votre arrivée à l'hôpital, demandez le Dr Côté, l'urgentiste en chef. Je lui aurai parlé et il vous attendra. Bonne chance !

Nicole était ébranlée. Jacques, lui, était stoïque. Il savait ce qui l'attendait. Si Nicole n'avait pas été à ses côtés, il serait retourné chez lui en passant par la SAQ. Il aurait attendu calmement la mort en sirotant du vin. Il était condamné, il l'avait vu dans les yeux de la femme médecin. Elle n'avait pas pu cacher, en l'auscultant, que la mort rôdait autour de lui. À l'hôpital, Jacques avait été reçu en priorité. On avait prélevé des échantillons de son sang, on avait refait des examens de routine, puis on avait procédé à la transfusion dont il avait grandement besoin. On avait voulu le garder pour la nuit, mais il avait refusé catégoriquement. Jacques avait laissé le numéro de Nicole pour qu'on puisse le joindre en cas d'urgence.

Après avoir fait un crochet par la SAQ qui, au bonheur de Jacques, était ouverte jusqu'à 21 heures, il se rendit chez lui, toujours en compagnie de Nicole. Celle-ci voulut entrer, mais il refusa. En revanche, il l'informa qu'elle recevrait un appel de l'hôpital, ayant laissé son numéro aux médecins.

Cet appel vint très rapidement. Jacques souffrait d'une forme de leucémie virulente. Il ne lui restait que peu de temps à vivre et on lui avait réservé une chambre pour le soulager s'il ressentait des douleurs. Effondrée, Nicole appela Françoise en pleurant. Elle lui raconta le verdict qu'elle venait de recevoir concernant Jacques. Elles conclurent de se présenter ensemble à l'appartement de Jacques le lendemain et de lui cacher la vérité pour l'amener à l'hôpital.

Ce soir-là, Jacques savait que sa vie tirait à sa fin, mais il était serein. Il avait acheté du bon vin et il avait un petit morceau de haschisch dans le congélateur qu'il gardait caché pour les grands soirs. Il se dit que ce soir était le grand soir. Il sortit sa pipe, la bourra, se versa un verre de vin et s'installa dans son vieux *lazy-boy*, dernier vestige d'une époque révolue. Subitement, les remords et les regrets s'étaient envolés. Il alluma sa pipe et en tira une grande bouffée, puis il aspira une gorgée de son vin, qu'il trouva très bon. Il savoura lentement sa pipe et son vin. Curieusement, il ne s'étouffa pas et reprit du vin. Il sentait l'euphorie l'envahir et il ne pensait plus qu'aux beaux moments de sa vie : son passage chez les scouts, son voyage initiatique en Gaspésie, Françoise et tout le bonheur qu'elle lui avait donné. Elle fut la seule femme qu'il avait aimée et qui l'avait aimé en retour. Il avait commis des erreurs, beaucoup trop d'erreurs, mais que pouvait-il espérer d'autre en naissant dans une telle famille ?

Peut-être que, s'il se réincarnait, il serait plus chanceux.

Jacques éclata de rire à cette pensée, d'un long rire qui lui fit mal aux côtes. Quand il reprit son souffle, il se versa un autre verre de vin et ralluma sa pipe. La tête lui tournait, mais il était tellement bien. À un moment donné, il tenta de se lever pour aller uriner, mais il en fut incapable. Il se versa plutôt un autre verre et l'avala d'un trait. Il commençait à être ivre, mais ça n'avait aucune importance. Il essaya de rallumer sa pipe, mais il avait tout fumé. Jacques pencha la tête en arrière et son *lazy-boy* s'ouvrit, lui permettant d'étendre ses jambes. Il était tellement bien dans son fauteuil qu'il se mit à rêvasser à sa tendre enfance. Cette fois, c'était sa mère qui le nourrissait au sein tout en fredonnant une chanson qu'elle chantait quand elle était heureuse, puis l'image changea. C'était son père qui le berçait dans sa chaise berçante tout en regardant dehors. C'était l'hiver et tout était blanc et pur, et il sentait la chaleur réconfortante de son père Émile. Ce fut sa dernière pensée.

Le lendemain, Nicole et Françoise arrivèrent chez Jacques. Nicole cogna, mais n'obtint aucune réponse.

— Il doit dormir! Il a acheté du vin hier en sortant de l'hôpital.

— Qu'est-ce qu'on fait? demanda Françoise.

— J'ai une clé depuis que je fais son ménage, mentionna Nicole.

— Est-ce qu'on ouvre quand même? Il serait peut-être préférable que je ne me montre pas tout de suite et que tu lui annonces d'abord ma présence.

— D'accord! Je l'appelle et j'entre si je n'ai pas de réponse.

Elle dut se résoudre à tourner la clé dans la serrure et à ouvrir la porte. Nicole vit Jacques étendu dans son *lazy-boy*. Elle avait l'impression qu'il dormait. Elle s'approcha de lui en l'appelant, puis elle eut l'impression qu'il ne respirait plus. Elle le toucha, le secoua et se rendit compte qu'il était mort. Elle figea, mais ne fut pas surprise outre mesure. Elle appela Françoise. Quand celle-ci vit les larmes rouler sur les joues de Nicole, elle comprit qu'il était trop tard…